U0106189

限量毛邊本伍佰冊

第　　　　冊

買書記歷

三十八位愛書人的集體回憶

陳曉維 編

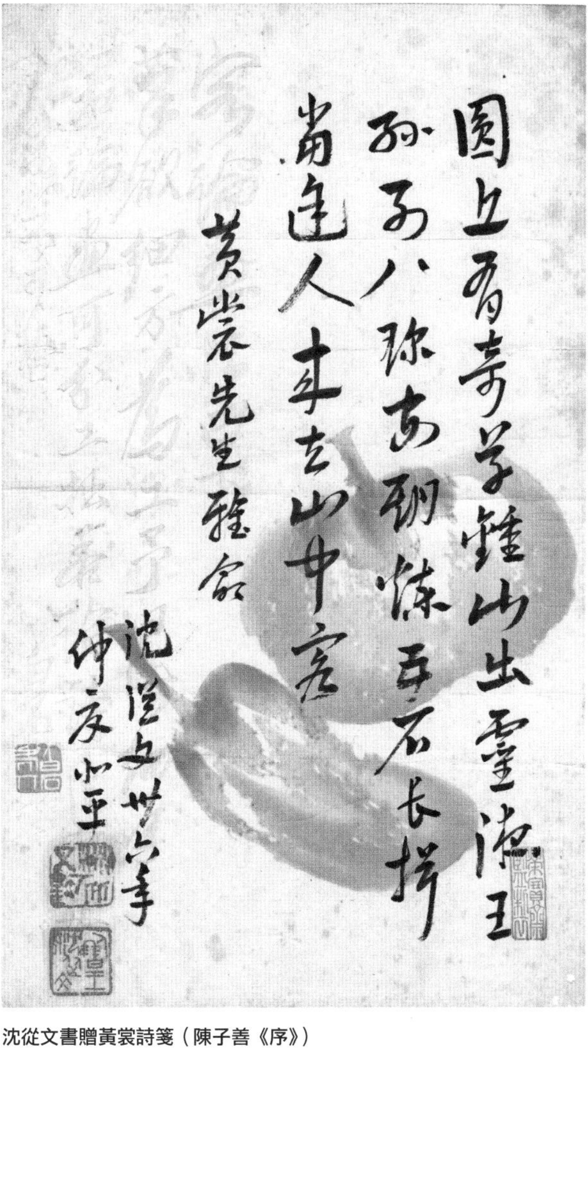

園丁耆宿學鋤山出雲海王
孫子八旬古硯殊五石長持
尚逢人未玄山中客

黃裳先生雅舍

沈從文卅六年
仲庚小王

沈從文書贈黃裳詩箋（陳子善《序》）

《邊城》初版本及沈從文題贈手跡（陳子善《序》）

周作人著作日譯本之一庵《藏周著日譯本記》）

周作人著作日譯本之二（止庵《藏周著日譯本記》）

日本印行的其他幾種周作人作品或與周氏相關的書（止庵《藏周
著日譯本記》）

異書四種書面題字係先君
伯宜公手筆其中粉鐔回詠上
批点則先祖介孚公之筆也民國
二十年三月十三日重行記記于北
平碱草序 作人

周作人跋《異書四種》(趙龍江《拾到的知堂遺物》)

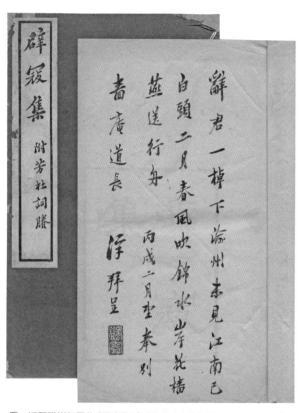

馬一浮題贈謝無量的《避寇集》（臧偉強《我的題識本題贈本集藏》）

樵隱筆録卷三十單行本一冊先儲十年所刊於今己足

六十年矣偶於北平購得之改訂記此 民國三十年歲

在辛巳九月十五日 知堂

周作人跋《樵隱昔瘞》（臧偉強《我的題識本題贈本集藏》）

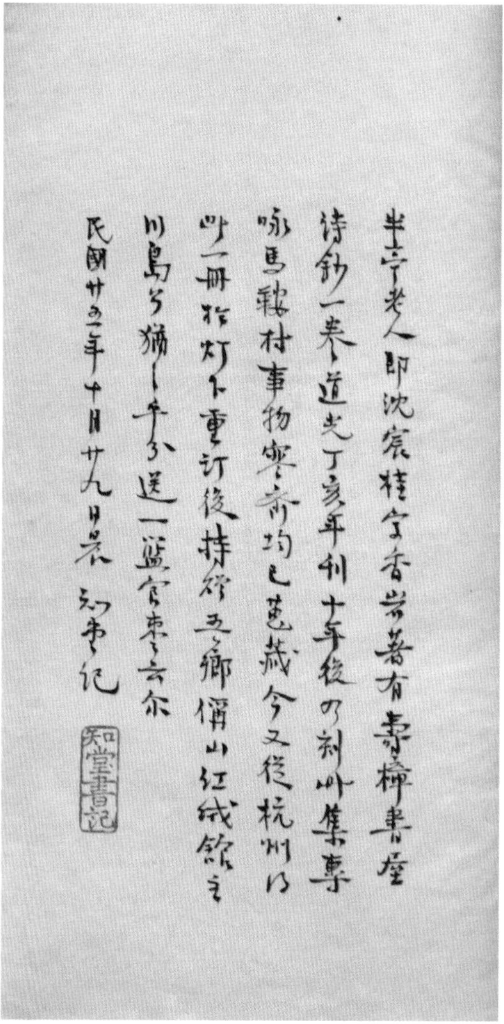

半亭老人即沈宸栝字香蕐善有壽梓書屋
詩鈔一卷道光丁亥年刊十年後刻州集事
咏馬鞍村事物寧奇均已邁藏今又徙杭州以
此一冊指灯下重訂後持贈五弟鄉僧山紅絨館之
川島於獅子坊送一藍官亲二亦

民國廿三年十月廿九日晨　知堂記

[印：知堂書記]

周作人跋《鞍村雜詠》（臧偉強《我的題識本題贈本集藏》）

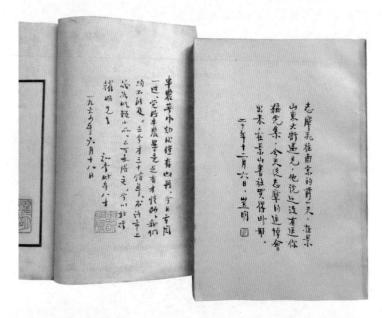

志摩死往南京的前一天，在景山東大街過一見，他說近沒有遇你猛虎集，今天送志摩的追悼會出來，在景山書社買得此耶。二十年十二月六日，豈明

半農英小劫以後有此判，今日重閱一過，覺得半農畢竟之有才情的，我們均不能及。云今才三十餘年，求諸帝上蓋殆恨殺不必，石可嘆惜矣，今以此贈
耀明先生
一九六七年六月十八日
知半時年八十

周作人寄贈鮑耀明的劉半農《揚鞭集》和徐志摩《猛虎集》（臧偉強《我的題識本題贈本集藏》）

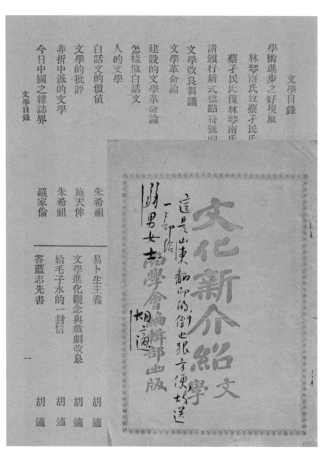

文化新介紹 文學

這是出東翻印的創也很方便好送

一部給男女南學會編輯部出版

胡適

胡適題贈本《文化新介紹》（臧偉强《我的題識本題贈本集藏》）

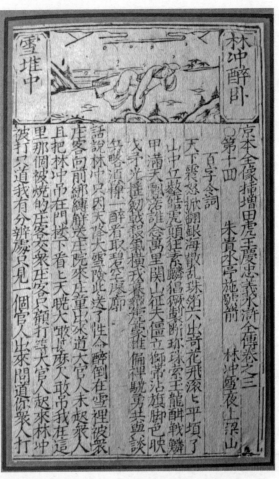

林冲醉卧

雪堆中

○第十四　　　朱貴水亭施號箭　　林冲雪夜上梁山

百字念詞

天下衰怒欣翻銀海散乱珠絕六出奇花飛滾匕平填了
山中立藪荏虎頭往素麟撝製斯珎珠窠玉龍酣戰鱗
甲滿天飄活誰念萬里關山征夫僵立獅帝沾旗脚色映
戈予光摧初戰殷勤戟横戎養龍家帷偏禪馿勇任與談
畧酒禪一醉着取碧窠庭廊

話說林冲只因天降大雪險此送了性命醉到在雪裡被衆
且把林冲在門楼下着上天晓大皷道大官人未起衆人
庄客向前綁縛解送庄院來庄客只顧打等大官人起來林冲
里那個被烧的庄客交衆庄客只顧打等大官人起來林冲
波打只道我有分辨處只見一個官人出來問道你衆人打

插增甲本《水滸傳》殘葉（艾俊川《不至異國，當得異書》）

沈從文《邊城》精裝初版本及《鴨子》初版本（陳曉維《尋沈記》）

潘家園書攤（柯衛東攝影）

潘家園鬼市（胡雲豐攝影）

目　錄

序

陳子善

　　讀這麼多愛書人的買書回憶，我的感受可以用八個字來形容：津津有味，倍感親切。津津有味，是因為他們記述的買書經歷雖然有長有短，各各不同，但中文外文，古籍今籍，娓娓道來，均精彩紛呈，引人入勝；倍感親切，是因為他們之中竟有十九位，也就是正好二分之一，是我認識或者熟識的，新老書友蒐集珍藏了那麼多有趣有意思的書，我感到由衷的高興。

　　我也算是出入新舊書店和徜徉新舊書攤多年的人了，也有過在上海或北京天蒙蒙亮就趕早市淘舊書的記錄，足跡還遠至東京、大阪、柏林、漢堡、倫敦、劍橋、波士頓、洛杉磯和新加坡，在那些名城買過舊書或新書，自以為經歷不可謂不豐富，收穫也多多少少有一些，只是近年來因不上網而坐失購書良機無數，與書中各位愛書人相比，真是自愧不如，羨慕不已。因此，當編者不棄，要我為本書寫幾句話時，我躊躇再三，不知寫些什麼好。

思來想去，也來寫一寫我的沈從文書緣吧，雖然遠比不上曉維兄的《尋沈記》豐富和生動。

記得是 1980 或 1981 年的事。我只要不上課，往往上午泡圖書館，下午逛舊書店。當時上海舊書店只有"上海書店"一家，那天我踏進福州路上海書店內部書刊門市部，倪墨炎先生已先我而至。倪先生以收藏新文學書刊著名，也很會寫文章，我們早已是熟人，常在舊書店中見面。自然，我只是大學青年助教，他的"級別"遠比我高。內部書刊門市部有兩個陳列室，他都可自由進出，我卻只能進外面的一個，而"好書"往往都在我進不去的裏面那個陳列室，我為此一直引為恨事，但也無可奈何。

那天他從拎包中取出一書對營業員說："買重了，換一本。"營業員認識這位常客，一口應允。我在旁偷眼一看，原來是沈從文的《邊城》單行本，機不可失，當即說："老倪不要了，我買吧。"營業員倒也爽快："可以！"於是我購得了《邊城》1934 年 10 月上海生活書店初版本，四十八開平裝，付泉零點六元整。

出得店門，走在熙熙攘攘的福州路上，心情大好，邊走邊翻書，竟還有更大的驚喜。我發現此書前環襯左下有如下毛筆字：

家延兄存　從文　廿三年十月卅日

沈從文三十年代的簽名本啊，且是此書出版當月送出的，實在難得，我幾乎欣喜若狂，真是一個美好無比的黃昏！

這是我獲得的第二本現代著名作家簽名本,第一本是巴金的《憶》。後來遇到倪先生,閒聊之餘,我忍不住問:"你不知道這本《邊城》是簽名本?"他答曰:"我怎麼不知道?但我不專收簽名本,我已有一本《邊城》初版本了,書品全新,正好讓你撿了便宜。"其實,這本《邊城》簽名本也有八成新。於是我倆相視一笑而別。

《邊城》簽名本上款所題的"家延兒"是誰?似非文學圈中人,一時難以查考,只得冒昧寫信向沈從文先生請教。張兆和先生在 1983 年 7 月 23 日覆信云:"家延是我中學的一個同學(女),姓潘,蘇州人,已故。"原來是作者送給夫人的"閨蜜"的。後來我據此寫過一篇小文《〈邊城〉初版簽名本》,這也是我寫的第一篇考證作家簽名本的文章。

當然,更重要的是,我出於好奇,把《邊城》初版本與天津《國聞週報》1934 年 1 月至 4 月第十一卷第一、二、四、十至十六期最初發表的《邊城》連載本略作對比,發現兩個版本之間存在差異,也就是說初版本已作了修改,後來又讀到姜德明先生介紹《邊城》作者校註本(1935 年 4 月再版本)的《寫在〈邊城〉的書邊上》,進一步意識到一部現代文學名著,往往存在多種不同的版本,這個問題非同小可。因此,當四川龔明德兄起意編"現代文學名著彙校本"叢書時,我自告奮勇,報名彙校《邊城》。沒想到龔兄出師不利,第一本《〈圍城〉彙校本》就出了"問題",整個計劃也不得不付之東流。多年之後,金宏宇兄等終於出版了《〈邊城〉彙校本》(可惜他沒能利用姜藏作者校註本),我樂觀其成。

此後我雖不刻意但也一直留意搜羅沈從文1949年前的作品，但所得甚微。《記丁玲》正續集、《湘西》《廢郵存底》《長河》等初版、再版或更晚的版本倒是先後入手了，但也僅此而已，他早期（二十年代）的作品集，幾乎一無所獲，未免沮喪。直到九十年代後期在北京中國書店，從一堆雜書中翻出兩本沈從文讀過的書，才算為自己的沈從文書緣增添了新的別致的一章。

一本是《化外人》，歐美短篇小說集，傅東華選譯，列為"文學研究會世界文學名著叢書"之一，1936年3月商務印書館初版，為四十八開精裝本。但我購得的這冊已是殘本，硬布封面封底均已失去，而代之以牛皮紙補裝。這本小書本來不是什麼珍稀版本，何況還是殘本，我之所以如獲至寶，是因為書的前環襯和正文第一頁右側各有一行毛筆小字，分別為"從文　三十六年十一月　北平"、"從文　三十六年十一月"。

沈從文的字自有鮮明特色，我早已熟悉。因此，我判斷這是沈從文的舊藏，當即購下，付泉二十六元整。

另一本是《思想的方法》，Graham Wallas 著，胡貽穀譯，列為"漢譯世界名著"之一，1936年10月商務印書館初版，小三十二開平裝本，封面封底也已失去，仍代之以牛皮紙補裝。但此書作者序文第一頁右側也有一行毛筆小字："從文讀書　三十七年五月　北平"。此書雖然也是殘本，因也為沈從文舊藏，故一併購下，付泉五十元整。

從題字推測，沈從文閱讀《化外人》和《思想的方法》兩書時間當在1947、1948年間。"山雨欲來風滿樓"，郭沫若已在 1948 年 3 月發表的"名文"《斥反動文藝》中直接點了沈從文的名,而此時的沈從文除了繼續編刊撰文,還在讀外國小說,讀"思想的方法"……

另外,值得注意的是,《思想的方法》一書中,不少段落有鉛筆圈點或打鈎,應均出自沈從文之手。

眾多中國現代作家中,只有魯迅的藏書(特別是後期藏書)保存得最好,早在 1959 年 9 月,北京魯迅博物館就編印了《魯迅手跡和藏書目錄》,以至有論者可以據此寫出《魯迅藏書研究》《魯迅讀過的書》這樣的著作。沈從文就沒有這樣的幸運。他從一個"鄉下人"成長為國際聞名的大作家,在不同的歷史時期讀過哪些書,受到哪些影響,由於他的藏書早已星散,這方面的研究確實難度不小。因此,這兩本我在無意中偶得的沈從文 1947、1948 年間讀過的書或可對此稍稍彌補一二。

除了《邊城》初版簽名本和 1949 年以前出版的沈從文其他作品,除了沈從文讀過的兩本書,我的沈從文書緣還應包括改革開放以後出版的他的作品。沈從文 1980 年 5 月初遷居北京前門東大街中國社科院宿舍。兩年後的 8 月,我在這裏首次拜訪他老人家,得到他的熱情接待。我帶去了新印的《從文自傳》增補本(1981 年 12 月人民文學出版社版)請他簽名,他欣然用毛筆在扉頁上寫下:

子善同志 沈從文 八二年八月

1985 年 8 月,我最後一次拜訪他,又帶去《沈從文文集》精裝本第一卷(1982 年 1 月香港三聯書店版)請他簽名。他的身體狀況已大不如前，只能勉力在扉頁上用水筆寫下"沈從文八五年八月"八個字。兩年以後，他老人家謝世，與該年的諾貝爾文學獎擦肩而過。從此以後，這兩冊沈從文為我而簽的簽名本，也為我所寶藏。

然而，我的沈從文書緣並未到此結束。十四年前，收藏家潘兄出版《百年文人墨跡：亦孚藏品》時，由我轉請董橋先生為之寫了序。他高興之餘，執意送我一幅沈從文的字，並再三說明，沈從文的字他已收藏多幅，這枚最小的送我略表心意，千萬不要過意不去。我卻之不恭，只能愧領。這也是我未曾想到的，沈從文書緣之後，又有了沈從文書法緣，也算應了"愛屋及烏"這句古話。

中國現代文學史上，毛筆字漂亮的作家不乏其人，但能稱得上書法家的並不多，沈從文就是其中突出的一位。我得到的這幅字書於北京"榮寶齋監製"的白石老人瓜果小箋上，是一幅行書，全文如下：

圓丘有奇草，鍾山出靈液。王孫列八珍，安期煉五石。長揖當途人，來去山中客。

黃裳先生雅命

沈從文　卅六年仲夏　北平

落款鈐有兩方朱文印，一方為"沈從文章"，另一方為"鳳凰沈從文"。前一方鈐得有點模糊，故而再加鈐後一方也未可知。

這枚小詩箋是沈從文寫給黃裳先生的。黃裳在《珠還記幸·宿諾》中曾詳細回憶他"1947年開始起勁收集時賢書法時的事。曾託靳以寄了一張箋紙到北平去請沈從文寫字，不久寄來了。在一張小小的箋紙上臨寫了三家書法。包世臣、梁同書和翁方綱。在箋尾有兩行小字，是他自己的話，字也是他自己的面目"。沈從文給黃裳寫字遠不止一次，除了這幅"三家書法"，還有"一張長長的條幅"、"一張更長的條幅"等等。但我所得的這枚應該是篇幅最小的，他文中卻未提及。

巧的是，這枚小詩箋也書於"卅六年"（1947年）。所寫的六句詩出自東晉詩人郭璞的《遊仙詩》之七，沈從文只寫了此詩後半首的六句，而且可能是憑記憶所書，個別字詞有所出入。不過，他為黃裳寫字，古詩信手拈來，從中也可略知他的古典文學造詣。沈從文1949年前的書法作品傳世已經不多，除了為黃裳所書的大小字幅，我僅在許傑先生處欣賞過一紙昆明西南聯大時期寫在灑金箋上的橫幅。因此，這枚小詩箋也一直為我所珍愛。

沈從文的書法作品這些年來大受追捧，拍賣價格不斷飆升，我早望而卻步。不料六年前又有機會結識在美國的一位書史研究家，通過他購得沈從文1980年旅美期間在張充和先生寓所書的一枚落款"從文塗鴉 時年七十八歲"的小章草，總算是圓了一早一晚各一幅的沈從文書法緣。

我的沈從文書緣大致就是這些了，"多乎哉？不多也"，不過，我已經滿足。近來一直在想，愛書人是個可愛的雅號，而我只能勉強稱得上合格。真正的愛書人理應對書充滿感情，孜孜以求，難以割捨，但同時也應該是通達的。擁有一本好書，自然證明他與此書有緣；失之交臂或出於各種原因而無法擁有，固然遺憾之至，從另一個角度視之，不也說明他與此書無緣嗎？一切應該隨緣。

　　作為第三十八位愛書人的買書記歷，這篇不像樣的小文到此就該結束了。

　　　　　　　　　　　甲午中秋於海上梅川書舍

長醉書鄉不願醒

許定銘

我自上世紀六十年代起，熱衷搜藏民國版新文學舊平裝書，那年代香港經濟困難，小市民生活艱苦，不少低下層平民百姓愛在街頭擺賣，而擺地攤賣舊書也是個熱門的行業，港島灣仔、中環荷里活道、油麻地廟街、旺角奶路臣街一帶，都是舊書業的集中地。最初賣舊書的，以地攤或手推車為主，愛書人可蹲在地攤前，左選右翻，不亦樂乎，然後跟攤主天南地北地攀談，一再講價，最後花"一個幾毫"，得搜好書而歸，獨磨若干個無眠之夜。那時代舊書不僅便宜，而且還經常能買得珍貴的版本，套句本地話，真是"又平又靚"。

到得戰前舊樓已拆得七七八八的七十年代，舊書貨源愈來愈少，原舊書地攤的攤主多轉業他去，留下的地攤也漸漸入了舖，發展成舊書店。汰弱留強後，便剩下三益、神州、康記、新亞、實用，這些曾各領風騷的舊書業翹楚。而舊書也因入了書店，成本加上了舖租人工，忽然跳升至二三十元一本。對愛書人來說，雖然加重了負擔，但還算好，因為間中還可買到好書。但到了八十年代，內地大批新書湧現，不少民國版舊書重印，愛書人因有新書可讀，舊書便一下子被打進冷宮，舊書業日漸式微，像我這樣熱衷舊書的愛書人，即使遠赴濠江，行到路窮，也無法買到精品，那份收藏的狂熱自然冷卻，藏於心底，不再希冀能搜得珍本，書自然束之高閣了。

豈料二十一世紀到來，整個世界有了新的開始，舊書業也拓開了網絡世界，一下子把中國各大城市拉近了，大家透過電腦聯繫溝通，舊書業忽地復甦，蓬蓬勃勃地發展起來，我的書鄉夢又可重溫，又能夠買到罕見的珍本了！

當然，現在香港的街頭巷尾還能找到不少舊書店，但，你若想從它們那兒買到絕版的民國版新文學書，那是難之又難了。故此，近幾年來，除了網上拍書以外，我的足跡遍及廣州、上海、杭州、蘇州、北京、青島等各大城市的舊書店。然而，收穫還是少得可憐，即使像上海的文廟，北京的琉璃廠、潘家園、報國寺等，過去是愛書人聖地的市集，也難以像以往般沙裏淘金，"撿漏"的日子一去不復返了。

然則怎樣才能搜得珍本呢？

我的做法是從網絡上聯繫各大城市著名的舊書業者，讓他們知道我的收藏範圍及水平，他們每收到罕見的好書，便會透過電腦讓我看書樣，然後討價還價，只要售價不是太過分，便可立即交易。若果書太多，或要價太高，而自己又太想要的，就得親身走一趟，再行決定。

近年我從網上拍賣所得的民國舊書數以千計，有不少是我收藏四十年來都未見過的，且隨意找些跟大家分享。此中買得最貴的，應該是趙景深（1902—1985）的《荷花》（上海：開明，1928），此書搶拍者甚多，瀏覽人次達八百七十次，我最終以第三十五次出價一千九百元投得，加上手續費及郵費，是兩千多了。趙景深是現代文壇的多面手，以寫文人軼事及評論為主，創作甚少，如果我沒有記錯，他只有一本短篇《梔子花球》（上海：北新，1928）和這本詩集《荷花》。《梔子花球》有幾個文友介紹過，即是他們的手上都有，但《荷花》，我還是首見，一本有八十年歷史，而當年只印一千五百冊的詩集，保存達九品如新，豈是區區一兩千所能替代！

以最高價買進的，不一定是心頭的至愛，最近以八百元買到徐仲年（1904—1981）的《陳跡》（上海：北新，1933），使我興奮得徹夜無眠。早年留法的徐仲年是我國著名的學者，建國後已專注於中法文學的翻譯研究，但他二十及三十年代曾有不少創作，是我的研究對象之一。我曾經寫過《徐仲年和他的〈雙〉〈雙〉》，介紹了他的長篇《雙尾蠍》和短篇小說集《雙絲網》；又寫過《徐仲年的一篇手稿》，談他的一篇未發表過的手稿《淺草社‧林如稷及其他》。

在《雙絲網》的自序裏，徐仲年談及自己早年的創作，說他自十六歲（即 1919 年）起，已在《時報》《京報》《晨報》等副刊及《淺草》上用過很多筆名發表作品，可惜大部分未保留，能找到的都收進了他的處女作《陳跡》裏。而他當年常用的筆名中，以"徐丹歌"最受注意，魯迅在編《中國新文學大系》小說卷時也有提及徐丹歌。

這是我第一次知道《陳跡》這本書，沒想到在寫《徐仲年和他的〈雙〉〈雙〉》一年後的今天，我竟然買到這本出版於七十多年前的小書，得睹徐仲年的處女作。

在搜藏民國版舊書的過程中，我對詩集有偏愛，尤其一些較少人知道，轉瞬即逝，似流星閃過的詩人的創作，更是我搜藏的重點之一，此所以我藏有李滿紅的《紅燈》（南平：國民出版社，1944）、袁水拍的《向日葵》（重慶：美學出版社，1943）、力揚的《我底豎琴》（昆明：詩文學社，1944）、CF女士的《浪花》（上海：北新，1927）、莊湧的《突圍令》（上海：海燕書店，1947）、柳倩的《生命底微痕》（上海：聯合，1936）、劉廷芳的《山雨》（上海：北新，1930）、蒲風的《六月流火》（東京：內山書店，1935）、史輪的《白衣血浪》（上海：泰東，1933）、玉杲的《大渡河支流》（上海：建文，1947）等罕見的詩集，此中我特別喜愛史輪的《白衣血浪》。

山東邱縣人史輪（1902—1942），原名馬清瑞，三十年代是他詩歌創作的黃金時代，曾加入西北戰地服務團，後轉去延安，在文化救國會工作，為"戰地社"主要成員，他的詩集只有《戰前之歌》和《白衣血浪》兩種。

《白衣血浪》（上海：泰東，1933）是本三十二開一百一十九頁的小書，那是首過千行的長詩，詩人以淒美的文字、詩意的情懷，描述了一段封建時代的愛情悲劇，以"白衣"代表愛情的純潔，以"血浪"反映封建禮教之窮兇極惡。書內除了優美的詩篇，還有好幾幅配詩的單線條抽象畫，十分吸引人。此書封面設計獨特，以紅黃黑三色及圓直曲線交錯，展示了詩人複雜的心態。史輪在《作者的話》中，對本書裝幀者有這樣的感謝語 ——"本書蒙段平右先生作封面，豐子愷先生作扉畫，倪貽德先生作畫像，龐薰琴，周多先生作插畫，並此誠意致謝。"當年的裝幀名家盡攬於此，《白衣血浪》不僅是本非常漂亮的詩集，還是一件藝術品！

除了詩集，我還特別關注大作家以少用的筆名所出的書、作家的處女作、本業非創作類的學者的創作，或詩人的小說、論述等。如張天翼以鐵池翰筆名出的《齒輪》（上海：湖風書局，1932）、白薇以楚洪筆名寫的小說《愛網》（上海：北新，1930）、詩人王獨清的雜論《如此》（上海：新鐘，1936）、語文家劉薰宇的《南洋遊記》（上海：開明，1930）、楊蔭深的長篇《哭與笑》（上海：現代，1930）、祝秀俠的小說《八月間》（上海：現代，1930）……都是較少人注意，而我比較珍愛的。

在收藏民國新文學創作類書籍這個圈子內，大家除了特別愛毛邊本及簽名本外，引人注目的還有精裝本及線裝本，因這兩類書遠較一般平裝書為少。精裝本中比較常見的，是趙家璧編的《良友文學叢書》四十種和《良友文庫》十六種，都是軟皮精裝書，且每本均印上不同的編號，尤其前者，還有彩色印製的護封，非常精美。這幾十冊書雖然都出了超過七十年，但在收藏市場上，還不算罕見，一般價錢都不會超過一千塊。不過，若書品完好，又存有護封的，則作別論。市場流傳，整套齊全的《良友文庫》，價在八萬；《良友文學叢書》則賣到十五萬了！還有一套商務出的《文學研究會創作叢書》，是四十開的硬皮布面精裝，也比較常見，不過這套書的用料惹蟲蝕，品相多欠佳，通常都是幾百塊的貨式，受歡迎的程度不高。

我比較喜愛的，是良友出的另一批紙面硬皮精裝書，這批書不列叢書，也不知出過多少種，但它們的封面及製作格式一致，初版也有編號，一律印二千冊，我現存郁達夫等的《半日遊程》（1934）、王家棫的《掃帚星》（1935）、大華烈士的《西北東南風》（1935）、林疑今的《無軌列車》（1935）、穆時英等的《浮世輯》（1935）和左兵的《天下太平》（1937）。

此中特別值得一提的，是左兵的《天下太平》。左兵是位不見經傳的無名作家，他這部十四萬字的長篇小說《天下太平》，是參加"良友文學獎金"徵文比賽的得獎作品。作者本身是位生長於農村，對農民生活有深入認識的教師，他在《題記》中說：原本希望以二十萬字，描述"五卅慘案"以後"農村在內憂外患交相煎迫之中陷於破潰之形相；並傳出革命勢力相乘地在大眾心裏蔓延生根"（頁三）的情況，可惜因為時間不足，在工作之餘硬擠出了五百個工作小時，完成了這部他自己並不滿意，只視為初稿的傑作。他把《天下太平》視為第一分冊，還"預備從'二七'年代到'三一'年代的'九一八'，寫第二分冊；'九一八'後則寫第三分冊"（頁三）。然而，不知何故，自《天下太平》以後，我們再也見不到左兵的作品，而他的大計相信也未完成。

至於其他零星的精裝本，我最愛的是羅西的《人生底路及其他》（上海：正午書局，1931）。羅西（1908─2000），原名楊鳳岐，湖北荊州人，也即是建國後寫《一代風流》五部曲而聲名大噪的歐陽山。我還藏有他的長篇《蓮蓉月》（上海：現代，1928）和《玫瑰殘了》（上海：大光書局，1935），就只有《人生底路及其他》是珍貴的精裝本。

《人生底路及其他》初版只印了一千冊，我的這冊是精裝本的第628號，出版至今已七十六年，仍保存得相當不錯，十分難得。這是本三十二開、二百零一頁的短篇小說集，內含《中秋節》《再會吧黑貓》《人生底路》等六個短篇。最難得的是內頁還表列出羅西的作品目錄，原來當時他已出版了長篇七種、短篇小說集四種和散文詩歌兩種，這對研究者來說，是份非常珍貴的資料。

線裝本的新文學書非常少，經常被人提及的是徐志摩的《志摩的詩》（新月，1925）、《愛眉小扎》（上海：良友，1936）、冷紅生（林紓）的《劍腥集》（北平：都門印書局，1913）、于賡虞的《晨曦之前》（北新，1926）、劉半農的《揚鞭集》（北新，1926），而我手上也只有王禮錫的《市聲草》（上海：神州國光社，1933）和曾仲鳴的《東歸隨筆》（上海：開明，1931）兩種，是未曾有人提及的。

王禮錫（1901—1939）與陸晶清夫婦是上世紀三十年代知名度甚高的文人，他1931年在上海創辦了神州國光社編輯部，主編《讀書雜誌》；1939年到重慶，參加中華全國文藝界抗敵協會，後組織作家戰地訪問團，以團長身份率領李輝英、羅烽、白朗等十多位作家，北上前線訪問，途中因黃疸病在洛陽辭世。

王禮錫的《市聲草》非常罕見，是本窄窄長長的線裝本（28×12cm），乃舊詩與散文的合集，內分《市聲集》《風懷集》

《流亡集》《困學集》數輯，多為抒情、寫意及記事之作，大多記述與小鹿（陸晶清）間的情事，可惜多情種子早逝，留下恨事綿綿。此書由錢君匋裝幀，書前並有胡秋原、賴維周、陸晶清的序言及王禮錫的自序，至為珍貴。

曾仲鳴（1896—1939）生於福州，十六歲開始到法國留學，獲里昂大學文學博士。1930年歸國時，汪精衛任國民政府行政院院長，曾仲鳴與他世交，便追隨他從政，曾任國民政府鐵道部次長，後任汪精衛秘書多年。1939年，汪精衛避居河內時遭特務暗殺不果，曾仲鳴卻被誤殺。

曾仲鳴熱愛文學，尤其對中法文學頗有研究，與孫伏園、孫福熙深交，三人曾合著《三湖遊記》（上海：開明，1931），記述三人同遊之事。其後因孫福熙主催，他又寫了《東歸隨筆》。

我所藏的線裝本《東歸隨筆》，大小恰如大度三十二開本（19.5×13cm），全書近百頁，分七章記述他自法國起航回國途中所見所聞。書前有孫福熙的代序《朱古力的滋味》，他說曾仲鳴曾五次經過這條航道，"所見所聞，當然積累很多，而每次季節不同，時代不同，不但事物新穎，還可先後比較，免除以一概全之弊"，還說他最擅長從生活的微細處入手，以"輕淺的態度，產生最嚴重最深刻的人生"。

沒想到追隨汪精衛從政的曾仲鳴，也寫得一手好文章！

讀到這裏，大家一定想問：究竟你那幾千冊書共花費了多少？你的書呆夢難道沒完沒了，何時才會醉醒？

對不起，我沒計算過，也不敢算。我怕認真算過以後，今後再捨不得花錢買書。我只能告訴你：普通書以百作單位，好書則以千計算。但，我得告訴你：若想得天下好書，一定要大破慳囊，此所以經常有內地的舊書業者帶十本八本書，自由行到港訪我，一般都能賺回旅費有多哩！

　　至於我的書呆夢嘛，恐怕永不會醒了，我今生今世大概都是長醉書鄉不願醒的了！

買書記憶

譚宗遠

這輩子愛好不多，閒時就好買買書，演演戲，寫點狗屁文章。三樣事哪樣幹得也不出彩。這裏只說買書一項。

說起藏書，我就洩氣。買書三十年（此為大而化之的說法，實際不止此數），若是旁人，收穫定然大有可觀，即使沒有盈箱的明版清刻、民國舊書，也會有成櫃的簽名本、精裝本、毛邊本入賬，讓人饞涎欲滴，眼熱眼紅。我則不然，碌碌三十年，買的書倒是不少，堪稱精品的卻不多，套用一句口語：一般般。

三十年中，總有二十五年，我買書既不看版本，也不重品相。我一向認為，買書是為讀而不是為藏更不是為玩的，因而從來沒有幾版幾印、印數多少、精裝與否的概念，只要是信得過的出版社出的，自己又感興趣，就買下來。這樣，我的書固有不少一版一印的，可二印三印、再版三版的也不少。這於讀無礙，於藏就有些不大相宜。近年受時風影響，想稍稍講究一下，發現一些更早的版本，若價格不貴，品相尚可（最好是精裝），有時也買下來，替換掉原先的那本。比起後印的，最早的印本自然更有說服力，也更討人喜歡。再有品相，我也不挑剔，只要頭尾俱全，不缺頁短字，就認可。因而我的書中就有一些又髒又舊的、蓋滿了大小圖章的、有油漬水跡的、捲了角摺了邊的、甚至缺少封面封底外面糊了一層牛皮紙的。現在，這樣的書我是不會再要了。偶有例外，一定是因為書的其他方面吸引了我。比方近年買過一本劉禺生的《世載堂雜憶》，《近代史料筆記叢刊》的一種，中華書局 1960 年 12 月初版，封面就缺了一塊，按說不該要了，但因為這個版本不常見，書的其他方面完好無損，價格又低，還是買了。這是劉禺生七十歲以後，"憶寫從前所見所聞之事"而成的一部筆記，"隨憶隨錄，篇幅不論短長，記載務趨實踐"，可當信史去看。如《清陵被劫記》一篇，敘孫殿英盜墓事，洋洋萬把字，尤其所附清侍郎陳毅的《東陵紀事詩》和耆齡、寶熙當時的日記（三人皆為清室所派大臣，專司收拾陵墓殘骸、重新安葬之事），言之鑿鑿，足資取信。書係黑糙土紙印刷，也有"三年困難時期"處處將就的痕跡。這書近來一直放在我的枕邊，就寢前讀上一段，獲益良多。

我買書缺少戰略眼光，錯過的好書不可勝數。有件事我最是耿耿於懷。那年我三十歲不到，一日在舊書店，碰見兩本書，一本是師陀的小說集《果園城記》，一本是李廣田的散文集《銀狐集》，皆是民國初版，書品極佳，每本標價一元二角。兩塊四，今天真不算什麼，可在八十年代初，我一個月只掙三十來塊錢，就不是小數了，夠一禮拜生活費哪。我把書拿起又放下，拿起又放下，猶豫了半天，還是放棄了。不久，廣東人民出版社選印巴金主編的文學叢刊，新出了《銀狐集》，我花四毛多錢買了一本，還不無得意地把這件事記述在一篇文章裏，以為自己撿了個大便宜。可若干年後我就後悔了，那兩本書老在眼前晃，越想越悔，真想穿越時空把它們再追回來。當然，這只能是做夢，版本、品相這麼好的民國書，可遇而不可求，一旦錯過，就再也沒有重逢的機會了。

我半生買書所以不稱意，跟我乏人指點、悟性又差關係極大。多年來我只對當代散文感興趣，買的多是 1949 年以後出版的散文集，這樣狹小的眼界，勢必把那麼多的名家畫冊、經典古籍、線裝書、外國文學名著等摒除在外了。進了書店，眼睛在書脊上跳來跳去，只對散文集敏感，漏書之多可想而知。若能遇高人及時指點，也許還可亡羊補牢，但長期的孤陋閉塞，使我終於沒有及早回頭，以致一誤再誤，坐失良機。近些年好書難覓，書價奇昂，要想把失掉的書撈回來，怕是勢如登天了。

即便是散文集吧，精裝本、簽名本應該也很不少。可是這樣的機緣我也沒有抓住。我買書誤區有二，一、有平裝有精裝，肯定買平不買精；二、已經有了的書，以後碰見就不再翻動了。前者是圖省錢，後者是嫌麻煩。結果，印數少的精裝書我少之又少，也放過了許多簽名本。即便趕巧見到了簽名本吧，也不是都拿到手了。一次在書店見到一部《葉聖陶語文教育論集》上下冊，是葉聖老簽贈給范用的，定價兩元五角。我身上沒這麼多錢，只好蔫蔫地把書放下，騎車趕緊回去取錢。

前後也就半個多小時，回來再找這書，已經被人買走了。當時那個懊惱就別提了，為什麼不先把書交給營業員代存再回去取錢呢？怎麼就這麼"榆木"呢？只好歸咎於與此書無緣，心才稍稍放寬了些。

買書三十年，淨是教訓——深刻的教訓。我惟有感歎自己連買書這麼簡單的事都幹不好，不是無能是什麼？！

海王村書肆之憶

謝其章

現在的淘買舊書，與過去的腳踏實地的訪書方式有了根本的不同。在拍賣會上使蠻力爭書，於網絡上隔山買牛，到底沒有了天地人交融的平靜與自然。所以我用"腳踏實地"這個詞來與新時代劃清界限，同時向舊時光投去最後的一瞥以示訣別。

私人訪書史，雖渺小，也好比"一部二十四史，不知從何說起"。那就從海王村書肆說起罷，想起哪段說哪段，不顧及什麼起承轉合，或是記憶片段，或是書肆尋夢，終歸一句話——"逝者如斯夫"。

舊書的趣味，我知道得很晚。那是北京城陷於無秩序的某年春夏，供職單位的管束也鬆懈了許多，我得以找各種藉口外出不歸。溜號之後去得最多的便是琉璃廠。琉璃廠十字路口東北角是海王村公園，進得南門兩邊是兩溜長廊似的房子，一間一間的，兩溜房子交匯處是一座二層小樓，坐北朝南，俗稱"三門"，是中國書店總部所在地。樓裏有很多的古舊書，並專

早期海王村公園，遠處的北樓隱約可見，時逢正月廠甸，遊人如織

設"內櫃"讓有頭有臉者優先挑書，中國社會的特權階層，啥時也取消不了。這權力倒不是"權傾朝野"式的勢焰熏天，但是實惠終是少不得的。

據文史專家王學泰先生回憶，海王村歸中國書店使用是"文革"後期的事情——"琉璃廠舊書店 1972 年開始營業，不過直至 1979 年之前都是以'內部書店'形式賣書的。其地點在海王村，也就是前面所說'小廣場'的路北。"

"美國總統訪華後，書禁大門終於開了一條小縫，愛書者和曾受惠海王村舊書店者還是應該感謝尼克松的，這就是海王村中國書店開始憑介紹信可以購買舊書的大背景。時間大約是在1972 年春季。"

王學泰所說介紹信，有兩個檔次，普通的"用張信紙，開個便條，蓋個公章就可以了"，但只適用於西廊。要進我上面說的"三門"則須局級以上的介紹信，像"中國科學院文學研究所"的介紹信也管用。

正規的介紹信是很講究的，有編號，中間有虛線及騎縫公章，高級的是用鋼印，虛線便於撕開一式兩份，辦事的人拿一份，單位一份留底。抬頭落款諸項格式都是印好的，填寫時必須用什麼筆也有要求。越是大單位介紹信越正規，介紹信越正規表示要辦的事情越重要，接待人員也會因此高看你一眼，深信不疑且大開方便之門。

介紹信是中國社會的一個病瘤，它的伸縮性很大，造成權力真空。1993 年 5 月 7 日，我騎摩托車去中國圖書進出口公司買港版《金瓶梅》，前幾天來過一趟人家說買這書須介紹信。我回單位（至今我也不好意思說那算是啥單位）很容易地就開了一張，亮給管事的看，管事的說："介紹信你揣起來吧，我不看了，《金瓶梅》賣給你。"當時他還說了一句："就這介紹信你不拿出來還好，拿出來我收了，讓人家笑話！"我得寸進尺，說您再賣我一套吧，真是碰到好說話的了，真的又賣給我一套（二百九十元）。

舊書業的名人雷夢水們就在海王村北樓上班，我沒趕上看見雷夢水。只是後來冒冒失失給老先生寫了信，信沒留底，無非是些仰慕的話罷。老先生回了信，送我一本他編的《台灣竹枝詞》小薄冊子。雷先生住南三環洋橋馬家堡，幾封信我都留著呢。再後來在琉璃廠書市買到好幾本小薄冊子，是雷老的舊藏，每書都貼有購書發票，姜德明先生在文章中說過這是舊書業老派人的做法，"他（雷夢水）雖賣書，也自備一點心愛的書在手邊。出於潔身自愛，也是為了避嫌。購來的每本書上或貼有單據，或留有購書日期、定價和單據號碼。這種處世之道亦帶有一點儒雅之風"。

三門裏我幾乎沒買到過像樣的書，這是後來的回憶，當時是因為不懂好賴書。長廊似的兩溜房子也是中國書店的門臉，俗稱"東廊"、"西廊"。西廊原有的店名叫邃雅齋，好像打解放前就有。西廊以新書為主，門臉正對著南新華街，行人一邁腿就進了書店。門口掛著塊牌子"常年收購古舊圖書"，正是這塊牌子暗示著中國書店與新華書店的一個重大區別。新華書店只能賣新書，而中國書店新舊都可以賣；新華書店只能照定價賣，中國書店古舊書的定價可以隨行就市，可低可高，更多的時候是"高價"。常常看見讀者拿著書問店員："這書不是定價一塊二嗎，你怎麼賣十塊啊？"這就是不懂舊書行的外行話。

王學泰講他在海王村碰見過的各式買書人，"我很羨慕那些剛落實政策補發工資的人們，在每天候於海王村之門的諸位之中頗有幾位是口袋裏有幾千塊錢的"。先插一句，范用在七十年代用補發的二千元於上海舊書店狠狠買了一大批民國畫報期刊，我親眼看過上海書店開具給范用的三紙清單，全部是"彈睛落眼"之物，數量多，質量高，品種優。這批寶貝現在應該是歸了上海出版博物館。王學泰講某"女同志花二百元買了九百本一套的進步書局的《筆記小說大觀》。當時這被看作是豪舉，引起許多人的羨慕"，這套龐然大物我也在東廊看見過，時間已是九十年代初了，標價好像是八千元，看了它許多年，也沒賣出去。還有一位"專買新中國成立前上海大達圖書公司出版的'一折八扣'書"，王學泰也頗不以為然，說"這些書等同垃圾，最好的去處是造紙廠"。"一折八扣"書的優勢是便宜，十幾塊錢當時能買一百多本。我也熱衷過一陣子"一折八扣"書，只挑封面好看的、彩色的買，不求多，此時十幾塊錢只能買一本了。

淘買舊書必得過金錢一關。知堂老人曾說："大約十元以內的書總還想設法收買，十元以上便是貴，十五以上則是很貴了。"王學泰曾寫道："1972 到 1974 兩年多我幾乎是日日光顧海王村淘書。那時的舊書還是 1965 年定的價，與現在的書價比較起來不啻天壤。記得我只用了兩角錢就買了一本何其芳先生的布面精裝《漢園集》。後其芳先生說，抄家抄得連自己寫的書都沒有了，我就送給了他。北樓的一些明刻書是一元錢一本。一部殘的歐陽永叔集二十五本，價二十五元。可惜那時只掙五十四元錢，吃飯養家外沒有多少餘裕，否則不知搬回多少被家人視為的'破爛兒'。那是文化荒漠中的一片綠洲，至今思之猶感溫馨。"

《紅與黑》中侯爵大人訓誡于連"要做個上等人，至少要有兩打襯衫"，這句話轉換一下意思同樣也很適用於愛書者。

進東廊不如進西廊便當，你得先進海王村大門，曲曲彎彎，才能見到東廊，東廊的門很小很隱蔽，頭回來還真是"不得其門而入"呢。還有一個進口是從大門旁的安徽四寶堂裏穿進去，我是去過多少回後才知道這個捷徑的。東廊很僻也很暗，終日射不進來陽光，昏昏暗暗，與四壁的古舊書顏色倒是天水一色。終年在這裏的店員，好像現代人發配到了荒寺野廟。

我的舊書刊初旅，即在東廊開展，這是永記終生的。我後來能夠寫作出版十幾本書，還是要拜東廊所賜。感謝种金明先生耐心地一次次給我找配舊雜誌，使我走上了與大多數人不一樣的藏書路徑。

种師傅是中國書店老員工，長期負責收購古舊書刊，這樣的經歷使他結識了很多文化名人，巴金就是其中一位。住在上海的巴金，每年到北京來開會，下了飛機先到中國書店，看完書以後選好，開完了會再回來付錢。巴金喜歡世界語，凡是世界語的書他都要。對於巴金買書的特點，种金明記得尤其清楚："他買的主要是外國的文學書。"种金明曾經收購到一本塞萬提斯西班牙文的《堂吉訶德》，裏頭全是插圖，這套書共有四本，他知道巴金一定會有興趣，就給留著。果然，巴金看到後很喜歡，立即買走。

東廊架上櫃內擺的全部是古舊書，線裝書佔八成。另有一面牆是西文書及日本書，藏書票收藏第一人吳興文先生，就是在這面牆上一本一本地翻找，找出了國人使用的第一張藏書票：關祖章藏書票。與吳興文一起逛東廊的秦賢次先生，在這屋裏狠發了一筆"新文學絕版書"的大財。我們很久以後才在一本台灣刊印的圖文目錄中見到了這批寶貝，秦先生好像遠未到捐書的年紀就把書捐了出去，真是拿得起放得下的藏書家。

陳子善教授在《我觀新文學舊書市場》中說："記得上世紀九十年代初陪同台灣學者秦賢次、吳興文兄等到京選購新文學舊書，就在琉璃廠'海王村'流連忘返。這'海王村'到底什麼性質筆者至今弄不清，大概是個人承包的。拿出來的舊書真多，令人眼花繚亂，又可從容地挑選，大宗的為秦兄所得，現在都已捐贈給台灣'中央研究院'了，只要讀一讀十六開本兩大厚冊的《秦賢次先生贈書目錄》（2008 年 7 月台北中央研究院中國文哲研究所編印）就可明了。"

史樹青說過海王村的沿革——"1917，在橋東新闢海王村公園。這處公園實際是一座寬敞的大院，園中東、西、南三面為書籍、古玩、字畫、照相、琴室；北面為樓房，清末曾由端方設為博物館。海王村公園成立後，這座樓房改為工商業改進會陳列所。"

1936 年《北平旅行指南》稱："至民國後，開闢馬路，拆棄窯廠，後在該處建設海王村公園，疊石為山，蓄水為池，但因地址狹小，遊人甚稀，不久遂亦廢止。今遺址雖存，而公園之意義全失，園中北樓，現為財政局稽徵所佔據。"

前幾天讀王冶秋《獄中瑣記及其他》，裏面有一段寫到了海王村公園，寫的是 1930 年 8 月 1 日的學生遊行——"出了師大校門，就向南往廠甸的方向走了，高呼著口號，打了附近路西的一個國民黨區分部的牌子，又朝前走。前面有一個同志騎著車子散傳單，路上市民紛紛接傳單看，正走到海王村公園的西門外，聽見裏面'哨子'一響，南門、西門就跑出一大群穿著白小褂褲，扣子那裏有一根紅頭繩作標記的彪形大漢，光頭，肉胖子，像一群出了籠的豺狼，撲過來，把隊伍衝散，然後兩三個人對付我們一個，拳打腳踢，在一陣混戰之後，幾乎把我們所有的人（約七八十人左右）都逮捕了。"今後若有《海王村公園小誌》這本書，應添上這段舊聞。

姜德明先生出示過一幀《北京廠甸春節會調查與研究》書影，"書的封面繪有琉璃廠海王村的正面圖景"，此書出版於1922年，

1922年出版的《北京廠甸春節會調查與研究》

離公園開園不過五年的光景，所以海王村最初的面目應去之不遠。大門上書額"海王村"，帶軌道的鐵柵欄門兩向分開，門裏可見花壇。大門左首的牆上掛有"鑄新照相館"的招牌，右首掛有"古玩處"的橢圓形招牌，挨著的是"傅三書畫像處"。七八十年光景，海王村裏裏外外大變身多少回也許數不清了。

最大的變身是在九十年代初，由於每年春秋兩季的古舊書市，湧進來的讀者太多，院子裏人滿為患，所以海王村在院裏擴蓋了二層平台，等於是增加了一倍的面積。平台是露天的，從東門進來幾步，修了一條坡道，上去就是平台。平台只在書市期間使用，為了遮風擋雨，書攤搭建臨時的遮陽棚。所謂書攤不是現在習見的招商式書攤，擺攤的都是中國書店散佈四城的門店，如前門店，海淀店，燈市口店，隆福寺店。每個店的貨色也不盡相同，最好的當然是虎坊橋中國書店總店庫房拿出來的古舊書了。資深的淘書者衝進書市後，會直奔總店庫房攤位，這裏搶到好書的概率十倍於普通門店。事情並不盡然。某次書市，得以恩准提前幾分鐘進入書市，一時眼花繚亂，哪個攤位都是掃一眼就走，根本沉不下心一架一架細細瞅瞅。有位運氣好的半熟臉書友拿著《今傳是樓詩話》原版書走過來，我問他哪個攤買的，他指給我看是前門店的攤位。我剛才也掃過的，如果心靜一些，這本罕見的書本應是我的。

書市已停辦多年，今日之海王村，冰清鬼冷（周肇祥語），不特非民國全盛時比，即前八九年的氣象亦風消雲散。業內外的一致看法：貨源枯竭矣。

呼和浩特藏書家王樹田是海王村書市的常客，寫有《海王村裏趕書市》，記憶書市的景象和他的收穫。還是聽聽他描述的吧 ——"作為書市常客的我，最使我懷念的，還是九十年代前期中國書店的古籍書市。該書市位於琉璃廠海王村大院內，樓上樓下兩層，規模大，品種多，幾乎全是平日見不到的庫存書。除了大量的線裝書外，民國新文學、舊期刊、老報紙、外文書等五花八門，應有盡有。更吸引人的是書價較低，充分考慮到愛書人的承受能力。尤其是線裝殘書，每冊只收一元，而內中多有明版、殿版、精刻本、版畫等等，雖則不全，但買下來留待後配或存個書樣總是好的。於是乎，書友們聞風而至，不肯錯過這絕好的機會。"

下面這段王樹田描述的場景，資深的淘書客應該看著眼熟——"1994之秋艷陽高照的一天，我早早趕到書市，大門尚未開啟，門外已擠滿了人，南北口音相互夾雜，噪聲不絕於耳。還有人是專門乘飛機趕來的，還提著行李，可見書市魅力之大。人們求書心切，書市卻遲遲不開，便有人鼓噪撞門，也有人不知從哪兒找來店員穿的藍大褂，冒充內部人往裏混。"

　　"書市終於開門了！人們全都不顧一切地往裏衝，有被擠倒的，有掉了鞋子的，連老外也呼喊著衝在前面，那情形，現在想起來還驚魂奪魄。守攤的店員雖已有準備，還是被這洶湧的人潮衝得亂了手腳，只有躲閃的份了。其實，搶書者大多是奔那一元一冊的殘書去的，一捆書還未打開來，便會有七八雙手同時去抓搶，不管什麼書，抓到多少算多少，然後再到一邊去細挑。我身單力薄不能與其競力，只能揀拾人家棄掉的書，居然也撿了一摞，其中居然還有四本一套是全的，趕緊付款走人。"

　　這裏夾抄一段我1992年4月18日的日記："禮拜六　晴。八點半出發上琉璃廠書市。昨晚把行程表擬好，夠宏偉的，實現恐困難。先騎到三味書屋，沒到點呢，接著在六部口郵局買郵票，總是到了就能買到。騎到琉璃廠海王村大院，現在各門市都獨立核算了，各顧各，態度也好了許多。買了《陶都精華》，二十六元。看中了顧景舟主編香港印製的《紫砂珍賞》，相比之下，國內印的幾本遜色多了。上平台，地下扔著一大堆殘缺的線裝書一大堆人圍著在爭搶，我沒參加戰鬥。"我不懂古書，要是懂的話，也就加入戰鬥了。

買書者當年皆少"複本意識"，今日皆齊聲喊悔。王樹田講："我見到民國年間著名藏書家、刻書家吳昌綬精刻初印的《墨表》一書，為紅印本，一本即是完整的，當時居然有一摞數十本！而我，不想要複本，只選了一本封面有墨跋的，是吳氏持贈原藏者京城名醫蕭龍友的。後京城大藏家孟先生願高價求購此書而被我婉拒。我當時購買此書只花去七元錢，早知如此，我當時把那一摞都包圓兒了多好！此乃後話，不提也罷。"

2006 年春季的書市，是最後一次書市。我的日記記下了那一天："四月一日　週六。乘 609 轉地鐵奔書市。到了已開市，心不急也。全部是四十元一本的民國雜誌，舊書及線裝書全沒戲。挑了五本雜誌，再無可買者，他們也如是。中午吃鍋貼，吃完又與柯、胡返回書市，沒添新貨。"我於海王村書市最後買的幾本書是：

《東京夢華錄》，古典文學出版社 1957 年一版二印，一百五十九元。

《青年人》，二卷七期，成都出版，四十元。

《汗血週刊》，四冊，一百六十元。

書很普通，值得一說的是，《汗血週刊》內有張瑞芳的集體照相，那是張瑞芳演藝生涯的青春歲月。張瑞芳曾於北平國立藝專就讀美術系，藝專舊址即今民族飯店。我的舊居離民族飯店很近，小學六年及以後的歲月我曾幾千次地走過藝專遺址。

插說一段海王村大門外的食攤。琉璃廠東西兩街都是一望到底，幾乎沒有像樣的樹遮擋視線，更沒有與百年老店相配的百年老樹。惟一處有棵大樹，那就是海王村門前，這裏是琉璃廠最寬敞的一塊空地。

　　大樹下常年有一輛平板車改裝的食車，車上有十來個盆裝著葷菜素菜，主食是米飯，一份五元。你可以挑一樣葷菜二三樣素菜，反正"碗大勺有準"，盒飯大家都吃過吧，半盒米飯之後就沒有多少餘地盛菜了。葷菜有紅燒肉，裏面有滷雞蛋，我最愛吃。紅燒魚也常有，我好像沒要過。當街吃飯已非雅人雅事，你再一邊吃一邊吐刺，像什麼文化人樣子？一開始只是一對小夫妻在這裏賣盒飯，生意很好，小夫妻是本地人，男恩女愛地做著小買賣。不久競爭者出現了，離小夫妻十多米的地方出現了同樣的一輛食車，出賣的飯菜也差不多。小夫妻緊張了，一邊賣飯一邊往那邊偷偷地瞄一眼。

　　現在大樹下早已沒有了賣盒飯的平板車，我也從一個人逛海王村改為成幫結夥，吃飯的地方也改為"老潙記麵館"了，人均消費更不可能回到五元時代了。

　　Ade，我的滷雞蛋盒飯！Ade，我的獨行俠訪書！

冷攤奪魂記

柯衛東

清河的書攤

(一)

德勝門往北約十公里就是清河，我少年時不記得曾去過。那時我家住在離清河往北差不多二十五公里遠，只是偶爾坐車路過的時候探頭張望一下：蜿蜒和狹窄的公路，兩側是高大的楊樹，黃昏時分的陽光照在或黃或綠的莊稼上，這即是腦海中殘留的印象。後來大學畢業回京，由這裏中學教務處的以前的老師，介紹了歷史教師的工作。那年是 1984 年，清河還是落寞的樣子，只有三趟公交車，彷彿還有一趟到北郊市場的長途汽車。在當地人稱之為"街里"的街上有不多的幾家商店，留下印象的是一家國營的副食店，因有一年我上海的表哥來看我，我們曾在店裏小酌。僅有的涼菜是羊肉，而我是不吃羊肉的，但也沒說。表哥已故去二十年了，而那時我也正度過艱難和最不開心的日子。

在街東頭拐彎的地方曾有一間新華書店，所賣的書大部分是積滿灰塵的過時的書，現在這店也沒有了。

關於這裏的書攤，大概是 1994、1995 年間出現的，就在公路邊的一片空場地上，先是零星的幾個，而後就越來越多，星期天的時候可能有接近一百個。看書的人也很多，有些是從很遠的地方過來，我後來認識的幾位癮君子朋友都來過，他們住在距此幾十公里遠的地方。這裏的書，和所有賣舊書的場所一樣，所謂的古籍和珍本是很少的，我幾乎沒見過。但是用來閱讀或作為研究資料的書還是有，有時候也會買到一直在尋找的書。我當年每天逛兩次，中午一次，下午下班以後一次，因為去得晚，可能許多好書都溜走了，"冷攤負手對閒書"的意境，後來知道是沒有的事，只能是對沒人肯要的破書吧。

這裏所說的都是舊事。書攤是早就沒有了，彷彿是有個什麼通知，一夜之間就取締了的。有一年在潘家園，有攤主賣一本生活書店版的《華倫斯泰》，他看見我時說："不認識了嗎？"原來是當年曾在清河擺書攤的攤主，現在見面也已不再說話，好像是從沒見過的陌生人。

（二）

邵懿辰編的《簡明四庫目錄標注》，是在四庫書目的各條下標明了版本，對於識別古書很有用，是我當年一直想買的。雖然是一本普通的工具書，但是各書店都沒有，記得在清河買到以後還曾拿給中國書店的某店員看，認為是買得的好書。現在這書已成為沒人要的書，前一時網上有一本，標價僅一百元，只有幾個人看而無人競標。有一部以老的標準說是"善本"的書，是在清河買的。那其實是一部四冊石印本的《元次山集》，但每冊都有批校，從所批的文字看，只能是專家所為。這書是搜齊了各種重要的古本校正的，並且從方誌中抄出不少佚文和材料，是很完整的整理本，書法也寫得極精美。這套書現在還在我的書架上，只是不知批校者是誰，因為落款僅是"銘"或"荃翁"。

總的來說，好書寥寥無幾。那時我認識的朋友不多，有位忘年交的老友，現在很久不見了，可能是上了年紀而情趣寥落了吧，曾買到過初版的《赤地之戀》和竹西館刊版顧太清的詞集《東海漁歌》。那時能見到不少有名人題字的書，但沒有舊的版本。算是難忘的一次，是有幾十本作家張潔的書，都是贈本，但多被撕去了簽名的那一頁，只有丁玲的《訪美散記》和黃秋耘的一本書不知為什麼沒有撕。其中巴金的《隨想錄》，是最早的香港版，也是此書最早的印本，精裝的五冊，因為是隨印隨出，不是同時出版，所以每本都有簽名，可能還有贈言，這是巴金喜歡寫的。五本都被撕去了扉頁，沒有幸存的。

某一天騎車路過，看見地攤上有棕紅色布面的一本精裝書，那是 1950 年版的《劉峴木刻集》，道林紙玻璃版印，這書的紙張和印法都還很老派，彷彿是戰前印的書。這也算是我在清河地攤買的喜歡的一冊。

失去的書

（一）

海淀的舊書攤原來有兩處，藍旗營到中關村拐彎的地方是一處；好像在四道口或者五道口的一條斜街上是另外一處，已經有點記不清楚了。聽說以前在海淀體育場還曾有，但那是更遠些的事，我都沒見過。而今這兩條街經過改造已經面目全非了，再找不到當年的蹤跡。海淀的書攤和清河的差不多是同時，消失得略晚些。書的來源是廢品站，因當時清河、海淀周圍有好幾個大的廢品站，而攤主們原來也大都是以收廢品為職業的。

海淀的書攤我去得不很勤，因只能下班以後去。在藍旗營地攤曾買到過一本《推背圖》，是清末石印本，黑膠布面精裝，內頁還是如古書那樣單面印和雙摺頁。《推背圖》不是什麼難見的書，過去流行的皆為抄本，好一點插圖還是彩繪的，但刻本似很少見過。這本印刷的《推背圖》，雖然年代不古，但是校印還算規矩，想到很少有印本的事，也還是很有意思的。後來有一位在政府做官的託朋友讓我找一本，並《厚黑學》共作研究之用。看在朋友的面上，就把這本送給他了。以後聽說他有點不滿意，又買了一部"月餅盒子"云。這是將紅粉錯送了英雄的事。

此外還買過清末刻的《萬國旗幟》，手工上色，也是普通的本子。又見過一本開明出版線裝的廖仲愷詩集，因不是刻本的關係沒有買。在四道口地攤只買到一本唐弢《書話》，是因為書品太好才買的，其他就都是買來看的書了。

註：“月餅盒子”是書商玩的把戲，把小本書摻水做成大本，然後製“精美”包裝，做成“禮品書”，高定價低折扣賣出，以贈送附庸風雅的官僚和商人。這種書錯誤百出，外包裝像是裝月餅的盒子，故而得名。

（二）

東黃城根原來有個小的古玩市場，其實是個雜市，因有賣古玩的，也有賣花鳥魚蟲的，也有幾家賣書的。大概 1999 年時還在。這是條安靜的小街，兩旁是小棚子，攤主很多是北京當地人。每次我去逛的時候，好像都只有我一個顧客。

靠北的兩間棚子是賣書的，都是過時的雜誌和二手書，決無可買的東西。有一天忽然拿出幾冊五十年代的畫報，說是原來有很多，都被一個人買走了。後來知道是被我朋友老謝買走的，聽他說幾乎是六十年代前全份的《人民畫報》，但沒有創刊的那本。這本創刊號他以後在中國書店花了五百元買的，並對書品讚揚了一番，而我認為有點貴。不久後我在潘家園地攤也獲得一冊，書品比他的還好得多，當我向他指出這一點時，他不肯承認，雖然那是明顯的事實。

在賣古玩的攤中，有的有線裝書，我曾經在一棚子裏翻出乾隆清暉書屋翻刻的《板橋集》，是完整的，索值是八十元。現在這套書差不多值一萬元，可是因為當時看見中國書店有一部七十年代珂羅版印的《夢溪筆談》，就用這套書和另一套明版跟書店交換了。這部《夢溪筆談》是按北圖藏元至正版原大印的，比八開紙還大，用紙和印刷都極其講究，蝴蝶裝，限定編號一百部。後來因為要買其他的什麼書，就又把這書送回書店，經理說不一定什麼時候能賣掉，只肯出原價的一半，就是說二千五百塊錢，沒辦法只好認了。以後聽店員說這書第二天就賣了，而且比五千塊錢要貴，究竟多少則諱莫如深。

我認識的一位朋友說，他曾在這個市場買到《新元史》的手稿，後來我也親眼看見了，有一尺高的一摞。我躑過那麼多的書攤，從沒抱著這樣的幻想。

（三）

琉璃廠西榮寶齋的旁邊，以前有一個市場，現在已經拆除了。裏面大半是賣古玩字畫的，有幾個店兼賣胡亂什麼只要是有字的紙的，也有舊書。其中把角有一間店，以前經常進去坐，店主是兩位中年人，年長的如今已見不著了，另一位也已不再開門市，而只在網上經營，網名是什麼也沒問過。日常拎一布包，有時候碰見時，他還是老樣子地打招呼說："柯，忙什麼呢？"恍惚還是往日的情景。

大概是十幾年前，有次年長的那位給我看一本畫冊，那是黃新波三十年代出的木刻集，名字忘記了。厚洋紙原版拓印的，墨色漆黑，開本比十六開還要大一些。我問多少錢，他一直支支吾吾的表示不賣，說那是他父親留下的，他準備拿去拍賣會。我現在明白過來了，如果我肯出高價他一定會賣給我，可惜我當時窮得厲害，無力出價。這本畫冊也並沒有在後來的拍賣會上見到過。

還有一次年輕些的那位來電話說，有一批民國書讓我去看。那些書中有不少是值得買的，包括周作人、廢名、沈從文的文集和郭沫若的早期詩集《前茅》，以及一冊因當年誤傳丁玲被害而出版的《丁玲紀念集》。那時我正著迷收集知堂的舊版，最吸引我的是那冊《談龍集》，常見的《談龍集》都是開明版的，而這是北新書局的毛邊第一版。這些書共三十多冊，八百塊錢，因為其中有十餘冊是我不想要的垃圾版《飲冰室文集》，問能不能分開賣，改天就說已被別人買走了。有一天進店後聽說剛賣出一本精裝本的《冰心詩集》，是冰心簽贈給丁玲的。三十年代時，冰心會贈書給丁玲嗎？後來才搞清楚，那是贈與陳衡哲夫婦的，店主大概知道丁玲寫過《莎菲女士的日記》，就以為贈言上的"莎菲"是丁玲。他認為三百塊賣得太便宜了，而那得著便宜的家伙居然還不停地抱怨。這是我很想要的書，忍不住想責問他為什麼不事先給我打個電話，但最後終於沒有，因為這正是他們的習慣：總是把最壞的留給你，而賣掉你最喜歡的那一本。

過了大概年餘，見中國書店拍目上有一本有簽名的《冰心詩集》，預展時去看，正是當年他賣的那本，綠皮金字，寫著贈與"莎菲、鴻雋伉儷"。拍賣那天，叫價至一千二百元時我放棄了，因已超出了我事先湊起來的錢，而且想起了堅持"不特意找，順便買一本有簽名的書"的兩朋友的忠告。中標者是一對年輕的夫婦，是專為此書而來的，因見落槌之後，二人便挽手揚長而去。

有簽名的《冰心詩集》我還見過另一冊，是在近年地壇辦的書市上。在舊書區的玻璃展櫃裏有一冊書品特別好的，因為有從前那樣的情結，我請求拿出來看一下，在書的扉頁上有已褪色的鋼筆寫的贈言，是我喜歡的整潔的那種。翻看書後的價簽，鉛筆寫著只有幾百元，但我並不抱希望這會是店裏的賣價，果然，店員在翻了手裏的幾頁紙以後報出的價格是七千塊，並不許還價。

我在兩位的店裏買的最後的一本書，是聲明特意給我留的，開明版精裝本的《虹》，第二版。書況破爛不堪，賣給我是一百元，其實也就值二十塊錢。

（四）

以下是在後海，我朋友們的故事。後海的書攤不知道是什麼時候開始有的，我去的時候大概是 1996 年。見那裏擺攤的，好像有不少是北京當地人，是把家裏不要的東西在星期天拿出來賣的，不像其他地方都是以擺攤為職業的外地人，拿出來的書看上去都差不多。因為是把家存的東西拿出來賣，照理說應該有不錯的，不過也未見有什麼好東西，也可能是我去的次數太少，只是寥寥的幾次，而後就聽說不讓擺了。

我有兩位朋友因住得近，是那裏的常客。兩位常去得很早，然而據說也沒買著過什麼，只是其中的一位買到過一本破不拉嘰的《愛眉小扎》，而另一位知其喜線裝書，以一薄本惡刻與之相交換云。

美院的教師某人，只帶很少的錢逛市。一天早晨，忽見一攤有數十冊民國原版的新文學書，而攤主不識，平均只賣幾塊錢一本。這些書應該是屬於過去的年代某個熱愛文學的人吧，他珍藏著這些留下他年輕時夢想的東西，現在也許過世了，於是他曾珍視的那些也一起被拋棄，這些書的書況都驚人地好。那人僅帶了夠買一半的錢，然後他騎車回家取錢，回來時見那些書仍無人問津，又把其餘的都買了。他其實不大買書，只喜買畫，我的兩位朋友都認識他。後來那人曾特意地拿出幾本給他倆看過，聽他們說有葉靈鳳的書和徐志摩的《巴黎的鱗爪》《猛虎集》，都是首版，並和新書一樣漂亮。徐志摩的首版書，我認識的一位經營書籍裝幀業的收藏家最近買了幾本書況好的，價值四萬塊錢，葉靈鳳的書雖然沒有那麼貴，但搜集起來更難，近來有收集新感覺派著作的，也把他的書列為收集對象。而他以藏書家、書票收藏家、書籍裝幀家的身份寫下的那些關於書的書，每個愛書的朋友都是希望弄到一冊的吧。

因為常逛而沒買到什麼書，那天趙、胡兩位賢兄都去晚了，等到中午時分，趙兄僅得到那人不要的一冊胡適的文集，是本有下無上的書。"就那麼一次去得晚"，這是他們引以為恨的故事，我有時聽到，不客氣地說還是挺開心的。

報國寺

（一）

《琉璃廠小誌》之"慈仁寺書市"云：王漁洋有一冬日過慈仁寺，見孔安國《尚書大傳》、朱子《三禮經傳通解》，欲購之。第二天清早往索時，已為他人所有，"歸來悵悵不可釋，病臥

報國寺書棚

旬日始起"。康熙時的慈仁寺也就是現在的報國寺。

報國寺在南三環白廣路,以星期四為最熱鬧,商販麇集。因為外地商販都於是日到這裏來交易,而本地的商販則來"抓貨",如果不是星期四,而是別的時間來,買到東西的機會就不多,這個門檻是後來聽人說的。查了一下日記,我大概是1996年才開始逛報國寺的,可能黃金時期已經過去了吧。因為星期四是工作日,還是糊口要緊,不能常來,在偶來一遊的時日裏,也沒能買到過什麼。記得有一次一位熟悉的商販展示一部《中國歷代版畫選集》,翻印歷代著名的版畫,極精美,是五十年代鄭振鐸先生編的,八開本線裝兩冊,中國紙珂羅版印,函套也還是原裝的。他說是一早六百塊錢買的,出翻倍的價錢要買的結果,是他又收了起來。

我和我的朋友們在此地也曾有過一些奇遇，比如曾見過前清畫報《世界》兩冊全份，後來被人偷走的事，在我以前寫的《舊書隨筆集》裏說過。常來報國寺蹓攤的胡兄，曾買到有知堂簽題手跡的《藥堂雜文》、康熙原刻的《御製耕織圖》，還買到前清初版《文明小史》。這本《文明小史》，後來我是以一冊精刊木版的詩集很心疼地換到手的。此地在舉辦各種交流會的時候，也可能有難遇的機會，因為有很多外地商販會在交流會上出現。在幾次錢幣交易會上，有一蘇州來的攤販，每次總能帶來罕見的晚清有光紙石印的畫報，如我從他那買的光緒三十三年的《晉報小人圖》，就是各種目錄都不曾記錄過的。不過一共只來了二三次，以後不知怎麼就再也不來了。

（二）

　　有一天晚上朋友來電話說，上星期四有書友在報國寺買到二三十張俞平伯手寫的明信片，據說賣主手裏還有，讓我這個星期四去看看。賣主是專賣郵品的，這些明信片他都是當普通實寄片賣掉了。

　　星期四抱著希望和失望一早就去了，在後殿前空場各攤中尋了很久，最後終於找到了，那是個三十來歲的外地攤販，經常在報國寺擺攤。在攤上東翻西找，沒有一片是俞平伯的，只有章元善和其他什麼人的。這時胡兄也來了，二人蹲在攤前，嘀嘀咕咕，攤主則目光閃爍。沒奈何，最後只好各挑了一兩張，所謂遮遮眼，聊勝於無。付完很少的錢，起來要走的時候，攤主忽然說："這還有兩張，你們要不要？"我趕緊接過來

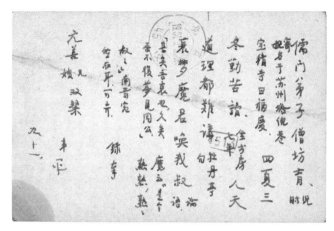

俞平伯致章元善明信片

看，這回兩張都是俞平伯的，一張寫於 1961 年，另一張寫於 1984 年。因為是從懷裏剛掏出來的，所以價錢比扔在地上的要貴一倍，每張二十。雖然漲了不少，但他若知每張能值上千元的話，會氣得吐血的吧。

1984 年時俞先生八十四歲，那張明信片是寫給他老友章元善的，其中錄詩一首曰："儒門弟子僧坊育，四夏三冬勤苦讀。人天道理都難講，衰夢魔君喚我叔。" 俞先生自註云："竊謂儒門一句一語盡之，不必更有自傳矣。" 可知此詩是作者對自己一生的概括。在我們看來，"人天道理都難講" 一句，尤其是對畢生學問所發的感慨，想到今人開口閉口談什麼 "天人合一"，不禁為之汗顏。

後來聽知情的朋友說，這批流散出來的俞先生的信札，只有我得的這張是詩稿。這是 1998 年的事。

藏周著日譯本記

止庵

　　我買書都是為了閱讀，至少要有閱讀的可能性；我覺得一本書得到閱讀之後它的價值才體現出來。所以我一向不買那種不讀也值得收藏的書，而且沒寫過這方面的文章。此番例外，倒不是說這些書值什麼錢，只因為迄今我還沒能力讀，只能擺在書櫃裏，勉強算是"收藏"了。

　　卻說我認識幾位藏書家，都對周作人——每稱之為"老周"——的書有所偏好，竭力搜求，各自也有拿得出手的藏品。不過好像還得明確一下，到底什麼算是"老周的書"呢。依我之見似應包括：一，他的著譯作品。二，別人編輯的他的作品的選本。三，他的作品的外文譯本。以上均以周氏生前為限，且盜版翻印者不在其列。四，周氏生前編定未及出版，在其身後印行的著作。至於後來他人重印、選編或彙輯的書，以及晚出的外文譯本，恐怕沒有收藏價值。這裏第一類數量很多，出版時間跨度也大，據我所知，好像沒有誰收齊了的；唯藏家往往以 1949 年為界，厚前薄後，未免畫地為牢。其實如《石川啄木詩歌集》人民文學出版社 1962 年 1 月第一版精裝本僅印三百零五冊，《古事記》人民文學出版社 1963 年 2 月第一版精裝本僅印二百冊，稀見或尤甚於前期作品。第二類尚待釐清，除署章錫琛編《周作人散文鈔》（開明書店，1932 年 8 月）知道實出作者自己之手外 ── 據周氏 1932 年 5 月 12 日日記："下午編文鈔錄目，寄給章錫琛君"，其他如少侯編《周作人文選》（上海仿古書店，1936 年 4 月），徐沉泗、葉忘憂編《周作人選集》（上海萬象書屋，1936 年 4 月），徐逸如選輯《周作人近作精選》（文林書局，1936 年），張均編《周作人代表作選》（上海全球書店，1937 年 3 月）等，都不清楚得到作者授權與否。第四類除個別之外，尚多見於市面。唯第三類找全雖須費些工夫，但並非不可能之事，蓋周氏作品生前只有日譯，共計八種。

我 2009 年生此念頭，到去年將這八種都買齊了。先請友人小川利康幫忙，2009 年 8 月 6 日日記云："小川自日本來，為我代買『北京の菓子』、『周作人隨筆集』、『周作人文藝隨筆抄』和『瓜豆集』。"當時沒記書賬，印象裏都不算貴。其中『瓜豆集』護封稍有破損，前年一月我在鐮倉公文堂書店又買了一冊，價二千日元。另兩本託友人猿渡靜子郵購：『結緣豆』二千一百日元，郵費二百一十日元；『魯迅の故家』四千二百日元，郵費四百二十日元。『苦茶隨筆』我在東京神保町買到兩冊，一得於通志堂，價三千一百七十日元，一得於古書かんたんむ，價三千三百日元。只有『中國新文學之源流』略費波折。我見神保町一家書店的書目中有此書，索價一萬四千七百日元，找到地址發現系事務所，無店面。及至打算託人郵購，卻已經售出了。去年 11 月去東京住在本鄉的旅館，出外散步，路過琳琅閣書店，一看店內架上就有這本，價二千一百日元。

話說至此，"藏周著日譯本記"其實已經講完。茲摘錄有關各書的筆記，勉強算作題跋也行，雖然並沒有寫在書上。

『北京の菓子』　平裝。長十三點三厘米，寬九點四厘米。書頂未裁，翻口及書根切齊。封面印"北京の菓子　周作人　松枝茂夫譯　山本文庫（33）"。書脊印"北京の菓子　周作人　33"。無前後襯頁。全書共六十四頁，扉頁背面即目錄，末頁為版權頁，上印"昭和十一年七月廿八日印刷　昭和十一年八月二日刊行　定價拾錢　發行所山本書店"等。書中夾著一張付款憑條，上印"山本文庫（33）　周作人　松枝茂夫譯　北京の菓子　拾錢　扱店"。

此書收周作人 1921 至 1926 年間作品九篇。其中八篇附註釋，少則一條，多至十五條。周作人 1936 年 3 月 15 日首次致信松枝茂夫即云："拙文中常有南方方言，慮須多費註解，如《烏篷船》中之貓兒戲係女優演劇之俗名，雖然平時女優並無'貓'之稱，鄙意或因其歌唱時之高音有似貓叫乎。拙文中有排印錯誤或詰曲費解處，如承下問，即當奉答。"周氏作品各日譯本均有註釋，為其生前身後出版的中文原著所不及也。

周作人 1936 年 9 月 2 日作《自己的文章》云："近日承一位日本友人寄給我一冊小書，題曰'北京的茶食'，內凡有《上下身》，《死之默想》，《沉默》，《碰傷》等九篇小文，都是民十五左右所寫的，譯成流麗的日本文，固然很可欣幸，我重讀一遍卻又十分慚愧，那時所寫真是太幼稚地興奮了。"

　　『**周作人隨筆集**』　　圓脊紙面精裝，有書盒。長十九點五厘米，寬十四點二厘米。書盒盒脊印"周作人隨筆集　松枝茂夫譯　改造社"。書脊印手寫體"周作人隨筆集"。扉頁後有"著者小影"一頁，襯隔頁紙。目次九頁，末尾印"裝幀田中乾郎"。獻詞一頁，印"このつき譯書を　松井秀吉の靈前に獻ぐ──松枝茂夫"。正文四百一十八頁。版權頁印"昭和十三年六月十七日印刷　昭和十三年六月二十日發行　定價貳圓參拾錢"等，貼蓋"松枝"章的版權票。版權頁背面印該社書目。

　　此書收周作人 1921 至 1936 年間作品六十四篇，包括『北京の菓子』全部；附「周作人自述」、「周作人著譯書目」、「周作人隨筆集譯註」和「譯者あとがき」。周作人生前身後出版各書，實以此種及『日本之再認識』和新民印書館 1942 年 3 月所印《藥味集》裝幀最為精美。

　　周作人 1938 年 7 月 11 日致信松枝茂夫："『隨筆集』十冊已承改造社寄下，因了大手筆的譯文，田中君之裝幀，甚增光彩，唯原本文意均乏，思之愧汗耳。鄙人讀書作文甚受日本二先輩之影響，即內田魯庵、戶川秋骨是也，今戶川先生處既已寄贈，甚為快慰，永井佐藤二君處本來亦欲呈教者也。此外未曾領教之各先生擬且不唐突，唯武者小路、志賀二君處想各送一冊，乞一詢改造社，如社中對於二君未有贈呈，則祈能請其一送，不勝幸甚。田中乾郎君來北平已得一見，快談逾晷，甚有其尊父之風，大有風趣，知其將居留二年，談天之機會甚多，亦一快也。"

周作人 1962 年 3 月 23 日致信鮑耀明："前信說及日譯拙文，只有松枝之『隨筆集』一冊，已經寄上。"

『**中國新文學之源流**』　平裝。長二十二點二厘米，寬十五點二厘米。封面印"中國新文學之源流　周作人講述　支那學翻譯叢書ⅡⅡ　東京文求堂印行"。書脊印"中國新文學之源流　周作人講述　支那學翻譯叢書ⅡⅡ"。有前後襯頁。扉頁之後，小引四頁，目錄一頁，正文一百二十二頁。版權頁印"昭和十四年二月十一日印刷　昭和十四年二月十五日發行　金八拾錢　送料金九錢"等。版權頁背面印"支那學翻譯叢書"書目。

對比原著，譯本刪去"附錄二　沈啟無選近代散文鈔目錄"，增「譯者あとがき」。又書中凡成段引文皆附原文，據譯者介紹，曾經尤炳圻訂正。

周作人 1938 年 12 月 23 日致信松枝茂夫："'新文學之源流'本係臨時信口所說，殊無足取，乃蒙譯出付印，甚為惶恐，其中關於桐城派及八股文兩部分尚缺細考，故所言極膚淺，如欲著論須再用兩年調查工夫，此節曾與筆記者鄧君說過，若作為鄧君所記則無妨出板，此次尊譯如題為鄙人所著仍感不安，乞說明此為講演記錄為荷，唯如此淺說而呈獻於貴國學界之前總是極惶恐事也。"

周氏 1939 年 6 月 5 日致信松枝茂夫："尊譯拙文及隨筆抄知已出版，因久未與田中君相遇故未得見，昨日已得讀到，尊譯極佳，唯內容生疏，愧不相稱耳。"所"讀到"者即此書也。

『**周作人文藝隨筆抄**』　平裝。長十七點三厘米，寬十一厘米。封面印"周作人文藝隨筆抄　松枝茂夫譯　冨山房百科文庫"。書脊印"周作人文藝隨筆抄　松枝茂夫譯"。無前後襯頁。扉頁之後，目次四頁，正文三百二十九頁。版權頁印"昭和十五年六月一日印刷　昭和十五年六月五日發行　定價七十錢　發行所合資會社冨山房"等，貼蓋"松枝"章的版權票。後附"新刊書目"十四頁，即"冨山房百科文庫"。

　　此書收周作人 1923 至 1936 年間作品二十七篇，與『周作人隨筆集』無一重複。後附「譯註」和松枝茂夫作「周作人先生」。松枝 1940 年 7 月 13 日致周作人信中曾提到所收「顏氏學記」和「希臘神話（一）」有刪節，經小川利康指出，前一篇刪的是："如現時日本之外則不惜與世界為敵，欲吞噬亞東，內則敢於破壞國法，欲用暴烈手段建立法西派政權，豈非悉由於此類右傾思想之作祟歟。內田等人明言即全國化為焦土亦所不惜，"後一篇刪的是所引哈里孫《學子生活之回憶》的一段："末了記述一件很有趣的事：'我後來在紐能學院所遇見的最末的一位名人即是日本的皇太子。假如你必須對了一個夠做你的孫子的那樣年青人行敬禮，那麼這至少可以使你得點安慰，你如知道他自己相信是神。正是這個使我覺得很有趣。我看那皇太子非常地有意思。他是很安詳，有一種平靜安定之氣，真是有點近於神聖。日本文是還保存著硬伊字音的少見的言語之一種。所有印度歐羅巴語裏都已失掉這個音，除俄羅斯文外，雖然有一個俄國人告訴我，他曾聽見一個倫敦賣報的叫比卡迭利（Piccadilly）的第三音正是如此。那皇太子的御名承他說給我聽有兩三次，但是，可惜，我終於把它忘記了。'所謂日本的硬伊字音不知道是怎麼一回事，假如這是俄文裏好像是 Ы 或亞拉伯數字六十一那樣的字，則日本也似乎沒有了，因為我們知道日本學俄文的朋友讀到這音也十分苦鬥哩，——或者這所說乃是朝鮮語之傳訛乎。"

周作人1940年7月29日致信松枝茂夫："前接奉手書，並惠贈尊譯拙作『隨筆抄』一冊領收，拜謝。拙文本無足取，又想目下唱聲雖高，社會上對於現代支那之思想文藝實乃無甚興味，或購讀者不見多有負高譯，至於出板者之利損尚在其次耳。聞京都友人言創元所出叢書銷售不多，因聯想及之，附及以發一笑。"

又1963年2月1日致信鮑耀明："『文藝隨筆抄』（日譯）惜已遺失了，無以奉寄為歉。"

『瓜豆集』 圓脊紙面精裝，有護封。長十九點二厘米，寬十三點六厘米。護封封面和書脊處分別印"周作人　瓜豆集　松枝茂夫譯　創元支那叢書5　創元社刊"和"周作人　瓜豆集　松枝茂夫譯　創元社"。書脊印"瓜豆集　松枝茂夫譯"。扉頁之後，「譯者のことば」八頁，目次四頁，正文三百九十六頁。版權頁印"昭和十五年九月二十日印刷　昭和十五年九月廿五日發行　定價一圓六十錢"等，貼蓋"松枝"章的版權票。後附「創元支那叢書刊行の言」及書目十五頁。

其中「續刊豫定書目」列有"民國　周作人　風雨談　隨筆　松枝茂夫譯"、"民國　周作人　苦竹雜記　隨筆　松枝茂夫譯"和"民國　周作人選　苦茶庵笑話選　笑話　濱一衞譯"。蓋此時松枝茂夫已決心翻譯周氏全部作品，周作人1940年2月22日致信松枝："承雅意擬全譯拙作，聞之且感且愧。

鄙人自知能力所限，所寫文章缺點甚多，編集時亦未十分斟酌，往往一集之中有若干篇後來讀之常自慚愧，欲刪削之而不可得，今如悉數譯出未免更出醜矣，故願加以裁酌，幸甚幸甚。"又1962年11月14日致信鮑耀明："所詢諸事奉答如下：一、《秉燭後談》無有日譯。二，拙作除松枝、一戶二人所譯外，其他無有出版。三，松枝預告之諸書亦未出，其原因半在戰事，一半殆因拙作不受歡迎之故歟。"

『瓜豆集』中，五篇見『周作人隨筆集』（列為四題），六篇見『周作人文藝隨筆抄』，原著中《談日本文化書（二）》《關於童二樹》《關於邵無恙》和《老人的胡鬧》四篇未譯。

周作人1940年10月1日致信松枝茂夫："手示誦悉，承賜尊譯『瓜豆集』一冊亦已領收，謝謝。龕末之文屢蒙介紹於貴邦，且感且愧，今承整冊譯出，尤深此感。其實此中亦無幾篇可讀，'尾久''鬼怒川'二文稍稍用心，而國內青年均未能解，時以為憾，意見本極平庸，實亦不過野人獻芹之意耳。"

又1961年3月20日致信鮑耀明："松枝君譯『瓜豆集』另封寄上，乞察收。"

『苦茶隨筆』 方脊紙面精裝，有書盒。長十九點七厘米，寬十三點四厘米。盒面、盒脊和書脊均印"周作人 苦茶隨筆 一戶務譯"，封底和盒底均印"名取書店"。扉頁後有"著者近影と筆蹟"一頁。正文二百七十六頁，包括「序」（一戶務）和目次，註明"裝幀龜倉雄策 カット本津惠三"。版權頁印"昭和十五年九月十二日印刷 昭和十五年九月十七日發行 定價貳圓參拾錢"等，貼蓋"林芝"章的版權票。

書中所印著者手跡係致譯者的一封信（原無標點）：

拜啟。接讀手書，知將翻譯拙作小文，聞之至感光榮，亦復不勝惶愧，蒙盛意見示，鄙人別無意見，一切乞裁鈞定之。序文恐未能寫，因對於拙文唯有惶恐，無甚話可說也。近來久不照相，只找出去年一月所照者一張附奉，慮未必能適用耳。專此奉覆，不盡，此上

一戶先生座右

周作人啟，四月一日

　　按龜倉雄策雖被譽為"日本現代平面設計之父"，此書裝幀實不及名不見經傳的田中乾郎所設計的『周作人隨筆集』。收周作人 1921 至 1936 年間作品二十五篇。周作人 1961 年 3 月 20 日致鮑耀明："又附有一戶君所譯『苦茶隨筆』一冊，此書經戰前日本檢查官注意，內有兩處加以'削除'（即「窮袴」中第六五至六六頁，又「芳町」中一二七至八頁），今所寄一冊，尚係完璧本也，譯者寄贈'削除済'本，則留為紀念，故未能寄上。"我所買者函盒蓋有"削除済"章，內文撕去第五九至六〇頁，第六五至六六頁，第二三七至二三八頁。另買一冊，函盒所蓋"削除済"章大小字體不同，缺頁則完全一樣。可知周氏所述頁碼有誤。"削除"部分大概相當《窮袴》一文第二段"古詩，愛惜加窮袴"到第三段"取守宮新合陰陽者"，第五段"簡單的說是丁字帶"到"價目一百二十及一百八十法郎"，《芳町》一文開頭到第二段"明治時有酒樓名百尺者"，內容皆與"性"相關，亦可見日本當時圖書審查之一斑。

『結緣豆』　瓢口式平裝。長十八點九厘米，寬十三點一厘米。封面印手寫體“結緣豆”，書脊印“周作人隨筆集　結緣豆（手寫體同封面）　松枝茂夫譯　實業之日本社”。有前後襯頁。扉頁之後，目錄七頁，末頁背面印“題簽周作人　扉繪織田鶴松”。正文三百八十七頁。版權頁印“昭和十九年四月五日印刷　昭和十九年四月十五日發行（二、〇〇〇部）　定價三圓　特別行爲稅相當額十二錢　卖價三圓十二錢”等，貼蓋“松枝”章的版權票。後附書目兩頁。

　　周作人 1943 年 4 月 30 日致信松枝茂夫：“惠函誦悉，『結緣豆』知將付印，囑寫小序，本當應命，唯正值居喪，未能執筆，但題簽或可寫奉耳。”同年 10 月 22 日致松枝：“下問各條附還，題字亦勉強塗抹，一併寄呈乞賜查收。”即封面題簽是也。1940 年 1 月 7 日致信松枝：“集名殊不易定，如能選取其中篇名之一作爲集名亦無不可，唯恐難得有合宜者，近幾年所寫文中《結緣豆》尚覺喜歡。又去年冬天又寫一篇《禹跡寺》亦覺得較爲實在，今揭載在《中和》月刊中，別專送呈一冊乞賜覽。原文末署廿八年十一月十七日，而月刊中乃刪去年月，又將文中之去年今年均改爲前年去年，未免失真矣。”當時所說的尚是松枝別種翻譯計劃。1943 年 2 月 24 日致信松枝：“‘結緣豆’之名甚佳，但恐內容不相稱，未必有此力量，卻煩費力譯出印行，得無有徒費之感耶。”

　　此書包括兩部分：一，結緣豆，收周氏 1936 年至 1942 年間作品二十篇，除「結緣豆」一篇已收入『瓜豆集』外，餘皆新譯；二，藥堂語錄，爲周氏此書之全譯。

周作人 1944 年 5 月 28 日致信松枝茂夫：“昨今收到書店寄來『結緣豆』，共有五冊領收，多謝。拙文無多大意義，語錄短札恐在外國讀者更不免感到枯燥，幸得好譯，受益深矣。跋中承賜獎，殊不克當，但甚感盛意，亦以為榮幸。關於‘思想問題’，鄙意頗為真摯，雖明知無用，覺得不能不一說，而讀者乃亦有以為忤者，如前年文學報國會中發表掃蕩反動作家之演說，近經本人說明，所云反動根據即是‘思想問題’一文，此在轉向文人或自可有此種看法，但亦頗出意外，可發一笑也。”

　　又 1961 年 5 月 15 日致信鮑耀明：“今日寄上松枝君譯『結緣豆』一冊，以資結緣，其中有短篇語錄，國語本已甚難得，而日譯本有之，故請一閱。一戶君曾見過譽，亦似智者之一失，但此種短文亦曾見憎於青年，以‘文抄公’見稱，竟不知孰為是非也。”

　　『魯迅の故家』 圓脊紙面精裝，有護封、腰封。長十八點八厘米，寬十三點八厘米。護封封面處印“周遐壽　魯迅の故家　松枝茂夫・今村與志雄譯　筑摩書房”，書脊處印“魯迅の故家　周遐壽　松枝茂夫／今村與志雄譯　筑摩書房”。封面印“魯迅の故家”，書脊印“魯迅の故家　周遐壽　松枝茂夫／今村與志雄譯　筑摩書房”。腰封書脊處印“實弟の描く人間魯迅”，蓋不諱言係周作人所著，書末所附譯者撰「解說」亦介紹周遐壽即周作人。護封、腰封外有薄塑料紙。

　　扉頁後有照片兩頁：“仙台醫學專門學校時代の魯迅（二十四歲）”和“魯迅の日記筆蹟”；“江南の水鄉紹興縣の城門（战時中に取拂われて今はたい）、船はこの地特有の烏篷

船”和“酒甕と酒倉、紹興酒の本場である東浦（紹興城外）の景”，為原著所無。總序二頁，目次八頁，正文三百三十三頁，包括較之原作增加的「解說」，後有「魯迅家譜」兩頁和一張“紹興縣略圖”及“紹興縣城衢路圖”（民國十八年孟春訂正，總發行所紹興墨潤坊書苑），其中標明“魯迅の生家”。版權頁印“昭和三十年三月五日發行　定价四二〇圓　地方卖价四三〇圓”等。

周作人 1955 年 4 月 11 日致信松枝茂夫：“三月十六日手書於六日拜讀，賜寄之書籍亦由柳君轉寄到了。……承詢紹興城門，因面貌已非，記不清是哪一門，過去在門上有城樓，如東郭門即是，而此無有，故不能斷定。又魯墟確是在昌安門外，（大樹港在西郭門外，東浦之東，）至少由城內去魯墟是要經過昌安門的。下圖中‘魯迅の生家’還應偏西一點，距張馬橋只數丈，在張馬橋的西北一點，圖中所記乃是‘老台門’也。《故家》根據族叔周冠五的指示，關於人地名略有訂正增補，寫了一篇後記增入，唯新版遲遲未出，目下尚不可得。”1957 年 9 月 18 日致信松枝：“拙著《魯迅的故家》等近亦改由人民文學出板社出板，《故家》中稍有增訂，寫在後記中。茲附呈一部祈查收是幸。”

又 1963 年 10 月 23 日致信鮑耀明：“承問日本譯本的書，只有『魯迅の故家』有松枝茂夫、今村與志雄的譯本，係築摩書房出版，想現在還有存本吧。其《小說裏的人物》一書則似無翻譯。松枝譯書請先向築摩一問，如不能得到則當將鄙存一冊寄上也。”1963 年 11 月 25 日致信鮑氏：“『魯迅の故家』另已寄上，此書可以奉贈。"

此外我還有幾種日本所印周作人的書或與周氏相關的書，順便一說。

『**周作人隨筆抄**』 小川利康贈，平裝。長十八點六厘米，寬十二點九厘米。封面印"周作人隨筆抄"，書脊印"周作人隨筆抄　東京文求堂印行"。扉頁之後，目錄四頁，正文一百五十頁，「周作人隨筆抄略注」（松枝茂夫）八頁。版權頁印"昭和十四年四月二十日印刷　昭和十四年四月廿五日發行　昭和十六年三月一日再刷　昭和十六年十一月三十日三刷　三刷2501—3500　定價金八拾錢　編者田中慶太郎"等。

此書收周作人中文作品二十六篇，附周氏在『生長する星の群』第一卷九號發表的日文原作「西山小品」，當歸在周氏生前別人為他所編選本之列。小川來信云："這本『周作人隨筆抄』大概在當時的高等學校（舊制的）或專門學校授課時用的。整個一百多頁，開頭三十幾頁有用鉛筆寫的種種記號、日文筆記，後來就沒有了。大概一年或半年授課只講到此（笑）。"

『**日本之再認識**』 友人張洋贈，方脊紙面精裝。長二十一點八厘米，寬十五點二厘米。封面和書脊貼簽，上印"日本之再認識　周作人"。前有"著者最近的照片"一頁。扉頁印"周作人著　日本之再認識　國際文化振興會"。「序文」（國際文化振興會理事長永井松三）二頁，正文二十二頁。無版權頁，亦無定價。

此書 1941 年付梓，實是周作人一種中文單行著作。周作人1961 年 6 月 22 日致信鮑耀明："別封小論一篇，乃係當時初版印行本，後來已收入雜文集中，偶於故紙堆中找到國際文化振興會原版一冊，便以奉贈，別無什麼可取，只是原來樣子而已。"

『徐文長物語』 與『中國新文學之源流』一起購於琳琅閣書店，價二千一百日元。圓脊紙面精裝，有護封。長十八點七厘米，寬十三點六厘米。護封封面處印"徐文長物語"，書脊處印"徐文長物語　橋川浚編譯　大阪屋號書店"。書脊印"徐文長物語　周作人編　橋川浚譯　大阪屋號書店"。扉頁印"橋川浚編譯　徐文長物語　東京　大阪屋號書店"。周作人手跡一頁，「徐文長物語の前に」（編譯者）九頁，目次七頁，正文二百一十六頁。版權頁印"昭和十八年一月廿日印刷　昭和十八年一月廿五日發行二〇〇〇部　定價金壹圓五拾錢　著者代表周作人　飜譯者橋川浚"等，貼蓋"橋川"章的版權票。後有書目三頁。

書中所印周氏手跡係書幅一幀（原無標點）：

　　柳橋無復清泠水，梅市空餘暗淡山。唯有南街田水月，
　　口碑長在里人間。辛巳臘八日為羽皋散人題徐文長物語。

　　　　　　　　知堂（鈐"知堂五十五歲後所作"印）

該詩見《苦茶庵打油詩補遺》，第三句"南街"作"城東"，跋語作"三十一年一月五日作。羽皋散人橋川浚編譯徐文長故事八十篇，為勉題一絕句"。

此書收八十則故事，每則譯文之後，均附原文。周作人曾於 1924 年 7 月 9 日和 10 日在《晨報副刊》發表《徐文長的故事》（八則），其後多人續寫，北新書局更出版林蘭編《徐文長

故事》（五集）和《徐文長故事外集》（二集），"林蘭"係李小峰、蔡漱六夫婦共用筆名。橋川浚即據此編譯。說來周作人與該書的關係，也許只是"著者代表"這一層罷。

『周作人先生のこと』 小川利康贈，圓脊紙面精裝。長二十一點五厘米，寬十五點八厘米。封面係武者小路實篤繪蘿蔔圖，題"周作人先生の事　方紀生編"，署"實篤"，鈐"實篤"印。書脊為武者小路書"周作人先生のこと　方紀生編"，下印"光風館"。扉頁印手寫體"周作人先生のこと"。其後有照片五頁："日本留學當時の周先生（千九百十年十二月於芝公園寫）"和"先生近影（民國二十九年編者寫）"；"先生と酒罐（民國三十年六月寫）"、"先生の日本間書斋の一隅（民國三十三年一月寫）"和"先生の御家族（民國二十三年寫）"；"先生を圍む日本文壇人の集り（民國三十年四月十七日於東京星ケ岡茶寮寫）"；"書斋前の先生と武者小路氏（民國三十二年四月十八日寫）"和"白石紙を詠むの詩"；"周先生手拓南齊磚硯"。「編者序」四頁，獻詞一頁，印"中國新文學・新文化の恩人である周作人先生にこの紀念集を捧げる。先生六十のお誕辰に私の尊敬と感謝とのしるしとして。方紀生"。目次四頁，末尾印"裝幀武者小路實篤　扉字有島生馬"。正文二百五十四頁。版權頁印"昭和十九年九月十四日印刷　昭和十九年九月十八日發行（一〇〇〇部）　定价三圓五十錢　特別行爲稅相當額二十五錢　合計三圓七十五錢"等。有編者介紹："北京中國大學卒業文學士、現華北駐口留學生監督、前東京帝國大學文學部講師、北京大學文學院講師"。貼蓋"方紀生印"的版權票。

插圖所印周作人詩作，向未收入其集中（原無標點）：

> 夙聞奧羽稱風雅，淡泊生涯願未違。作苦寧同芒在背，居貧恰喜紙為衣。清泉白石都佳勝，水碓雲春入翠微。絕慕古人行腳意，十年細道幾忘歸。

> 壬午清明節後一日，題白石紙，寄示紀生兄以發一笑。

> 知堂（鈐"知堂五十五歲後所作"印）

後有跋語兩行，字跡難辨，姑從略。

此書收武者小路實篤、谷崎潤一郎、堀口大學、林芙美子、佐藤春夫等所寫關於周作人的文章十九篇，附周氏作品譯文四篇及「周作人先生著作年表」。周作人 1961 年 3 月 27 日致信鮑耀明："有一本書擬以奉贈，頗近於自己鼓吹，幸勿見笑，唯此版已難得，手頭亦只餘此一冊矣。"即『周作人先生のこと』也。

2013 年 2 月 26 日

〔補記〕日前又在東京神保町田村書店購得周氏所謂"完璧本"『苦茶隨筆』一冊，函盒無"削除濟"章，內文各頁不缺，價二千六百日元。至此周著日譯本算是收齊全了。附帶說一句，我對日本戰時圖書"削除"制度頗感興趣，然則迄今所見到的樣本僅『苦茶隨筆』一種而已。

2013 年 11 月 26 日

潘家園舊書攤憶往

韓智冬

　　已經很久不逛地攤兒了，人懶了，夜裏不到四點起床的滋味實在是不好受。加上這把年紀，也跑不過年輕人了。更重要的是地攤兒的東西已遠不如前，和二手書市場區別不大了。雖然不逛了，可總也忘不了逛的樂趣，時常想起當年地攤兒上的那些人，不管是買東西的還是賣東西的。

　　關於潘家園地攤兒有各式各樣的傳說和傳奇。其實，它與過去的鬼市區別不大，也沒發生過什麼不得了的事情，只是被一些不明就裏的人和某些媒體人渲染得驚天地泣鬼神了。有些事就是一層窗戶紙，一捅就破，但大多沒人有這閒情逸致去捅它。

　　多年看下來，逛地攤兒的有兩類人。第一類我姑且稱作"業餘"逛地攤兒人士，在市場裏多是閒庭信步，來得也比較晚，偶爾來早了也是擠在人群外面那一圈兒的。但常在河邊走難免不濕鞋，一年逛下來，瞎貓碰死耗子，多少也能撿到兩三回別人落下來的好東西。平時，這類人的搜書有些像舊時書話中人們的淘書生活，更適合在中國書店裏閒閒地逛著、聊著，不經意間從書架中抽出一本覯覯多時的書來，佔國家點兒便宜；要不就是拿本極便宜的書掩著特別想買的書去交款，或是在少有人問津的野攤兒上得些意外之喜。

上世紀九十年代的潘家園舊書市場與今天不可同日而語：第一是東西多，無奇不有，連北海正門對面那家兒的東西都有，首都各類大單位和熱愛新生活的人們不停地把家裏的無用之物通過廢品站輸送到舊貨市場，真是三步之內必有芳草，走不過兩三個攤就能見到讓人心動的東西。第二是便宜，不像現在的人，說起舊的、老的就覺得怎麼也得值倆錢兒。當年住房小，都想著把舊東西處理啦讓人住得舒坦點兒；再說工資也就百八十的，破爛兒們還能貴到哪兒去？第三，由於是初級階段，賣貨的沒有可供參考的資料，只能憑著經驗和感覺要價，這樣就難免被買東西的鑽了空子。

地攤兒有特點，逛地攤兒的人也有特點。"業餘"的有"業餘"的特點，"專業"逛攤兒的就更有特點。

每逢週末（六、日），"專業"逛攤兒人士們天不亮就到市場了。多數時間比賣貨的到得還早，要爭取看第一眼，看還沒從袋子、箱子裏拿出來的貨，看別人沒有看過的，就是常說的"第一眼"貨。為了不給"業餘"的留下些什麼，他們走得也比較晚，一遍一遍像篦頭髮似的搜尋著市場的各個角落，直到筋疲力盡才戀戀不捨地離去。記得那時無論寒暑，我每週週六三點或三點半、週日四點要起床，到市場還不是最早的，十點以後才離開。

當年逛地攤兒的秘訣就是一個"快"字。所謂快，一是用眼睛掃一下就要把一個攤兒上的東西看個八九不離十，以確定下手的部位。沒東西的攤兒就快速掠過，耽誤不起時間。大家一般都是快速地將所有的攤兒過一遍，把能買的納入囊中，回過頭來再慢慢地找重點攤兒搜尋漏網之魚，談那些剛才沒談下來的物件。我曾問過一個常跑鄉下收舊貨的朋友，為什麼在北京反而不逛地攤兒啦？他說買不到東西，"看見東西，我還沒彎腰吶，人家已經把東西買走了，咱手腳腦子都跟不上"，在老鄉家裏沒人爭沒人搶，經常是不鹹不淡地扯著閒話，先把不要緊的買了，臨走時，拿起最要命的那件說，得，我把這件也捎上吧。

二是要眼到手到，有時恨不能手比腦子還快，要在看中東西的第一時間把它抓到手裏或護在身下，這是因為逛攤兒有個不成文的規矩，東西在你手裏才可以和攤兒主談價，大家基本都認可這規矩，所以有時慢了半秒鐘或稍一猶豫這東西就今生與你無緣了。二十幾年來，我好像只破過一次例。2007年6月的一個星期天上午，一個攤兒上有幾十本詞集打包（撮堆兒）賣，其中有陳兼與等人的線裝油印集，攤兒旁蹲著一個送貨人打扮的人，手裏拿著一本見棱見角的油印本《叢碧詞》。我雖見獵心喜也只能在邊上等他放下，等了好一會兒看他好像沒有買的意思，就試著向攤主問價，再看看他還沒反應，就還了一口價。交錢的時候，一個年輕人跑了過來，心有不甘地翻了翻那摞書，我收好書，從那人手裏接過《叢碧詞》轉身離去。旁邊有人告訴我，那小夥子之前出過價，只差了五十塊。還有，特別要注意的是，自己還沒談定價錢、沒付款的東西，原則上不要遞到別人的手裏，除非是比較熟的朋友，不然也有失之交臂的可能。

說幾句題外話，談價時還要留意身後身邊的人。有那麼幾位，看見別人拿到好書心裏就不平衡，會想辦法去攪黃，比如狠狠地誇這本書，說些什麼真不錯真好、能賣多少錢、多少多少錢我能要之類的話，更有甚者還會向賣主打手勢，但如果你看著他，他會不好意思。

再有，中意的東西要儘快談好價付款，因為你不知道下一個攤兒上有什麼驚喜等著你哪。所以基本上是一至兩個回合，最多三個回合就搞定。那時，在攤兒上買東西沒有時間讓你仔細琢磨，也不容易找到參考資料，很多時候還是需要有點賭性的。當年潘家園書市有一位名叫許川的朋友（這位仁兄在潘家園舊書市場名氣很大，可惜已駕鶴西去），有人說他買東西時多不還價也根本不看，那是因為他沒時間細看，一本書上手一翻，心裏有個大概數就行了（我自己多年買下來，殘書率百不足一，再者，玩舊貨想百戰百勝是天方夜譚，總體好就該滿意了）；加之當年東西大多不貴，沒必要為一兩成的小錢兒耽誤了後面可能的意外；這樣做還可以給攤兒主們留下大方、肯出錢的好印象，下一次有東西就願意賣給你，甚至給你留東西、打電話找你去他家裏買東西。許川算的是大賬。有一次，我看見一函巾箱本的地理書，因是石印的沒有要，與許川打照面時順嘴說了一句。許川找了過去，問價給錢半分鐘沒用到，拿起書往他存在別人攤兒上的書堆裏一扔，轉眼就沒影兒了。

人頭熟也是一大優勢，你如果平時給錢痛快不大計較，與大多數攤主關係比較和諧，能看到的東西自然就比別人多。

"專業"逛地攤兒的還有一個特點：看見什麼買什麼。不像有那麼幾位仁兄囿於幾十年前的那幾本"新（文學）書"和雜誌。太專一就失去了逛攤兒的一大半樂趣。所以"專業"逛地攤兒的多是"雜濫"有餘，精專不足。許川買的東西，我有記憶的就有殿版書、老照片、字畫、舊文獻（如錢玄同手校的章氏叢書散頁校稿）、信札……

潘家園舊貨市場原本是開放式的街邊市場（也可以說是鬼市），後來大概是因為有了旁邊的北京古玩城的賺錢示範效應和治安的原因吧，被變成了封閉式的市場。市場大體分為兩大區域──古玩舊貨和舊書，從上世紀九十年代初發展到今天，幾乎淪落為工藝品和二手書市場。而後來所建的那些樓房和店面已遠離了它的原始形態。這讓那些曾感受過當年潘家園地攤兒紅火場面的人不禁生出些許惆悵之感──"俱往矣"。

念　想

傅月庵

　　曾經，在很長的一段時間裏面，我瘋狂地念想一本書，無日無夜，幾如心裏有一隻老鼠在嚙咬著。

　　那是 2002 年的事。我到舊金山旅行的最後一天，跟友人到北灘（North Beach）朝聖膜拜城市之光（City Light）。在書店裏瀏覽一過，買了幾本書跟紀念品後，滿懷興奮地走在熙來攘往的街道上。我一眼看到遠處還有一家老橡樹（Black Oak Books），過寶山不能不入，一行三人遂又踅了進去，穿梭書架，瀏覽點檢了半天。我所在意的書話（book about books）舊書，乏善可陳，倒是很意外地在僻處底層角落，看到了一本線裝書，上個世紀前半葉東京所出版。那是關於日本近世名僧良寬的英文傳記，有圖有文。文字一下子尚無所感，版型、插圖倒是很精美，粉紅色的封面，幾株出水蓮花，有點野，卻頗不俗。拿在手裏，翻了又翻，非常動心。我向來對良寬感興趣，他的傳記著作，中日文收了不少，英文倒還沒有，怎麼說都該買下來。只是一看標價，美金九十幾元，換算台幣都要三千塊了。

旅行的最後一天，晚上即將歸去，口袋所剩無幾，買了這書，萬一臨時出狀況，或要陷入窘境？這一想一猶豫，心裏的那位"好天使"立刻有話說了："這一趟，買的書也夠多了吧？還都是洋文的，真會讀嗎？你那堆日文良寬，到底讀了幾本！？束書不讀，有等於無。物慾熾盛，冤冤相報何時了，不要再這樣了……"拗不過碎碎念的天使之音，最後，我狠下心腸，慨然棄書，決定不買了！

離開書店後，到了對街據說非常有名的咖啡店喝咖啡。突然寡言起來的我，一下子被看穿有心事。幾經敦促，我乃全盤托出，將那本書細細描繪了一次，說明它的難得罕見，講得又有些興奮了。"那你怎麼不買？""夠多了，算了，不差這一本！"友人聽後，紛紛勸我回頭把書買下："沒錢的話，我有。""一趟路那麼遠，多帶一本無妨啦。""趕快買下吧，最後一天了，過了這村沒了那店，想後悔都來不及了。""依你的個性，一定會後悔！""對啊對啊，最後肯定發覺：就差這一本！"那天也不知什麼鬼打牆，彷彿專為賭氣，他們越說"後悔"兩字，我越搖頭越不回頭，"說不買就不買"，還信誓旦旦地說："絕不後悔！"

然後，我就回來了。到家後，整理行李，翻看"戰利品"，將之一一上架，躊躇滿志之餘，遺憾隨生，果然，二十幾個小時才過去，我就開始念想起那本書了。

就像是打在擋風玻璃上的一塊小石子，如其位置不對，虛驚一下也就過去了。但若是剛好打到四個角落那一小塊地方，龜裂隨起，蛛紋四處延伸，最後甚至整片玻璃都要碎裂的。一本書本來也沒什麼，卻偏偏是良寬的傳記，或許這就是死穴所在，遂令天上大風四起吧。總之，在接下來的日子裏，那本書的影像時不時便出現腦海裏，苦惱著我。偏偏又不是很清楚，粉紅一片，蓮花亭然，書名卻模糊了，只記得有露，Dew-drops。人是很奇怪的動物，明知無益事，偏作有情癡，隔了那麼一個太平洋，且是五十多年前東京出版的舊書，再見機會渺茫，卻讓人更加顛倒夢想。就這樣，思思念念，懊悔不已了一整年之後，狂心方才漸漸消歇下來。但，消歇絕非消滅，日後只要看到書牆上那幾本良寬傳記，總會教我如何不想它，總要長吁短歎一番。2006 年，我的第三本新書出版，取名《天上大風 —— 生涯餓蠹魚筆記》，如今回想起來，當不無對那本被我遺棄了的粉紅小書的悼念之意吧。生涯餓蠹魚，少吃了一本，我真的很餓！

　　日子在思念中流逝。2007 年冬日某個深夜，起床喝水後，再也睡不著，心血來潮地牽著"古狗"（Google）上網亂逛，四處搜尋。突然又想起那書，於是把腦海中所有想得起來的關鍵詞，一個一個拿出來排列組合，試了十多組之後，突然跳出"蓮の露"（Dew-drops on a lotus leaf）這個書名，急忙拿到亞馬遜書店再試。"天啊，這不就是它嗎？就是那個封面，就是那道光啊！"當下激動異常，整整五年的相思，這次非到手不可！但，問題跟著來了。亞馬遜舊書根本不發送台灣，台灣人想買，得透過其他地區的人代買才行。這是不是一種歧視？我不知道也不想深究。重點是，我要這本書啊！於是立刻與華府友人聯繫，要她不計代價，無論如何幫我買下這書。友人聽後，口頭沒說，心裏肯定講了："大哥，我說得沒錯，你果然後悔了吧！"她是當天在場見證者之一，後來東遷了。

　　只是，好事多磨。這書，買是買到了。從西雅圖寄出時，理應送到華府的，卻不知怎麼的，給送到友人舊金山老家去了。我左等右等老等不到，又開始擔心會否寄掉了或被攔胡買走了。直到友人拿到書，方始安心下來。等書越過太平洋，來到我家，2008 年春天都快過完了。五年又三個月的相思，終得一解。買到的這本，比起五年前所見者，品相更好，絹裱書匣、線裝包角都完好無缺，老天誠然不負苦心人也。入手時，幾乎每天都拿出來翻看擺弄，越看越覺得好！但不知怎地，漸漸地也就平淡了，到後來，甚至覺得還是沒有五年前那本好，且又生疑了：這本是 1954 年三版，那本版次恐怕更早吧！？——"廬山煙雨浙江潮，未到千般恨不消。及至到來無一事，廬山煙雨浙江潮。"蘇東坡說得沒錯，大概也就是這麼一回事吧。

　　"狂心不歇，歇即菩提"，佛經是這樣說的，但對於那些我為書狂、執念滿滿的家伙來說，"寧可永劫受沉淪，不從諸聖求解脫"，或許才是王道吧！

我的買書瑣憶

胡桂林

回想起逛書店出手買書，還是要從三十多年前說起。1978年我在北京冶金工業學校學習，雖然我對這個專業一點也不感興趣，但上學不用交學費，每月還有二十五元的補貼，這個誘惑還是很大的。年少無知，身健腦開，好奇心重，打發無聊時間就是喜歡逛逛書店。那時候到書店買書，可沒現在逛書店隨意閱覽的一份愜意。當年書店不但書的種類少，開架售書更是一種奢望，想看什麼書還要賠著笑臉請售貨員給你拿，往返幾次，就要話難聽、臉難看，自己也覺得做錯了什麼，不好意思再開口了。為避免自尋煩惱，只好隔著櫃台引頸呆望，這也是當年書店裏很常見的一景。記得當時《讀書》雜誌上有一幅漫畫印象很深，一名讀者隔著櫃台小心翼翼地用望遠鏡看著書架，真是感同身受。七十年代末，"文革"剛剛結束，反思"文革"呼喚人性回歸的傷痕文學，火得不得了。很風行的作者有張賢亮、從維熙、盧新華等人。劉心武的小說《班主任》、宗福先的話劇《於無聲處》、周克芹的《許茂和他的女兒們》等，都是轟動一時。一有新書出版，我往往要轉好幾個書店，必欲買到而後快。很可惜，帶有人文主義覺醒意識的文化現象，只是曇花一現，即被雨打風吹去，沒能形成中國的文藝復興運動。當年那些令人矚目的作者，或頹廢，或津津有味地破譯什麼紅樓密碼，甚至有的不知所終，真是令人感歎。當年一批"重獲新生"的古今中外名著，大受歡迎供不應求，現在還留在我手邊的《子夜》《家》《駱駝祥子》《曹禺劇作選》《紅與黑》《戰爭與和平》等，就是那個時期先在報上看到廣告，算好時間，提前到書店排長長的隊買到的。

我開始喜歡逛舊書店買舊書，主要還是出於經濟的原因，那時候舊書店的書都是原價再打折，就是"文革"前的書也不漲價，可以花較少的錢買便宜的書。漸漸地舊書店那一種獨有的氣味更吸引了我。從書中知道了令人神往的琉璃廠，滿懷希望地找到了這個地方。那時這條文化古街還沒有改建，街面寂靜得很，街上的商店（國營的文物商店）都緊閉門窗，掛著簾子，門外懸有"只供外賓"的醒目小牌，真有種不舒服的感覺，也就沒能進去開眼。一頭鑽進中國書店空曠的大院，這裏原來是海王村公園的舊址，一切基本還是老樣子：東西兩道長廊，正北一座老樓，東、西廊的大門當年還是向院裏開的，貨色和別的地方差不多，都是文史類新書，沒啥特色。正北的老樓俗稱"三門"的地方，門口掛有"機關服務部"的牌子，令人望而卻步。印象中第一次來這裏沒見到一本真正的古舊書，真是大失所望，以後就很少再來了。

老輩學人津津樂道的所謂"東西兩場"舊書肆，我自然不會趕上，當年這兩個地方還都有中國書店古舊書門市部，勉強看作兩場舊書肆的遺緒墨痕也可以吧，如今這點墨痕也無影無蹤了。

那時候京城四郊居民進城購物，王府井和西單是必遊之地，到王府井除了百貨大樓就是東安市場了。余生也晚，我逛東安市場的時候，百年老店與時俱進，叫紅彤彤的名字——"東風市場"，顧名思義，典出自一句頂一萬句的"東風壓倒西風"的語錄。王府井大街向北路東就是東風市場的大門，進門通道南邊有一個廁所，對著的是中國書店的收購部。門總是關著的，櫥窗內擺放著一些作為幌子用的古舊書，每次路過都忍不住望望。再往裏走，就可看到規模很大的南北相對的中國書店東風市場舊書門市部了。南面的門市主要賣外文舊書、畫冊等，因為不懂很少進去。北面的門面，說是舊書其實主要賣些廉價的新書、二手書等，因為這裏部分是開架賣書，而且不確定會有什麼書，所以很吸引我，有一段時間差不多每週都要來幾趟。買的少白看時候多，買的貨色今天看也不足道。勉強值得一提的，花幾角錢買過錢鍾書精裝《宋詩選註》。有一段時間剛剛過時的"法家"著作大量出現，我買過李贄的《藏書》《續藏書》《焚書》《續焚書》《史綱評要》和王夫之的《讀通鑑論》等。有些還是帶硬紙函套的大字本，花錢不多，擺在書架上很是可觀。三十多年後回想起來，用現在流行的話說是典型的糊牆派做法，說出來令通人不齒。

沿著市場通道向前走，是賣各種食品水果的。再走，就可以看到通向金魚胡同的北門了，那裏有著名的東來順等飯館。還有一家是賣小吃的，這裏賣的奶油炸糕非常好吃，以後再也沒吃過那樣的口味了。當年東風市場內除了中國書店還有家新華書店。新華書店位置在市場中間部位，用櫃台圍起橢圓形一大圈。在市場最南面，有賣工藝品刻印章的，曾經用不到一元錢的代價，刻過一個牛角料的名章，鈐蓋在買來的書上自鳴得意。現在這個章早已不見了，偶然翻出那時買的書，看到當時亂蓋的這個名章，雖然幼稚可笑，卻為我留下了青春年少的回憶，也覺得是有些意思的。

七十年代建成營業的西單商場新樓，是當年西單大街最豪華的建築。其實它很簡單樸素，被形容像放大的火柴盒，現在也早已拆除改建了。在這座商場大樓南面，就有中國書店西單古舊書門市部。這是建於三十年代的老西單商場第二門市部舊址，高大昏暗的空間充滿了一種古舊的氣息。進門感到很幽深，先是新華書店的天地，穿過新華書店有一條南北通道，這條老市場通道南邊與西單食品商店相連，北邊可通曲園酒樓。通道北轉彎昏暗處有中國書店西單機關服務部，曾經大著膽子往裏張望過，被人呵斥出來。隔著通道與新華書店正面相對的，就是西單商場古舊書門市部了。這是隔出來的裏外套間，賣的貨色和東風市場見到的差不多，以打折廉價的新舊書為主，基本看不到解放前的書，更沒有古書了，就是"文革"前的也是難得一見。架上舊色可餐的大多是解放初期版的"聯共（布）黨史"和馬列著作等，了無意趣。曾經在這裏買到過老商務版的《經傳釋詞》，已經算是奇遇了。范文瀾的《中國通史簡編》、郭沫若的《中國史稿》等也是在這裏買到的。記得買到的第一本"古舊書"是民國商務版的叢書集成零種，發行人的名字和出版紀年都被濃墨塗蓋，對著陽光破解，還是不明就裏，當時讓我很是疑惑，多年後才明白，被塗蓋的是"王雲五"和"中華民國"字樣，真是可笑得很。

那幾年雜七雜八買了不少閒書，但真正古舊書卻沒有遇到過，後來從楊成凱先生文章中知道，早在"文革"前中國書店就根據讀者身份的不同，分內櫃外櫃、內賓外賓，區別對待，買古舊書還需什麼級別的介紹信。楊先生說古舊書那時"一般人沒有點辦法既看不見，也買不到"。我當年看不到買不到真正古舊書真是不奇怪了。買書是我當年唯一的癖好，為此搭上了太多的時間和精力，一輛自行車東西城串，翻翻看看，尋尋覓覓，不知不覺中，青春年華已逐漸遠去。

此後我同一切常人一樣，工作結婚，先顧嘴後顧家，奔走衣食，有好多年沒有再顧上買書逛書店。等生活粗定，有餘閒有餘錢可以再逛書店了，已是八十年代末九十年代初。此時市場經濟的風越颳越猛，全民一致向錢看，中國書店改政治掛帥為經濟掛帥，海王村古舊書店、海淀古舊書一條街等相繼開業，各門店也有古舊書擺上櫃台。遍地開花的舊書攤，徹底打破了按等級按身份買古舊書的怪現狀，像我這樣的普通人不但可以眼看手摸了，這個時候古舊書的價格，咬咬牙墊墊腳還能買得起，捧回家，珍而藏之。這真是淘古舊書的黃金時光，著實叫我過了一把淘書癮。

九十年代初海淀文化街開業，據說這是當年北京市重點文化工程。中國書店利用圖書大廈一層走廊（類似廣州騎樓建築形式）改建成"舊書長廊"。開街當日冠蓋雲集，好不熱鬧，主管副市長何魯麗講話剪綵，我遠遠地站立等待，不記得她說了什麼，只記得舊書長廊裏，線裝古籍、解放前舊平裝、舊雜誌，分門別類排列得頂天立地，著實大開了眼界。只覺目迷十色，一陣亂翻，不知道買什麼好。不懂版本，只找熟悉的看，翻出一函暖紅室本《西廂記》，那幾幅典雅的木刻插圖，很覺得古趣可愛，"曲兒甜，腔兒雅，裁剪就雪月風花"的《西廂記》，更為我所心繫，雖然標價一百二十元，還是不猶豫買回了家。震於武英殿殿版的大名，破笑囊一百元買了套順治本包背裝《資政要覽》，這個價在當年談不上是撿漏，架上擺了好幾套，沒見人要，二十年過去了再把這書拿出來，想到書價的驚人變化，不覺暗叫一聲慚愧。此後，我又在這裏買到過暖紅室主人傅春姍景摹的《明清戲曲插圖》一冊，閨秀手跡，自是可愛，不能不信緣分。暖紅室源於劉世珩的夫人傅儷蕙（字春姍，號曉虹、小紅）。

有一段時間海淀舊書店從四川收購來一批古舊書，機緣湊泊我也買到一點新文學初版本，如《春蠶》《紅燭》《死水》等，這些書當時並不熱門，買的人很少。曾邂逅姜德明先生，他是聞訊趕來買新文學書的，他說買書越買越是無底洞，真是過來人說的明白話，到現在我還記憶猶新。總有十多年吧，我每星期至少來海淀報到一次，往往要消磨好幾個小時，這裏曾經是我很留戀的地方。和這裏先後賣舊書的徐元勳、蒲立飛、馬彥傑等都有不錯的交往，不是冷冰冰的買賣關係，留下了很難忘的回憶。

　　因為工作單位和新街口舊書店距離比較近，我過去經常去那裏轉轉，這家舊書店可能是從西單拆遷過來的，開始還有以前在西單見過的老人。書店的舖面房據說過去是一家前店後廠的糕點舖，保存得很完整，別具老北京特色。可惜後來老門臉兒改造，變成了非驢非馬，要多難看有多難看。這裏所賣的書和京城其他古舊書店一樣，以新書和新舊書為主，但也總有二三架古舊書應市。以前是兩位老師傅管理古舊書收售業務，印象中他們總是一身藍滌卡制服，布鞋布帽，戴著雙藍套袖，好像永遠都在書架後面忙著什麼。慢慢接觸一多，逐漸熟了，有時也聊一會兒天，其中一位以前就在西單商場機關門市部工作，很是見過一些大人物和名人。他說這些人買書更是斤斤計較，丟書的事也是有的。他親眼目睹過大革文化命的時候燒書毀書的瘋狂。當時他們曾到造紙廠挑選古舊書，他說"那時的舊書堆得像山一樣，根本挑不過來"。記憶中一套康熙揚州詩局精刻本《棟亭十二種》就是從他們手中買到的，價格也是可以接受的。不幾年他們都先後退休了，從此沒有再見到過他們，現在早已過古稀的年齡了吧。幾年後，馬彥傑君調到這家書店來主持古舊書收售業務。我們原來在海淀書店時就認識，是談得來的老朋友。經他手為書店收了一些不錯的好書，如民國時期周氏兄弟的朋友章川島的舊藏，多為民國原版書，僅周作人題贈的作品原版書就有二十多種。據聞，賣給一位喜愛周作人作品的記者了。其他還有詩人荒蕪的藏書等。馬君是很精明的人，有許多好書，他都留存在後面小屋裏，以待能出高價的買主。雖然我不是這樣的買主，但也常常享受被請進小屋的待遇，總要喝喝茶，抽抽煙，山南海北，聊一會兒天，感到的不僅僅是買賣關係。跑得勤了，本著謝國楨老"拾瓜蒂"人棄我取的精神，多少都會有些收穫的，如買到的一些清末民初的詩文小冊等，也都是不常見的。後來馬彥傑君也不在了，逐漸地書店的人和書的價格，都發生了很大變化，總感到缺了什麼，再也沒有以前的味了。我也就很少再逛這家書店了。

琉璃廠因為離得較遠，平時去得不多，但中國書店每年在這裏辦的古籍書市，我是逢集必趕。書市期間各門店都在此設攤，重頭戲是收購科的線裝殘書攤，別小看這些古籍殘書，東西神秘得充滿了想象空間，價錢便宜得又近乎白給。一元一本的價格，現在看來真是神話一般，每場都要引來搶購的人潮。開門幾分鐘的工夫戰鬥就結束了，搶書的場景用驚心動魄形容都不為過。套句俗了不能再俗的媒體形容語，古籍書市是當年琉璃廠一道亮麗的風景線。

我生性靦腆，與人爭強鬥勝是我的弱項，雜七雜八長短不一的殘本，當時覺得意思也不大，買的也不多。回憶那幾年我在書市買殘書的收穫，僅有清康熙精刊《通志堂經解》零種，還頗可一談。黃蠟箋書衣，原裝原刻原印，是丁福保的舊藏，鈐蓋"曾藏丁福保家"等印記。此外明末《漢魏六朝百三家集》零種等，單種書都是全的，其實這些叢書零種不好以殘書看待的。辛德勇先生在《買殘書》一文中，記述了他那幾年在書市的所得。人棄我取，要有堅實的學識為基礎的，這只能令人艷羨，否則，弄一堆垃圾回家，也意思不大。據說有人從殘書堆中挑出過元版和明初黑口本的。美人投懷的豔遇，我是見都沒見過。只說我親眼目睹的一位朋友的奇緣，他從不隨人搶殘本古籍，躲著走，因為太驚險了。有一次他來得很晚，海王村二樓平台上搶書戰鬥已經結束，偌大的台案上，早已空空蕩蕩，也許是心血來潮，或者是觸景生情，反正是鬼使神差地彎下了腰，順手撿起一本掉在地上的書，這是剛才搶書戰鬥的遺散物，誰也沒有在意。他漫不經心地拿起來翻了翻，這是魯迅兄弟祖父周福清的藏書，周作人的一段題跋赫然入目，代價僅一元錢，這樣的奇遇只能用佛家講的定命和前緣來解釋了。

書市上我大多數時候在收購科另一個書攤上。這裏賣的書都是全的，按質定價，相對一元一本的殘書顯得貴得許多，所以這裏的競爭相對就平和得多，許多書今天看仍然是白給一樣。某次我見架上有一摞書，是雍正銅活字本《古今圖書集成》零種，價五十元，就那麼隨便擺著，我買了一本"時令中秋"卷當個樣子，覺得還有點意思。鄭振鐸手書上版《西諦所藏戲劇善本書目》民國藍印本價六十元，同時出現三本，我選一本品相好的。清末隆福寺聚珍堂木活字《蟋蟀譜》價十五元，也是同時出現好幾本。說起來真如白頭宮女說開天遺事，只能是追憶了。

某次書市，因為搶殘書的人太多，秩序太亂，都驚動了公安人員，主辦方採取排隊賣殘書的辦法，排一次隊每人可領書一捆，挑選之後再到收款台點數交款，以此來解決哄搶的現象。排隊的景觀吸引了路人的駐足，有幾個外地人裝扮的中年婦女，緊打聽這是幹什麼的，得知是排隊領書。於是耗半個多小時，每人領一捆，拿起就走。書店工作人員趕緊說：交錢呀！中年婦女憤然，還要錢啊？！遂將書拋於地而去。

也是在九十年代初吧，不知道從哪裏颳來了一陣風，北京城一下子出現了許多跳蚤市場。其實跳蚤市場並不是什麼新生事物，在中國也是古已有之的了，老北京的曉市就很有些類似。交點管理費誰都可以進場擺攤，雜七雜八賣什麼的都有，前輩學人念茲在茲的舊書攤，在經過社會主義改造而中斷了幾十年後，終於隨著跳蚤市場的出現得到了復興。它的出現打破了中國書店獨家壟斷舊書市場的格局。當年北京舊書攤比較著名的地方有中關村、地壇、後海、潘家園、報國寺和北大周邊等地。一到週末，天剛蒙蒙亮，書攤就擺滿一大溜，張中行先生形容逛書攤猶如釣魚，釣到多大的魚，都是未知數，這就充滿了一種期待。況且這裏的書都非常便宜，如我買到的《圍城》初版本價三元，《猛虎集》初版價二元等。我在書攤上買到的周作人簽贈俞平伯的《藥堂雜文》初版本，也所費無幾，曾買到過一摞油印線裝《春遊瑣談》，回家發現裏面還夾帶一幅張伯駒手札，真是意外之喜。早期的舊書攤，攤主都是以書的薄厚論價，其他不管，所以廉價買到好書的機會就很多，逐漸吸引各方淘書客摩肩接踵，熱鬧得不得了。許川和宏明等大俠，都是早期舊書攤上的豪客，無論古籍碑帖、舊平裝、舊雜誌、舊照片、信札等，見舊的東西都統統拿下，從不還價，很受攤主的歡迎。許川英年早逝，他身後藏品流散，造就了一些藏書家和大書商，有的以此成了名，有的以此發了財，流傳許多傳奇的故事。

董橋說："買到一部新書，似乎說不上偶得，在舊書舖裏檢出喜歡的書買了回去，這才允稱偶得，前者是花錢誰都買得到的，是理所當然的事，後者平添一份喜出望外的樂趣。"逛舊書攤買到自己心儀的好書，或說是撿了漏，並不是因為佔了多大便宜而高興，眾裏尋她千百度的樂趣，是花多少錢都買不來的。

　　逛書攤更多的時候，都是滿懷希望而去，夢斷鎩羽而歸，只落得一身疲倦，兩手塵土。當年常逛舊書攤時結識了許多好朋友，如謝其章、趙國忠、柯衛東、王洪剛、趙彥平等，我們互相勉勵"買到是運氣，買不到是運動"，本著"有棗沒棗打一竿子"的心態，每週總要在市場上見面，比著看誰來得更早，披星戴月，只爭朝夕，根本沒有那種負手對冷攤的閒趣可言。常常幾圈溜下來，天光也大亮了，我們很自然地聚到一起相互品評彼此買到的東西。如果意猶未盡，還要鼓起餘勇結伴再逛東西城的中國書店。如今我們不再起大早逛書攤了，工作生活各自忙，見一面都不容易。想起那些年逛書攤的時光還是很讓人懷念的。

　　進入新世紀後，拍賣會成為古舊書價格的風向標，大資金的介入使古舊書逐漸走上了另一個極端，如過去很常見的內府本《資政要覽》，現在都要十幾萬的價錢，真是出人意表，古舊書再一次遠離了以工薪收入為生的普通人。近來我也不再買古舊書了，因為家道中變，有些辛苦得來的藏書，先後化為煙雲之散，雖無李後主去國之痛，自我得之，自我失之，想起來也是很傷感的。我買書可謂漫無目的，既無家學又無師承，興之所至，撿到籃子裏都是菜。雖然眼力和財力決定了我買到的書不會有什麼好東西，但自有一種樂趣在。為買書節衣縮食，茹苦含辛，冷暖自知，但並不感覺苦。如果買到一兩本可意的書，回到家中，迫不及待地打開書本，看目錄，翻序跋，直到夜闌人靜，也不罷手，只覺疲倦盡失，燈火可親，所謂好者為樂是也。

周作人先生《藥堂語錄》後記中說："近數年來多讀舊書，取其較易得，價亦較西書為稍廉耳。至其用處則不甚莊嚴，大抵只以代博弈，或當做紙煙，聊以遣時日而已。"我不敢妄攀前賢，只是想說奔走書肆幾十年，聊以遣時日而已，終於老大無成。歲月不居，似水流年，紅了櫻桃，綠了芭蕉，不覺已過知天命之年。風晨雨夕，閒翻存書，不免就想起以前跑舊書店淘舊書的好時光，想起和書有關的朋友來。

拾到的知堂遺物

趙龍江

我個人開始有目的買書，大約肇始於上世紀八十年代中後期。那時收入不高，但每有一點閒錢，便買上一兩本廉價舊書。這時社會上文化受到重視，各種售書活動也漸漸多了起來，有國營書店的定期書市，也有公家組織或自發形成的跳蚤市場，還有負販者的街邊小攤，規模不同，各有優勢。比較而言，琉璃廠幾乎每年都有的古舊書市就很受愛書人的期待和歡迎，因為它品種多，數量大，尤其是質量檔次要更高，且當時價格比較實惠，故每有書市，便成了淘書者的節日。書市期間，幾乎全城的書蟲們早早在廠甸門外蟻聚，一待開市，便攘臂相爭，蜂擁而前，情景觸目驚心，至今令人難忘。

我早期買書不擇版本，只圖名著亦或價廉，所以只能算作淘書隊伍中的初學者。後來陸續結識了一些書友，遂漸有了一點粗淺的買書經驗。再後來又陸續拜讀過一些前輩學人的訪書文字，讓我大開眼界，既增長了知識，又學到了經驗。尤其是讀到他們所收藏的名人題跋及鈐印本，更令我景慕之至，驚奇和艷羨不言而喻，心想，大概此生很難有前輩那樣的機遇了。不過這些年買書，居然也有過幾次幸運眷顧，比如買到知堂老人的舊藏，便是機緣巧合的一次了。

這是一本六十四開小冊子，名曰《異書四種》。此書早年得自琉璃廠書市，翻查昔日書賬，購存日期為 1995 年 10 月 15 日。不知為何，這一年我的日記只錄到 5 月 10 日，為何中輟？已茫然不復省記，但那一天購書的大致情形，至今猶存腦海。

從時間看，這應是當年中國書店秋季古舊書市。循例一大早趕在書市開門前便擠到門口等候了。能夠想象，當開門後是如何拚力衝向二層平台的平裝舊書架前……細節雖不及憶，但從書賬上看，還算是小有收穫：文載道（金性堯）的《文抄》，儘管標價二十元（在當時應算高價），還是毫不猶豫地「拿下」。餘如費孝通的《鄉土中國》，線裝本《中國魂》上、下冊等一些解放前舊書，以及十幾本魯迅著作五十年代單行本，另有《楹聯叢話》《現代作家書簡》《浮沉雜憶》等，加上所配《新文學史料》《文獻》等，近三十種五十餘冊。近午，準備收工回返，徘徊顧盼間，偶見臨近線裝殘本書堆正在上書，一群資深書迷正自抱一摞往僻處檢擇，看這近於搶奪的畫面，不禁暗自好笑。心想，如此殘本，不過是商家借特價餌客，何以如此瘋狂？於是俯身拾起一本散落在地的小冊子，隨手翻到內頁，居然還有一段墨筆題記，實出意想之外，繼而凝睇字跡，竟是知堂老人親筆。此時心跳不止，激動之情可想。急忙合上書頁，深恐被識者瞥見，稍自鎮定，不敢有洋洋之色。之後也未敢聲張，又隨手拾起一本"辛勤廬叢刻"（內容包括《碎海樓自怡草》和《左盦集箋》兩種）夾在一起匆匆交款，一元一本，果真價廉，放在今日則近於白送，唯怪眾人爭相擁購，你搶我奪。不敢久留，何況囊錢將盡，急回返。

周氏兄弟的字，粗看約略有幾分相似，有六朝人韻致，但細細品味，還是各有自己的風格。在我收存的劉半農所編《初期白話詩稿》中，所收魯迅（署"唐俟"）兩首新詩則為周作人代筆，若非細心觀察很難分別。我曾在謝興堯老先生處見過一幅周作人署名"十唐"親筆贈他的扇面（背面有俞平伯題字），儒雅沉穩的一手毛筆字，給人以美感和享受。

翻開這本《異書四種》，知堂老人在他的題記中寫道：

"《異書四種》書面題字係先君伯宜公手筆，其中《粉鐸圖詠》上批點，則先祖介孚公之筆也。民國二十年二月十五日重訂訖，記於北平煨藥廬。作人。"

署名後鈐"周作人"陽文朱印一方。原外封已無，從題記上看，此書外封頁為周作人手自裝訂，內封為知堂之父周鳳儀（伯宜）所題，至顯珍貴。周伯宜題寫書名的文字同樣為直排式，自右至左書"仙壇花雨"、"碧落雜誌"及"異書四種之弍弍"三行，歷經一個多世紀歲月的剝蝕，內封頁已變得枯脆，知堂先生以半透明薄宣紙包襯，使之美觀整潔，煥然一新。可看出知堂先生不僅字好文妙，裝訂技藝亦頗見功夫。在敘文頁右下端，有一方"周"字印，不知為周家誰人專有。後據聞周家數代多用"周"字印，經向魯迅博物館徵詢，由該館資料室找出原拓《魯迅遺印》（江蘇古籍出版社，宣紙原拓，限量一百部），內中恰有此印，絲毫不差。這枚"周"字印原件現存該館，印章為石質，高四十五毫米。然而尚不足以說明此印為魯迅專用，周氏兄弟反目前，也曾有共用印章的時候，同時也不排除為其祖上所遺的可能。有一點可以肯定，這枚"周"字印為周家故物已是確然無疑的了。順便插一句，上世紀四十年代，謝興堯先生曾以一"周"字石章贈送給知堂先生，邊款署"冷君為星詒作"字樣，此為清代藏家周星詒舊物，據堯公說，此印貓形，工藝頗佳。惜未見實物，更與上邊所提"周"字印無涉，故略而不談。書中的另一處印記確是明白的，那就是鈐在正文首頁上知堂常用的一方"苦雨齋藏書印"。姜德明先生曾寫有《知堂的藏書印》一文，除生動的文字敘述外，同時附有圖影，我就不多說了。

《異書四種》，清光緒丙子（1876）秋，由申報館仿聚珍板印製，申報館叢書之一種，列入叢書的"新奇說部頁"。該書上下兩冊，鉛字直排，除前面提及上冊的《仙壇花雨》《碧落雜誌》兩種外，下冊應收另外兩種，即《雪窗新語》及《三十六聲粉鐸圖詠》。因我只存有上冊，故周介孚（周福清）於《粉鐸圖詠》上的批點無緣親睹，實在遺憾，不知這下冊現在天涯何處，或早已不復存在了。

周作人祖父周福清，為同治十年（1871）殿試第三甲第十五名進士，甲戌（1874）由翰林院庶吉士散館，改知縣。因與上司撫台鬧彆扭，光緒四年（1878）被兩江總督沈葆楨革職，降為"教諭"。後改捐"內閣中書"，做了十幾年以抄寫為事的從七品小京官。光緒十九年（1893）丁憂回原籍。這年因慈禧太后"六旬萬壽"在即，舉行癸巳恩科鄉試，浙江主考官恰是他當年同榜進士殷如璋，他受親友慫惠委託，為包括其子（魯迅和周作人的父親）周鳳儀在內的六名考生，向殷如璋密賄（遣僕人陶阿順送一萬銀票及考生姓名），以求買通關節，不想被在場的副考官知曉……案發後，被光緒帝欽定"斬監候"，於是繫獄杭州。所幸太后壽慶在即，加上包括地方官在內多方為之開脫，懇求寬緩，才從死罪量減一等，在杭州監獄七年，於1901年被釋回家。1904年7月13日去世，終年六十七歲（有關周福清史料在顧家相《五餘讀書廛隨筆》及《魯迅研究資料》第七輯中均有述記，篇長不具贅）。

周作人的父親周鳳儀（伯宜），屢次鄉試未中，但文章尚好，故周福清對他的科舉前途寄予期望。周鳳儀是紹興蘭亭會成員，是有相當藝術修養的書法愛好者。科場案發後，周鳳儀因受牽係考卷被扣，人亦被拘，因乃前不明其事，圈禁數月後被釋回家。本來就不苟言笑的他，釋出後更顯憂鬱。厥後小妹周康去世，使他更是悲痛，於1894年冬病倒，繼而吐血浮腫。此時家境艱窘，終在1896年10月12日病故，去世時尚未滿三十六週歲。

這部《異書四種》，很有可能是周福清任京官時所購。為了獲取相關的信息依據，想到知堂先生在重訂這本先輩遺物時，或可留下文字記錄，決定查閱周作人日記，然而恰恰這一年缺略不載。於是泛閱知堂作品，包括集外文及書信，仍未有結果。回過頭來再查知堂早期日記，終於有了線索。一八九八年五月初七日有如下記載：

"晴。午，四明人去。阮元甫告假回紹，寄函囑寄出《史記》一部、《間架結構》一本、《書法菁華》二本、《酉陽雜俎》四本、《花鏡》六本、《三異筆談》二本、《四異叢書》弍本、《四夢匯談》四本、《張太史塾課》一冊、洋傘一把各物。下午去。"

日記提到的"《四異叢書》弍本"很有可能就是這部《異書四種》上下冊。周作人在他的回想錄裏，也有對此事的記錄，在《花牌樓》一節這樣寫道：

"五月初七日僕人阮標告假回越，叫他順便往家裏取幾部書來……"

此時周作人接替伯升叔，在杭州陪侍入獄的祖父，生活悠閒，只三四天去獄中一回，餘下時間便是郊遊和讀書，所以遣僕人阮標取這些書來讀。線索就此中斷，只能留待以後慢慢查考了。

關於"焍藥廬"的命名，周作人在 1930 年 10 月 6 日給俞平伯的信中，有文字記載：

"顧氏文房小說中唐庚《文錄》云，'關子東一日寓闕雍，朔風大作，因得句云：夜長何時旦，苦寒不成寐。以問先生云：夜長對苦寒，詩律雖有錯對，亦似不穩。先生云：正要如此，一似藥中要存性也。'覺得此語頗佳，今日中秋無事，坐蕭齋南窗下，錄示平伯，不知以為何如，但至少總可以說明近日新取廬名之意思耳。只是怕人家誤作崔氏瓣香廬一流，來買藥劑也。十九年十月六日，豈明。"

"焍藥廬"齋名題字，為俞平伯書寫。周作人的學生康嗣群在他的《周作人先生》一文中，也作了描述："苦雨齋在故都的西北，是一個低窪所在……在被稱作側座的房裏，懸著平伯君所寫的'煆藥廬'，很娟秀的一筆字，正如其人。"在給俞平伯的信中，周作人也反覆提到了為"煆藥廬"題額一事："平伯兄：手書悉。煆藥廬額願仍用尊處舊紙，略遲不妨。敝紙也就恕不寄了"，"承書廬額已裱來，昨帶到紅樓擬以相示，而兄適告假，今只得於星期五來捨時再看了……"。

這本《異書四種》尚鈐有兩枚"北京圖書館藏"陽文朱印，一枚鈐在正文首頁"苦雨齋藏書印"下方，另一則在此書卷尾。據周家人講，1945年9月，周作人被捕後，其大部分藏書被國民黨作為敵產而抄沒，"煆藥廬"題額也失落於那一時期。被抄藏書起初堆放在故宮神武門後樓上，後來歸了北京圖書館。在這本書外封上，尚有一處鉛筆痕跡，書"1468存一冊"字樣，大概就是北圖的圖書編號了。相信此書的下冊也是在那次抄家時便已遺失了。但尚不知這上冊何時何因自北圖流出，又怎麼進了中國書店？今已茫然無可考，這謎底今後恐怕很難得到解答了。所幸此冊一個多世紀以來，隨周家三代主人，由南到北，經歷了榮辱盛衰，也飽嘗了漫長而動盪的社會變局，竟然未遭水火，也未在漫長歲月中消損，至今完好無恙，實在不易。

早在2005年5月，謝興堯老先生在世時，他知我購存了這本周氏遺藏，便慨然以自存《異書四種》下冊相贈，並不顧九十四歲高齡，用墨筆在此書外封寫下了滿滿一頁題記，使我湊成全本，老輩風範至今令我感念。

如今的琉璃廠，早已除去了昔日士女擁購的場景，近些年雖書店房屋不斷翻新，然而舊書庫存日趨枯竭，導致書價日漲，實體書店光景蕭然，甚有些門市出租他用，觀之令人感慨。回想二十年前書市的繁榮和淘書盛況，恍似在夢中，近今已如廣陵散，渺不可追。我真夢想著還能回到二十年前。

尋訪老版本

趙國忠

這裏說的"老版本",指民國時期的出版物,而我更注重搜尋與新文學作家有關的那些書刊。近二十年來購存雖有限,但某書是如何到了我的手上,其間費過什麼周折,得到過怎樣愉悅,又留下哪些遺憾等等,若如實地記錄下來,倒有些話可說。

我的書大都購自舊書攤。前些年,京城舊書攤不止潘家園、報國寺兩處,規模大點的還有中關村、地壇、後海等地的,規模小的就更多了。那時仗著自己年輕,又不惜腳力,更不知什麼叫疲倦,許多個休息日就消磨在跑書攤上。天道酬勤,覓得了幾冊可稱之為珍本的書。當然,這只是孤芳自賞,能否得到旁人的認可實在沒有把握。比如 1924 年出版的《大風集》,這是著名學者陳萬里自費印製的攝影集,也是我國攝影史上最早出現的一部藝術攝影作品集。記得那天一早兒,先奔的是潘家園舊貨市場,一上午逛來,無所獲,快快而返,臨到家時又於心不甘,遂繞道去了東城圖書館,在館前的小書攤上

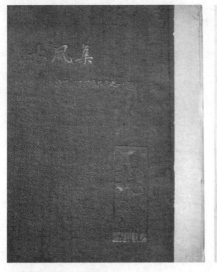

陳萬里簽贈本《大風集》

偶然拾得這冊書，還是送給俞平伯先生的簽名本。尋訪舊書，有時不能不信緣分，緣分好時，連神仙也擋不住。一次在潘家園先買得十幾冊的新文學絕版本，已收穫頗豐，那天不知觸動起哪根神經，又到一堆亂線裝書中去翻揀（平時逛書攤我是不翻這些的），從中尋出一冊林紓的《劍腥錄》，品相非常好，價格又低廉，不能不說書之神在暗暗相助了。還是接著說《大風集》，它的裝幀很講究，為十六開精裝本，墨綠色封面的上方橫題"大風集"三字，下方以白雲、海鷗、浪花組成一框式裝飾畫，拿起這樣的書，不用先看內容，僅其裝幀，就夠欣賞一番的了。集內共收十二幅作品，顯示出我國早期藝術攝影的一些特點，令我更感興趣的是書中還收有俞平伯先生的題詞。這則史料多年來湮沒不彰，搞現代文學研究的人未曾過目，《俞平伯全集》也失收，為此我寫了一篇小文投給《人民日報》海外版，對俞平伯甚有研究的孫玉蓉先生看到拙文後，把它補入到近年出版的《俞平伯年譜》中。參與著述《中國攝影史》的陳申先生，不知從哪裏知道我存有這本攝影集，託王稼句先生介紹找到我，對全書進行了拍照，以備出版之用。偶然拾得的一本書，最終能夠派上用場，在我買書時是無論如何也想象不到的。

如今設在後海的舊書攤早已取消了，我卻時常懷念起它。那裏不僅有美麗的湖水，更難忘卻的是沿著岸邊一溜排開的舊書攤，甚至風吹動書頁的沙沙作響聲至今回憶起來仍令人陶醉。在這裏我買到過《愛眉小扎》《老張的哲學》等初版本，那冊聞一多的《死水》，雖是再版本，也殊難遇。1996年8月31日，我照例又到這裏尋訪，兩本渴望已久的戔戔小書，忽然映入眼簾，是俞平伯先生著名的《遙夜閨思引》及《遙夜閨思引跋語》。兩書均出版於上世紀四十年代，依俞先生手寫珂羅版影印，絲線裝訂，顯得古樸可愛。說來也巧，僅過一週，我又得到了此書的複本，有了為何還要購存？難道我就那麼貪婪，難道不應該把機遇留給別人？事實是當時兩書就置於地上，可憐得像無人認領的棄嬰，我實在不能忍視，良心命令我去收下它們。如今這複本已送給了吳小如先生。當年俞平伯剛完成《遙夜閨思引》這首著名的五言長詩時，吳小如曾借去先睹為快，還以小楷清寫一遍送給了俞平伯，自此躋身俞門。俞平伯也作過吳小如寫贈本《遙夜閨思引》跋，以誌這段師生之誼。

吳先生原是存有這兩書的，但在那眾人皆知的瘋狂年代裏，他的書被無情抄走，我覺得吳先生比我有更充分的理由保存這兩冊書，當然樂於奉送。

時常訪書，自然熟識了幾個書販，有的甚至成了朋友。某日接到一位電話，告之得到一冊朱自清的《新詩雜話》，還是朱自清的好友浦江清的舊藏，問是否需要，我當即告之，暫且留下。不幾日，他持書而來，書的扉頁確實留有浦江清的墨筆題字，內容很重要，堪可一存。據書販講，他曾把書拿到舊書店估過價，給價多少他都沒賣。言下之意，當然是求尋個善價。常買舊書的人往往都會遇到手頭拮据的時候，而此時正讓我趕上了。心想推辭掉吧，今後恐將無從尋覓，買下呢確實又有困難，思來想去，憋出個折中辦法，即用幾十冊書與之交換了下來。在我的購書史上，以這種方式得到一冊書，還是絕無僅有的。事後，知情的朋友告我，此書是書販花幾元錢在小攤上得到的，至於拿到舊書店估價，不過是編造的一個美麗故事。但我依然感謝這位書販，因為他給我帶來過快樂。

不要以為機遇總眷顧於你。有次因我遲到了一步，在後海一書攤前，見某君手中拿著幾冊書正掂量著，湊近瞅，是汪靜之的《寂寞的國》、康白情的《草兒》、徐志摩的《猛虎集》及葉靈鳳的《靈鳳小品集》，皆是久尋不遇之書。我忙退到一旁靜候，並暗暗地祈福，最好這小子是個不懂書的，抑或書價定得高些，或者他已存其中某種，哪怕給我剩下一冊也行啊，只要那拿書的手一鬆，就歸我了。可不知此君哪兒來的這份閒心，忽而瞅瞅書品，繼而翻看版權，更為惱怒的是還檢查起書中是否缺頁，忙活完一陣後，居然悉數買下，我的心一下子涼了，真如剜去心頭肉一般地難過，好幾天都緩不過氣來，悶悶不悅。當然，這樣的遭遇經歷了不止一次。還有一回是在潘家園舊貨市場，時在 1997 年 11 月 8 日。那幾年，我和交往多年的書友，於每週六的清晨都在這裏聚齊，風雨無阻。我們抱的觀點是：許可沒書，但不許你不到。那天我們並沒有缺席，我還幸運，見到了這批書，而書友謝其章連這點都沒有享受到，因他來晚了，未能趕上，所以至今一說起這事，常使他恨恨不已。其實要說恨的話，只能恨我那天帶的銀子太少了，與一批心愛的舊雜誌失之交臂。那是一個河南人來京販賣的，在他的兩個大手提包中，裝了滿滿的舊期刊，均為成套的合訂本，是鄭州某高校的舊藏，其中有《文飯小品》《子曰》《文學集林》《太白》《春秋》《時與潮》《文學叢報》等等。當眾人正埋頭挑選時，忽來一豪客，把販者拉到一旁，兩人竊竊私語一陣，議好價後，決定全部買下，有些意志薄弱的買書者，就把書遞給了人家。多虧我手裏拿的那套《大家》先付了款，成為一條漏網的小魚。按說我訪書的年頭也不算短了，可是一次見到這麼多的舊期刊出售，書品如此之好，僅這一回。另外，我還辦過一件如今看來很愚蠢的事，不妨藉此曬醜。記不清是哪年了，朋友送過一冊名為《幸福》的書，東北書店的出版物，著者“倉夷”的名字也很陌生，書拿回後便放在家中堆放過期雜誌的角落裏，後來一起處理掉了。我認識到這本書的價值還是在讀到姜德明先生《守望書攤》中《倉夷的〈幸福〉》一文之後。原來倉夷是位華僑，1938 年回國參加革命，曾在《晉察冀日報》

做過多年記者，不幸於 1946 年 8 月被國民黨秘密殺害。《幸福》即他記者生涯寫的那些通訊報道。如此說來，倉夷烈士的這冊《幸福》簡直可以視之為革命文物了。可當年，我哪裏知道這些呢？

今天，老版本已成稀罕物，逛十次八次的書攤，未必能得到一冊，難道與舊書就此絕緣了，我不這麼悲觀，時常不是還做著買書的夢嗎？我仍將尋覓下去。

我的題識本題贈本集藏

臧偉強

　　自少年起，便酷愛藏書——集"小人書"，所收題材，多以文史為主；內容，則側重繪工精湛，但凡京城、滬上"人美社"所發行，尤為珍視。藏書情結，由此萌生。

　　2004 年初夏，在北京海王村拍賣公司拍得梁啟超題贈姚茫父《人境廬詩草》一函四冊；隨即，在無錫喜獲章太炎題識之《革命軍》；2005 年初春，又於上海古舊書會幸獲魯迅題贈孫福熙《唐宋傳奇集》……收集名家題識本題贈本之熱情，遂日益高漲，庋藏方向，亦由此定位。

　　繼而，流連京滬拍賣市場，徘徊民間古舊書肆，朝夕尋覓，廣為搜羅，集腋成裘，時至今日，略有可觀。

　　筆者收集名人題識本題贈本，絕非兼收並蓄，而是精選細挑，意在"開卷有異"：舉世推許者或粹然學者所題，傾力攝取；清季刻本、民國版本，自當為重。

　　敝藏題識本題贈本，雖不敢自詡為"善本"，更不可說"稀如星鳳"，但因"此中有真意"——附存名流識語、先賢遺澤，並伴有往來交誼軼事，固當敝帚自珍。現自拙藏中遴選數冊，綴以數語，以饗讀者。

《革命軍》，章太炎題

2004 年初夏，承蒙著名古籍鑒賞家張宗祥先生引薦，與無錫小諸結緣。

一日，茶餘飯後，小諸先生自書櫃深處翻出一發黃的紙包。他邊輕輕打開層層護紙，邊笑著說："讓你開開眼！"我隨意地問道："諸兄，什麼寶貝讓你如此小心翼翼？"

話音未落，《革命軍》一冊，展顯眼前。我雙手捧書，熱血上湧，心跳幾乎驟停。這不正是那冊屢次著錄附有章太炎題識的《革命軍》嗎？它令我心嚮往之久矣，今睹其真面，我簡直不敢相信自己的眼睛。

《革命軍》一書，被譽為"反清之戰鬥號角"，著者鄒容，作序者章太炎。此本係初版，薄薄一冊，裝幀簡易，封面平素（書名為章士

章太炎題《革命軍》

釗所題寫），既未署出版商字樣，更無版權頁、標價，實係上海大同書局為避清廷查抄，於光緒二十九年間（1903）匿名印行（革命黨人集資）。

據小諸先生講，1935年章太炎卜居姑蘇講學，其祖父諸祖耿（字佐耕，後為南京師範大學教授）受聘為"章氏國學講習會"講師，襄助太炎先生編輯會刊《制言》。一日，章太炎正與門生諸祖耿、吳契寧閒談，另一弟子王乘六興致勃勃進門，手持初版《革命軍》一冊，告知覓於冷書肆亂書叢中。

接過《革命軍》，章老夫子百感交集，或許他立時想到那椿使他與鄒容（字蔚丹、威丹）入獄的"蘇報案"，恍如再見"鄒容我小弟"（章太炎作《獄中贈鄒容》詩句）生面。他沉吟片刻，遂握管於封面信筆揮就六十五字："蔚丹著《革命軍》以興漢滿之訟，而判決者則清外務部會同各國公使也。由是漢滿對峙，革命之局始定。是書今已鮮見，王生乘六得之吳市，此亦吉光片羽也。章炳麟識。"

小諸先生又告知，嘗聞其祖父言，揮毫瞬間，因一時激動，太炎先生竟誤寫"王生乘六"為"吳生契寧"，經眾生提示後笑以更正。見諸祖耿對章師題記之《革命軍》愛不釋手，王乘六慨然相贈，並在"章炳麟"名下題就"乘六敬贈祖耿學兄"。

摩挲是冊經章太炎題識的《革命軍》，我審視良久，將書緊緊抓在手中，懇請小諸有償轉讓。在筆者保證永久珍藏的前提下，小諸先生遂效仿王乘六轉贈之舉，同意相讓。嗚呼！收藏因緣，殆有天定。

初版《革命軍》，時為禁書，係匿名刊行，印數未知，據章太炎所撰《贈大將軍鄒君墓表》，購者如潮："遠道不能致者，或以白金十兩購之"，不久即告售罄。待再版時，"蘇報案"事發，為避清廷關郵檢查，只得易名為《救世真言》，或改稱《圖存篇》《革命先鋒》，獨不稱《革命軍》，原書面目遂難得一見。

時至今日，無論坊間，還是拍場，也不論何種版次，《革命軍》已垂絕殆盡（即便有，也係再版居多），藏家往往久訪不獲。筆者探知，上海中共"一大"會址紀念館現藏初版本一冊，儘管未曾附有相關人士題識，也已被榮定為國家一級文物。

此冊《革命軍》，因諸祖耿（1989年辭世）篤念師恩，精心善守，雖幾經動亂浩劫，竟保得無恙。而今，筆者得獲，豈能不鄭重呵護？

《樵隱昔寱》，周作人題

此冊《樵隱昔寱》，竹紙，線裝，周作人1941年秋購於北平。

書名"樵隱昔寱"，給人感覺頗為費解。其實，它是清代浙籍學者平步青（字景孫，號樵隱、霞外）的一部文集，寱（yì），古同囈字，"夢語"之意。此《樵隱昔寱》為樵隱先生安越堂自刻本，收平步青昔日所寫雜記三十篇，清光緒壬午年（1882）刊印。

平步青（1832—1896），浙江山陰（山陰與會稽，清末合併為紹興）人，同治元年（1862）進士，曾歷任編修、侍讀，同治十一年棄官歸裏，專心研治學術。其著述，以版本目錄學、考據學為多。

對鄉前賢平步青，周作人甚為景仰，一生行文中多次提到其人其書。

在《苦口甘口‧兩種祭規》中，周作人曾講到，案頭有兩部關於祭祀習俗的書，很有意思，其一由蕭山汪輝祖訂定，其二即為山陰平氏（步青）手定的手稿本《瀲祭值年祭簿》。據他講：“祭規……想來多是呆板單調的，沒有什麼可看，但是祭祀是民俗之一重要部分，這祭規正也是其中的一種重要資料，況且汪、平二氏都是紹興大家，又經過兩位名人的手定，其文獻上的價值自然更是確實無疑的了。”另據鄧之誠《桑園讀書記‧香雪庵叢書》載，周作人曾覓得平步青日記《兩負堂札記》若干冊（按，此前從未刊行，現存國家圖書館）。

此本得於 2005 年春上海國際商品拍賣公司古籍善本專場。其時，場上競爭激烈，韋力先生也看好，正電話委託蘇州友人代拍，當得知筆者期盼此書甚切，他即收手。我很是感激。

《鞍村雜詠》，周作人題

此《鞍村雜詠》，為苦雨齋主人周作人於 1936 年 10 月 29 日題贈弟子章廷謙，也即名作家川島。

2008 年秋，滬上友人王德以此書相示。讀罷書扉知堂識語，筆者手難釋卷。經再三商求，王兄割愛，《鞍村雜詠》遂入藏逸興居。

《鞍村雜詠》成書於道光十七年（1837），毛太紙，線裝，沈宸桂壽樟書屋自刻本。沈宸桂，浙江山陰人，眾稱半亭老人，為清道光年間浙東頗有影響的學者、詩人。

《鞍村雜詠》係沈宸桂閒暇之時吟詠馬鞍村之作。詩集前端附有聞人熙、鄔雪舫、徐漁莊贈序，後則綴有徐漁莊、丁梅生、鄔雪舫跋語，執筆者均為一時之選。諸時賢所作序跋中，頗有"得陶潛之歸趣，具張翰之英才"、"老而彌工，蔚為大觀"之類讚語。

周作人在《風雨談·三部鄉土詩》中說："近二十年來稍稍搜集同鄉人的著作"，"詩文集有專講一地方的……還有幾種，範圍較小，我覺得更有意思"，先舉了一部《娛園詩存》，隨即，他便談到半亭老人的《鞍村雜詠》。或為遺憾的是，此前的 1915 年印成的木刻版《會稽郡故書雜集》（魯迅編，以周作人名義刊行），雖收錄有關會稽人物事跡、山川地理的逸書多達八種，然尚乏此"更有意思"的《鞍村雜詠》。

讀扉頁題記獲知，性喜藏書且酷嗜收集越人著作的知堂，頗為看重半亭老人這位鄉前賢的品行及其學養，儘管此前已收其《壽樟書屋詩鈔》及《鞍村雜詠》，但此次再獲《鞍村雜詠》一冊於西子湖畔，仍心緒盎然，燈下披覽並題寫識語，隨即署款、鈐印，贈與同為紹興籍的門人章廷謙。紅紲館主人川島獲贈此書後，亦鄭重地鈐上藏書印，以示對其師饋贈之舉的珍視。

燈下，展卷面向知堂遺澤，凝視朱文鑒藏印"雲台"、"知堂書記"、"苦雨齋藏書印"、"紅紲館章"，妄自揣測，此"雲台"，最有可能即為道光年間江浙大學者阮元（號雲台）。倘若如是，可推想，此書一經壽樟書屋印行，即成阮元篋中之物，多年後又為現代名作家周作人、章廷謙次第收藏，末了，再傳至逸興居。

此冊《鞍村雜詠》中，還夾有 1946 年 10 月 18 日川島為知堂送去法幣四萬元後所獲收據一件，實令筆者喜出望外。此刻，知堂正羈押於南京老虎橋監獄等待判決，時距他乘興題識贈書之日 —— 1936 年 10 月 29 日，僅差十一天即整十年。不過，此一時，彼一時……

遙想世事變遷，聚散無常，不勝慨歎。

周作人寄贈鮑耀明新文學著作

2011 年北京嘉德秋季拍賣會，香港藏家鮑耀明所藏周作人新文學著作，計三十三種三十四冊，以同一標的亮相。

預展首日，逐一檢覽鮑耀明藏書獲知，這批新文學圖書，初版、毛邊居多，原為苦雨齋舊藏，1960 年至 1966 年間，知堂寄贈身在港島的鮑耀明。這批書，或扉頁，或環襯，多附知堂題字（並鈐印），墨跡筆筆不苟，字字精勁。

其中，除周作人本人著作或譯著外，另有劉半農所著《瓦釜集》、劉半農以毛筆題贈周作人的《揚鞭集》、徐志摩詩集《猛虎集》各一冊，悉為初版本，均附知堂識語；俞平伯著《讀詞偶得》、廢名著《橋》各一冊，亦為初版本，並存作者題贈知堂之手跡；育珂摩爾著、周作人譯《黃薔薇》初版本，除知堂題字外，另夾有致鮑耀明書札一通。

掩卷過後，竊以為，這批知堂贈書，版本之絕，品相之妙，題字之夥，合而為一，堪稱大觀。通覽既往面世知堂簽名本中精湛者，恐無出其右。展對知堂遺墨，筆者不時稱絕，情難自抑，幾近大喊出口，數度為身旁的韓斗及白文俊兄以手勢制止。

拍前請教止庵先生，這位周作人研究專家對這批贈本的珍稀性、版本價值及知堂老人其時之窘況娓娓道來，一舉拿下此知堂贈本之決心愈加堅定。

經場上一番廝殺，心願已償，電話向止庵先生報喜。

《章先生文雜葅》，錢玄同題

《章先生文雜葅》上下兩冊（"葅"音 jué），係錢玄同特製自藏本。開卷為其手寫目錄（共四頁），字體俊逸精湛，眉裏行間幾近"校語殆遍"。

由封皮題識獲知，1909 年，錢玄同將《民報》所載全部章太炎文章自書中裁出，由日本秘密帶回國內，並於 1911 年在湖州（錢氏時任湖州府中學堂經學教師）裝為上、下兩冊。1936年 6 月 14 日，章太炎去世，12 月 10 日，錢玄同取《民報》目錄校對此兩冊書，發現唯少《再答夢庵》一文，遂覓得《再答夢庵》一篇補錄於《答夢庵》頁後，以求無缺。對此，他在自制封面寫就說明，且又在書內跋有校語。

《民報》係中國同盟會機關報，1905 年 11 月在日本東京創刊，發行量最高時達近兩萬份。它雖在日本印行，但有相當部分被清國留學生秘密帶回中國銷售（按：中國海關對留長辮的滿人往往不查）。

《民報》前五期主編為胡漢民，自第六期始，章太炎接任。該報初為月刊，後改為不定期出版，共出刊二十六期，經章氏編就十六期，佔總期數一半以上。1908年10月19日，《民報》遭日本政府查封，汪精衛續編二十五、二十六兩期。1910年，《民報》終刊。

錢玄同題《章先生文雜蕊》

章太炎在其主編的《民報》上，曾接連發表文章數十篇（僅在第二十二期即撰文十篇），但到後來，其文談禪說佛意味愈發濃烈。於是，有位"夢庵"（按：文壇怪傑、南社才子黃摩西的筆名）著文批評《民報》"宜作民聲，不宜作佛聲"，以為《民報》有"變味"之嫌。章太炎隨即寫就《答夢庵》及《再答夢庵》以應"或說佛法"之責，堅持既往觀點："以宗教發起信心，增進國民的道德。"

早年的錢玄同復古思想甚為強烈，日後他曾講，"那時比太炎先生還要頑固得多"，甚至主張"不僅復於明，且將復於漢唐；不僅復於漢唐，且將復於三代"（見《三十年來我對於滿清的態度底變遷》）。對《民報》中太炎言論，他當時推崇備至，"覺得他的議論真是天經地義"。

此兩冊書中留有錢氏批語多處，非常珍貴。據楊天石教授

《〈錢玄同〉日記（整理本）前言》，1939年錢玄同去世，其日記連同藏書由其長子錢秉雄珍存，"文革"中，日記一部分由北京魯迅博物館取走，另一部分被查抄。依此推斷，這兩本書或在此刻散出。

本書係筆者以康有為致沈曾植書札數十通與京中書界某同仁易得，代價不可謂不高，為此，友朋雖責我神經錯亂，得不償失，但我依舊滿心歡喜。

《摩尼教流行中國考》，王國維題

王國維所著《摩尼教流行中國考》一文，撰於1919年8月，首刊1921年《亞洲學術雜誌》第十一期。拙藏《摩尼教流行中國考》係最初發表物，呈散頁狀，文中存王國維多處認真修訂的毛筆墨跡，末端則有其手定補論。據陳垣嫡孫陳智超先生講，此係當年靜安先生面貽援庵先生。

摩尼教，三世紀中葉由波斯人摩尼（Mani）首創。此教具有強烈拯救世人之思想，與中國的民間宗教大有契合趨勢，從而引發中國學界關注。王國維與陳垣，為當時國內研究摩尼教的頂級學者。

查劉乃和等所編著《陳垣年譜配圖長編》（遼海出版社2000年10月版），同為學術巨子，王國維與陳垣之間的交往似乎並不密切，或許僅見過一兩面："1923年11月20日，訪王國維，借得他收藏的《唐九姓回鶻可汗碑圖》直幅及其跋語。"此刻，王氏為"皇上"身邊的"行走"。

在王國維由南方來京直至離世這四年內（1923年5月31日至1927年6月2日），兩人以書信方式進行學術研討，有據可查的僅有王國維致陳垣函兩通及陳垣覆函一通（見《陳垣來往書信集》〔增訂本〕，三聯書店2010年11月版）。

王國維致陳垣函兩通，一為1925年2月，談

王國維題《摩尼教流行中國考》

李珣（五代詞人，其祖先為波斯人）及其作品，寫信的確切日期不明（按：此刻馮玉祥驅逐遜帝事件剛發生不久，加上與羅振玉齟齬，王國維心境想必甚顯落寞）；二為談摩尼教，致函的年款未知，信中，王國維手抄摩尼教經讚目十餘則，"錄呈援庵先生"。

陳垣覆王國維函一通，寫於2月20日，告李珣事宜，"錄之以博一粲"（按：王國維此時已就任清華國學研究院導師）。未見陳垣覆王國維第二函。

依筆者推斷，陳垣與王國維初次相見之日，大有可能即1923年11月20日。此前的4月，陳垣發表《摩尼教入中國考》（刊於《國學季刊》一卷二號），故在王國維來京不久後的11月前往拜謁之際（按，此時王氏正寓居地安門內織染局10號），

極有可能攜《國學季刊》（一卷二號）一冊以贈。作為回饋，王國維慨然贈此前二年發表的《摩尼教流行中國考》，亦有可能。

當下觀堂遺墨一字千金，即便片鱗半爪，藏家亦在所不棄。此《摩尼教流行中國考》末端，留存其手定補論三百餘字，彌足珍貴，亦充分昭示了一代國學大家治學風貌之嚴謹。

《莽權價值之重新考訂》，劉半農題

2003 年仲夏一日，京城友人韓斗兒以此本見贈。此抽印本僅兩頁，為劉半農（劉復）題贈唐蘭（字立廠）。

劉半農生前撰有六十餘篇音韻學及文物整理方面的論文，《莽權價值之重新考訂》是考證"新朝"（王莽篡權執政，國號"新"）時"稱錘"（古時學名稱"權"）的。劉氏 1927 年在《輔仁學志》一卷一期上發表過一篇《新嘉量之校量及推算》（1928年 4 月 29 日曾在日本東亞考古學會上演講），找來原文讀過得悉，對新莽時期"嘉量"（古代標準容器的名稱）價值的論定，劉半農完全是依據故宮所藏新（莽）嘉量作精密實測，繼而重新推算。在文中，他認為："尺與升的價值，大概沒有多大的問題，因為都是從許多方面比較、推算所得的結果，只是斤的價值卻還有重新考訂的。"

讀《劉半農日記》及《莽權價值之重新考訂》文可知，1933 年底，北平古物保管委員會得到了四個出土於甘肅的莽權，劉半農敏銳地意識到這是一個校補以往莽權考證工作的好機會，立刻與故宮博物院馬衡院長協商，將這四個大小不等的"莽權"借了出來，並於1934年1月12日這一天，攜之前往位於安定門內分司廳胡同的河北省度量衡檢定所，請所長張鴻鈞及檢定員韓寅清協助鑒定其價值。經推算，他得到了四個權的正確"分量"，終於求得莽權中"斤"的價值。

十天後的1月22日，《莽權價值之重新考訂》殺青，隨即刊於國立中央研究院歷史語言研究所集刊第三

劉半農簽贈本《莽權價值之重新考訂》

本（據《半農自寫履歷》，劉半農1928年始任該所特邀研究員，但在1931年夏便辭去該兼職，專任北大文學院教授）。

劉半農在文末明確地表態，寫這篇文章"旨在揭示這四個權的分量，以修正自己先前對莽權考釋的不當之處，並不涉及考古學方面的探究"。

此本封面所註時間1933年，筆者認為應是1934年，因《莽權價值之重新考訂》成文於1934年1月22日，2月裏印就。據1934年1月22日的劉半農日記載：上午寫莽權一文備交中央研究院集刊；2月1日日記：上午清檢莽權文圖樣。《莽權價值之重新考訂》第二頁末尾，亦標明2月1日。

《避寇集》，馬一浮題

《避寇集》，馬一浮詩集單行本，復性書院刊刻，線裝，謝無量序。

一代儒宗馬一浮，學養深厚，畢生以弘揚中華民族文化為己任，但他孤傲偏執，唯倡舊學。抗戰期間，他在蔣介石、孔祥熙支持下於四川樂山烏尤寺主持復性書院，即使日軍飛機對樂山狂轟濫炸不止，其辦學勢頭也絲毫不減。

《避寇集》刻於 1940 年，收馬一浮抗戰初期詩作二百三十七首。1937 年 12 月南京陷落後，馬一浮遂攜萬卷藏書離開杭州，避寇桐廬（今隸屬於杭州）："近年以避寇轉徙，感時傷亂，時亦託諸篇詠。"《避寇集》即由此問世。

馬翁在《蠲戲齋詩話》中談到："《避寇集》付之剞劂，記此流離，匪以自揚其陋，聊慰朋舊隔闊之懷。雖感有淺深，言有粗妙，亦自胸襟流出，差同谷響泉聲耳。"誠然，這些詩詞是馬一浮思想、品格、立身行事、詩學諸多造詣的全面反映，既表達了他對迫近的日寇之憤恨，也充分顯現出對友朋的依戀及思念之情。不過，他對《避寇集》似不滿意，在《蠲戲齋詩話》中又講："《避寇集》亦是衰世之音，何足彌道？看拙作無益，不如多讀古人詩也。"

馬一浮年長謝無量一歲，兩人未及弱冠即結識，早年曾一道讀書，合辦《二十世紀翻譯世界》。1905 年，"馬浮謝沉"（馬一浮名浮，謝無量又名沉）一同隱居鎮江，形影不離，詩歌往還，酬唱不輟。即便日後天各一方，亦相互掛念，書信往返頻頻，且時有唱和。

謝無量在《避寇集》序中談到："吾友馬湛翁，崛起橫流之中，治六藝之道於百世之內。"馬一浮對謝無量詩作亦多有讚譽，他在《蠲戲齋詩話》中稱道："無量五言力追大謝，近體亦逼少陵，今風雅蕩然，出之可以振起頹俗"，"無量先生近作五言廿首，一片天機，空靈動盪，的是天才"，"超妙自然……如行雲流水"。

此《避寇集》為馬一浮丙戌（1946）二月題贈"薔庵"謝無量，筆者得於上海國際藝術品拍賣公司 2009 年春拍會。此書如今已非習見，加之扉頁留有馬一浮親筆題贈謝無量詩句，首頁鈐有謝氏藏章，則益顯珍貴。

《文化新介紹》，胡適題

拙藏《文化新介紹》，為胡適在書衣上以"白話"略具本書梗概後，題贈吳弱男，2004 年春得自友人劉君鳳橋處。

吳弱男，曾為孫中山英文秘書（按：在東京辦《民報》之際），並偕同何香凝、秋瑾及胞妹吳亞男，一道成為最早加入同盟會的四個女會員，她因此被奉為中國婦女運動先驅者之一。

吳弱男祖父吳長慶，著名淮軍將領；父吳保初（字彥復，號君遂），著名詞人，少時與同為名門之後的譚嗣同、陳三立、丁惠康併稱為"晚清四公子"；夫章士釗（字行嚴，號孤桐），則為民國初年輿論界、政界、學界大名士。

吳弱男天資聰穎，早年留英，藏書甚豐。據其夫章士釗在

《寒家再毀記》文中云：“家中所有，以中西書籍為第一項”，“愚妻好文學，廣羅世界說部幾備。最後一批，乃在柏林所得”，“寒家被掠時，殘書滿地如茵，棄地積五寸厚，洋書難裂，乃抛向屋頂”（載 1925 年 12 年 26 日《甲寅週刊》）；陳西瀅在《做學問的工具》中談及章、吳夫婦留歐時藏書狀有言：“以前常聽孟真（傅斯年）等說他們讀西文書時向吳弱男夫人借”（載 1925 年 12 年 26 日《現代評論》）。

胡適與吳弱男為安徽同鄉，他們相識於 1917 年深秋，耿雲志所編《胡適年譜》（香港中華書局 1986 年 6 月版）為證：“1917 年 9 月 10 日，到北京，即就任北京大學教授，初與高一涵同住，不久，與陶履恭（孟和）及其女友沈性仁（按，後成為陶夫人），還有丁在君（文江）夫婦，章行嚴夫人吳弱男等結識”。胡博士在 1918 年 4 月 5 日寫給母親馮順弟信中也曾談到：“我回國後沒有女朋友可以交談，在北京幾個月，只認得章行嚴先生的太太吳弱男女士。吳太太是安徽大詩人吳君遂長女，曾在英國住六年，很有學問，我常去和她談談。”

1918 年 5 月，胡適值輪編《新青年》，他擬發一期紀念挪威著名劇作家易卜生的專號，呼籲男女平等，遂向吳弱男約稿。吳將所譯易卜生的《小愛爾夫》原稿交付（刊於 4 卷 6 期）。筆者曾查閱耿雲志編《胡適遺稿及秘藏書信總目錄》，來往信件者中即有吳弱男大名，時間即為 1918 年。

《文化新介紹》，係尚學會會刊。尚學會，由山東著名教育家于明信（陳雲夫人于若木之父）、王祝晨（臧克家的老師）等在五四期間創辦於濟南，旨在宣傳新思想，解讀新觀念，以響應陳獨秀、胡適等發起的新文化運動。1919 年 12 月底，胡適陪同老師杜威博士前往濟南演講，並與山東教育界及尚學會同道謀面。

　　《文化新介紹》發行不久便停刊，胡適所贈《文化新介紹》一書，已成稀見之本。此本印於 1920 年 2 月（胡適新詩《嘗試集》於 3 月問世），共刊發名士名文二十四篇，其中，胡適的文章多達九篇，但簽贈的確切時間，無從得知，筆者揣測，當為 1920 年新春。

誤擁萬卷詩詞

羅星昊

"夢中畫壁如魚游青空，身外之水捲華年而去。一萬氣泡吐不成一方石頭。"這是我少年詩章中的小句。當時故弄玄虛，卻不料一語成讖，完全是我本世紀初以來十年如一日地購藏晚清以來近人詩詞文獻的真實寫照：虛擲熱情，勞而無功。換句話說，就一個字：誤。

初誤：誤窺

上世紀八十年代初，對許多大學生而言，是詩的時代，我也未免沉湎其中。只不過，或許源於青春期的不安分，做事總是有頭無尾。先是寫了一些應景情詩，曾蒙卞之琳先生謬讚為與他往來的寫詩的青年中最有才華的兩人之一，卻未趁熱打鐵地發表出集並在此道上繼續走下去。接著便一頭扎進民國新詩出版目錄的搜集編撰中，所成初稿有幸得到卞之琳、徐遲、施蟄存、蔣錫金等前輩的肯定與推介，但又在出版一事上不耐周折而半途自廢。之後適逢選修課學季開始，一看竟沒中國新詩、西方現代詩之類的熱門，只好無厘頭地報了個冷門：近代詩史——我本對舊體詩不感冒，但只有這科勉強算與詩沾邊，心想就為了混混學時學分罷。不料，先師王文才教授（沈祖棻、龐石帚弟子）講論近代詩，視野極為開闊，從道咸新體、前期宋詩派，到同光體、唐詩派、浙派、湖湘詩、蜀詩、嶺南詩，直至南社，包羅無遺，較汪闢疆近代詩派與地域之論更完整、細緻。另一特點是源流分明、褒貶有度，化繁為簡地梳理出曾（國藩）、王（闓運）、張（之洞）三大主系，點論各派代表詩人也精彩迭出，並力糾陳衍《石遺室詩話》的門戶之見，令人神清目明。最讓人吃驚的是他脫稿而言的對近代詩的整體評價："晚清詩是中國古典詩歌的夕陽餘暉，極有光彩。"在當時，這與錢仲聯的清詩論同有異端之嫌，但依其謹嚴的學風來看，絕非嘩眾取寵。我原是逃課大王，此課聽了一講後，感覺奇好，此後每講竟然從不拉下，而且都是提前佔坑，完了還半文半白地寫了篇頗為自得的小論《問琴（宋育仁）詩"哭"》。更沒料到，彼時誤窺此門拾得的一粒種子，會在塵封二十年後萌芽，引我走上一條錯誤的漫長旅程。

再誤：誤謀

聚書動因，多自隨興。我在二十歲一窺近代詩後，奔走衣食二十年，一晃便是二十一世紀初，已對俗務略有所厭，於是起了做點公益的念頭。思來想去，結合個人興趣與資金能力、交易條件等因素，覺得可把建一座民間的中國新詩中心作為總體目標，而把新詩書刊購藏作為基礎目標。新詩書刊的範疇本是十分清晰的，但我偏偏貪大求全，不久後一時興起，又將與新詩有一定關聯的漢譯外國詩歌、新民歌、近人詩詞納入計劃，儘管我知道這其實是非理性的。就近人詩詞來說：第一，關聯度。近人詩詞在文體上仍是傳統舊體詩詞，與新詩是平行的兩個系統，發生關聯的僅有新舊詩論戰和新舊兩棲詩人兩個不多的部分，全部拉進新詩的目標裏，過於龐雜而實用性差，實在是沒有必要。第二，認知度。在學術方面，近人詩詞一直處於古代詩詞與新詩的夾縫中，基本面十分模糊。零星的幾種史論不足以勾勒社團興衰、作品本事、版本流變，甚至連一本完整的書目也沒有。我所知的《清人詩文集總目提要》的晚清部分、《近百年詩壇紀事》的民國與新中國部分，算是最可稱道的了，但其錯漏之巨，使其據以按圖索驥的價值並不高。書目稀罕的一個典型例子，是在網上爭購一冊掛一漏萬的薄薄新書《1919－1949 舊體詩文集敘錄》，我竟花費了高出定價十多倍的代價。如此條件下訪書，無異於盲人摸象。第三，能達度。購書畢竟是費錢的，應該做個大體預算吧，而這也難以辦到。那時網絡交易剛起步，舊書買賣信息十分零碎，書刊拍賣行重點又在古籍善本上。我曾試著做過調研，先專門拜訪了古舊書界的前輩——淘書齋蔣老師，又對中國書店歷年的紅藍印本交易進行逐一梳理，雖然理出了有關線裝近人詩詞集之中普通鉛排本、名家鉛排本、普通刻本、名家刻本、寫刻本、紅藍印本的大致比價關係，但也清楚變量甚多，加之這部分書刊總量不詳，結果對自己的財力是否足夠做這件事仍然不甚了了。對以上諸般問題，我沒認真放在心上，最終還是“到哪黑在哪歇”的隨意性的錯誤之思佔了上風。

三誤：誤玩

傳統藏書家，多會遵循諸如真、古、精、稀、新、廉、秘等等藏書要訣。在近人詩詞方面，我稱不起藏書家，只能算是一個玩書家，喜歡一些不守常理的錯誤乃至邪性的玩法，歸納起來，主要有全、快、散。

一是全。我認為，無法求古，這裏面同光體最早，距今不過百餘年，壓根就不古；不必求精求稀，所謂晚清民國的精刻本與紅藍印本，一直在投資客手中飛轉，無不是拍場熟貨，何愁買不到；也無須求新，品相之說，實與文獻價值或文物價值無關。我求全，即是作為拾遺者，對近人詩詞這一史上最動盪世紀出現的古典詩詞迴光返照的燦爛結晶，人不分名頭大小、詩不分藝術高下、書不分印裝形式，進行一次史料大歸集。其間，最愉快的，是每每搶在同好者之前，對未受重視而尚處低價區的線裝本按專題進行掃貨，像種類本就不多的婦女詩詞、文獻價值尤高的社團詩詞、民俗意義很大的婚壽喪詩詞等，首次出手所得最少都是二十餘種，十分愜意。最考驗意志的，是經常遇到名頭不高但詩功深湛、印裝糙但流通罕而價格偏偏相對高的集子，要麼錯過了就再也不遇，要麼拿下後就懷疑出價過高，不過久而久之還是感覺落袋為安才是上策，其中典型的當數幾百種二十世紀下半葉的線裝油印本與平裝私印本，最初每種印數就只有幾十至一二百本，現今的珍稀程度已不亞於清末民初的刻本了。

二是快。我相信，廉價是一個相對的概念，在大量級、長時期的前提下，小部分高價可以被大部分平價以及小部分撿漏價攤薄，一時的高價也可以隨價值發現和通貨膨脹而攤薄。基於此，我素來求快，有時不惜代價地在拍場高舉高打。許多書友規勸要平和、策略，不少競爭者嘲諷為傻帽、土鱉，而我堅信價高照遠貨。後來果然發生了多宗高品質線裝本或手札在場外批量出現的案例，而且這些京津滬穗以及成都本地的書友，並不以高價相示，故成交率很高，助我大大縮短了聚集週期，同時客觀上使我僥倖避過了前兩年的漲價高峰期，從而大大節約了購藏成本。例如，一直被文學史遺忘的北洋政客詩群詩詞集五十餘種、大多尚未被學界知曉的四川尊經書院（川大前身）弟子詩詞集四十餘種、數代研究者不曾得窺的民國期間商務印書館致詩壇大師陳衍函札原檔二十餘通等專題藏品，都是如此批發來的。

三是散。秘而不宣的信條，是藏者的個人選擇，應予尊重。但在我看來，手中有、心中無，才是玩書的高境界。修煉之途，即是非牟利性散書。有的家族文化傳承者，索求其祖輩著作，哪怕是各大公圖都無收藏的孤品，我常常毫不遲疑地以平價相許；有的近人詩詞學者，求購沉寂數十年的優秀詩人的冷僻著作，我無一例外地欣然以低價相付；也有專題詩詞收藏者，商討其久缺不得的版本，往往也是我珍視的佳構，我大多還是坦然以市價割愛。印象最深的，是柏葉酒兄藏晚清大詞家朱彊村詞集，其完整度公私藏家無人能匹（包括同一刻本的紅墨各色印本），恰恰單缺一印量僅二百冊的線裝鉛排本，向未見交易記錄，而我正好有藏，更珍貴的這是民國兩位印壇大師壽石工、鍾剛中墨書藏題並鈐印數方的遞藏本，我樂得成人之美，遂半賣半送予柏兄了。上述所謂全、快、散，無關乎眼界、境界，說到底就一玩字。

終誤：誤擁

十餘年來，為購藏近人詩詞文獻，我上孔夫子網尋書即逾千次（這還僅是我登錄該網總次數的一小半），京滬拍賣會上委託書友舉牌也是常事，私下洽購更不計其數。如今，粗估集藏數量，大約線裝詩詞集二千餘種、平裝詩詞集三千餘種、詩札手稿二千餘份、詩詞期刊創刊號百餘種，合計已遠逾萬卷。其中，有一些在版本上略有意思的東西，如北大才女黃稚荃《稚荃三十以前詩》紅印本與墨印簽名本一套、蜀詩大家趙熙弟子郭延的《丹隱詞》稿本與藍印本一套、蘇滬名吏李超瓊《石船居古今體詩剩》木活字本、清華才女茅于美《夜珠詞》精抄雙色石印毛裝巾箱本等；也有一些略具文獻價值的東西，如活動期逾半世紀的秭園詩社系列結社聚會詩集近十種、晚近海上詩壇盟主陳聲聰友朋詩札手跡一百六十餘通、我認為是現代第一女詩人的徐翼存集外佚詩手跡近四十頁等；還有可開列一長串清單的被文學史遺漏的優秀詩詞家作品集，它們的主人往往為此耗費了一生心血，但生前身後寂寂無聞，作品極易沉湮消亡，我的撿拾，或許有一點歷史意義吧。然而，經近來一段時期的冷靜反思，我不得不面對"誤擁萬卷詩詞"這樣一個美麗而悲哀的結論。首先，難抵終點。按我搜集齊全的標準，就不僅要成為私人藏家中的第一，而且還要超越公共圖書館同類專題的藏量，因此在量上可能還至少翻三至五番。而今非昔比的，是近幾年線裝近人詩詞集的漲幅遠大於通貨膨脹的幅度。這即意味著，按我的正常收入增長與通貨膨脹大體一致的情況，我的財力可能不濟。其次，喧賓奪主。前已提及，新詩才是我的藏書主體，其數量超近人詩詞五倍以上。但是，從精力上說，我對新詩駕輕就熟，而對近人詩詞始終是摸索前行，不免事倍功半；從財力上說，後者的投入是前者的五倍以上，主次完全顛倒。再次，藏用分離。中國藏書家有一個好傳統，即藏用結合，或是考訂家，或是校讎家，或是版本目錄學家，或是出版家。慚愧的是，我對近人詩詞以玩為主，雖也擬定有出版計劃，但由於精力、學識、財力等限制，無一正常推出，有負友朋期許。而用力不小的藏書散記，在網上斷斷續續刊發，也只談及了其中的極少部分，同樣未盡其用。

這就是我在近人詩詞文獻聚藏上十年鑄一錯的故事。俱往矣。接下來，我該認真思索誤擁後的方向了：是將錯就錯，還是迷途知返？

不至異國，當得異書

艾俊川

"不得異人，當得異書"，是我從一本外國書中看來的中國格言。現在我想改動兩個字，藉以說明互聯網帶來的聚書樂趣——雖然時至今日，在網上購書早已不值得誇耀。

一

大約十年前，我開始瀏覽美國的拍賣網站 ebay，但並無收穫。那裏賣的幾乎全是外文書，偶爾看見中國書，當時也沒有支付手段，買不回來，只能心動而已。

這種狀態一直持續到 2006 年。那年春節前後，我在 ebay 看見幾張清朝人寫的扇面，上款均題"朗西"，其中兩幅還有此人的跋。我知道清末駐法公使裕庚字朗西，是一個有故事的人，更要緊的是他女兒，那位在光緒末年進宮陪侍過慈禧太后，寫了《御香縹緲錄》等清宮小說的德齡公主，後來遠嫁美國，一直居住在彼土。這些扇面想必是從德齡家裏流散出來的，於是想辦法讓它們回到故鄉，變成一件有意思的事。為此我動了心思，請在國外工作的兄弟幫忙，把扇面買了回來。此後國家放開用匯限制，我就在 ebay 註冊賬戶，開始閒逛列國書攤。

ebay 上中國書少，古書更少，一旦出現還要與全世界的買家競爭，很難得手。所以幾年下來，我的 ebay 體驗更多是遺憾惆悵，買到的書寥寥可數。不過有時運氣好，也能撿點別人不在意的東西，其中有些在國內不易見到，體現出海外淘書的特色。

2007 年，我第一次瀏覽英國 ebay 的圖書區，就看到一冊用中文殘書葉子裝訂成的本子。這些書葉上圖下文，每張都有一幅畫。有人沿著板框將圖畫和文字剪下來，裱貼在硬紙上裝訂成冊。賣家提供的圖片很小，但可以認出林沖、朱貴等人名。我感覺這是一部舊刻《水滸傳》的殘葉，雖然年代不明，但每葉有圖，還是值得努力一下。好在這東西賣相不佳，那時去英國網站的人也少，於是很輕鬆地買了回來。

拿到書細看，這些書葉果然來自《水滸傳》，殘存的內容主要集中在林沖上山和楊志賣刀兩段，其中一葉卷端題"京本全像插增田虎王慶忠義水滸全傳卷之三"。根據書名和版式、字體、紙張特點，我判斷它是《水滸傳》的早期版本——插增甲本，大概刊刻於明萬曆初年。在與《古本小說叢刊》中影印的巴黎藏本比對版面，特別是與馬幼垣《插增本簡本水滸傳存文輯校》中輯錄的德國斯圖加特圖書館藏本綴合文字後，我更加堅定了這個判斷。

這些殘葉與巴黎藏本版式、字體風格一致，更與斯圖加特藏本的缺葉互補：凡是這冊裏有的，那本書裏就沒有；那本書裏缺的，這冊裏卻有。斯藏本中有幾回基本完整，只缺一葉或半葉，而這些葉恰好都貼在這個本子裏。過硬的證據莫過於二者文字銜接，若合符契。如"林沖管住草料場"，斯藏本結尾"只是小人家"，殘葉開頭"離得遠了"；"朱仝雷橫去捕賊"，斯藏本結尾"姓雷名橫，身長□□□"，殘葉開頭"寸"（《水滸志傳評林》作"七尺五寸"）。"花榮計策捉秦明"，斯藏本結尾"秦明"，殘葉開頭"引軍趕時"。等等。"巧合"到這種地步，只能有一個解釋：我買到的殘葉與斯藏本原屬於同一冊書，不知何時何故散落出來。如有機會將殘葉與斯藏本作版面拼合驗證，當可得出定論。

每葉有兩張圖的明刊插增本《水滸傳》，是上世紀二十年代由鄭振鐸先生在巴黎發現的，為此他欣喜若狂，改變歐遊行程，在巴黎圖書館盤桓了幾個月。前些年，美國夏威夷大學的馬幼垣教授搜尋了世界各地二百多家圖書館，共找到這個版本不同卷次的三冊殘書和一張殘葉，將其命名為"插增甲本"並進行深入研究，成果具見《水滸論衡》和《水滸二論》。馬幼垣認為，在歐洲發現的插增甲本的殘卷、殘葉，原屬同一部書。該書在明萬曆間由荷蘭戰船劫奪自葡萄牙商船，經澳門運到歐洲，並在 1605 年（萬曆三十三年）被書商拆賣，從而流散歐洲各地。這大概是有史可稽的最早出口到西方的中國書。如果來自英國的殘葉確是此書的一部分，那該是它們在漂泊四百多年後重歸故里。珠還合浦，乃以偶然得之，這份書緣，只能感謝互聯網了。

在 ebay 的英國書攤，我還花費十英鎊買過兩張小畫，是一本中國風俗畫冊中的兩頁。賣主出售時只展示了一張圖片，寄來卻是兩張，算是買一贈一。收到郵件時我正和布衣書局主人胡同在一起，與他分享了小小的"意外之喜"。

這兩頁畫，買的時候圖片也小，認不清貼黃的細小文字，看上去像是常見的"苗民圖"，拿到手才發現不然。此圖描繪的是清代台灣當地人民的生活情景。乾隆九年至十二年（1744—1747），巡台御史六十七曾作《番社採風圖考》，有刻本行世，但有文無圖。台灣史語所等處存有相同內容的風俗畫三本，均為殘帙，近年來有研究認為它們就是六十七著作的圖畫部分，遂定名為《番社採風圖》並影印出版。這兩頁畫即屬於這組採風圖。和影印本相校，兩頁的筆法墨色更顯精工，說明文字也正確無誤。整理《番社採風圖》的杜正勝教授認為台灣藏的三組畫是同一位或同一組畫師的作品，那麼它們可能是後來的臨本。

二

對淘書人來說，若有藏書家的藏書集中散出，幾乎就是節日，但並非每個人都能縱情狂歡。前幾年，林語堂的女兒林太乙的藏書在 ebay 拍賣，多為林語堂簽名的著作，但我一本也沒買下來。2010 年下半年，有一位美國人在 ebay 標價出售咸豐間刻本《中美北京條約》，前後賣過數本，價錢也公道，待我發現時卻已賣完。不過我由此關注了這個賣家，發現那段時間他賣的東西來自同一個人的遺藏，此人就是美國外交官彌俄禮（1837—1905）。

彌俄禮全名 Oliver Bloomfield Bradford，清人按其姓也稱為巴剌佛。彌俄禮的父親 Arthur Bullus Bradford（1810—1899）從普林斯頓大學畢業後成為牧師，是一位廢奴主義者，林肯的同道。1861 年，林肯當選總統，A. B. Bradford 被任命為美國駐廈門總領事，帶著兒子彌俄禮和女兒露西（Ruth），海陸兼程二百二十四天，於 1862 年 4 月到達中國。不料 A. B. Bradford 對廈門水土不服，到任不久即病倒，不得不在當年 12 月返回美國。露西隨侍返航，途中愛上船長並嫁給了他。彌俄禮則留在廈門，開始他的外交官生涯。

1862 年到 1864 年，彌俄禮在廈門領事館工作，後調任上海總領事館，1871 年升任副總領事。他在中國為人所知的事跡，是在 1872 年發起設立公司，圖謀修建吳淞鐵路，但礙於中美政府之間的既有約定未能成功。1877 年，彌俄禮受到貪墨指控並被關押，於 1878 年回美國接受眾議院調查，後被勒令退職。他從中國帶回的物品，從此塵封在家鄉 buttonwood 莊園，直到 2010 年出現在 ebay 上。

說來慚愧，彌俄禮的藏書我只買到兩本，還都是看不懂的"天書"。事後回想，作為外交官，彌俄禮的家書很可能保存了有用史料，但我沒參與競議，雖因財力所限，總歸有些遺憾。

有關漢語史的著述，多把廈門話的羅馬字母拼音視作漢語拼音的開端。道光咸豐之際，美國傳教士為傳教方便，給廈門話設計了拼音文字，史稱廈門白話字、閩南白話字或教會羅馬字。這種文字後來在閩南語地區推廣成功，前後使用了約一百年。用廈門白話字出版的各類書籍據說有一百二十萬冊之多，已知最早的是打馬字牧師（Rev. John Van Nest Talmage, 1819-1892）的著作 Tng-oē Hoan-jī Chho-hak（《唐話番字初學》）與 Lo-tek ê chheh（《路得記》）等幾本，我得到的就是前兩種。

打馬字從道光二十七年（1847）起在廈門傳教，歷時四十二年，同時致力於廈門白話字的設計與教學，並翻譯、出版經書。上述二書雕版印刷，除了版心葉數使用漢字以便裝訂外，通篇使用羅馬字母。Tng-oē Hoan-jī Chho-hak 的封面文字用漢字轉寫，分別為"唐話番字初學"、"在廈門刻"、"咸豐二年"、"耶穌降生 1852 年"；Lo-tek ê chheh 則為"路得記"、"在廈門刻"、"咸豐三年"、"1853 年"。這兩本漢語拼音草創期的作品，國內很是少見。我對京滬各大圖書館目錄略作檢索，未見藏本。而且以中國技術雕刻西洋文字，此書在印刷方面也有獨到之處，故雖為戔戔小冊，也值得

《唐話番字初學》封面，咸豐二年（1852）廈門刻本

珍惜。

　　彌俄禮遺留下來的，還有兩件並不是書的中國印刷品。一件是太平天國地方官員為五名洋人開具的"水陸路憑"，以便他們進入太平天國轄區"解送軍裝"。不知彌俄禮是否五人中的一人，他把路憑作為給妹妹的紀念品，寄回了美國。它表明太平天國與美國有著官方背景下的軍火交易，不過我的興趣點仍在印刷：太平天國的路憑沿用雕版印刷，鈐蓋官印，形制與清代通用的略呈梯形的各種執照版式並無不同。

　　另一件印刷品是若干枚紙牌。清代紙牌風行，是重要的印刷品門類，但這種東西很難流傳，即使傳下來也難以證明年代。彌俄禮這些牌的最大好處是年代明確，可據以研究晚清紙牌的形制。從實物看，當時紙牌所用薄紙板質地細密光滑，富有彈性，與現代的撲克牌相比並不遜色，究竟是怎樣製作的，值得探究。

　　這幾枚紙牌還給我帶來了額外樂趣。因為"五萬貫"一枚上寫著"奎"字，其他"萬字牌"上寫著柴進、秦明等水滸好漢的名字，讓我恍然大悟：打麻將時常玩的花樣"捉五kui"，據此要寫成"捉五奎"，而"奎"又是"李逵"的訛變，"捉五逵"就是"捉拿

清末紙牌，晉華齋製

李達"。我結合明代文獻對葉子戲中李達代表"五萬貫"的記載，寫了一篇《從"捉五達"看葉子戲的起源》，解釋了"捉五達"的來歷，順便推測麻將及其前身葉子戲的設計初衷，應是在玩懸賞捉賊的遊戲。

三

在 ebay，我還遇到一本以前毫無所知的書 ——《瞽瞍通文》。此書正文，每行上端為數字編碼，中間為一句話，下端為類似骨牌的圖案。除了號碼是按順序排下來的，各句之間並無

《瞽瞍通文》的正文首葉，光緒五年（1879）刻本

邏輯關係。初看像是一本"骨牌指南"，但看明白之後，才知道它也很有來歷，是中國第一本"盲文書"。

此書封面題"瞽瞍通文，耶穌降生一千八百七十九年、光緒五年己卯二月製，版存崇文門內東堂子胡同大英國蘇格蘭聖書會"，正文沒有書名，卷前有問答和序。作序的"穆維良"，正是中國第一套盲文的設計者，英國蘇格蘭聖書會的牧師 William Hill Murray（1843 — 1911），

今譯威廉·穆瑞。

穆維良 1870 年來華傳教，不久即著手設計漢語盲文，至 1879 年獲得成功。他的盲文屬於布萊爾體系，原理不難理解：用數字給《康熙字典》中的四百零八個漢字音節編上號碼，讓盲人熟記每個號碼對應的語音。盲文書寫時，將文字按語音編號轉換成數字，用"銅機鐵筆"在硬紙上扎出凸點，書的內容就由凸起的數字串組成。盲人閱讀時，手摸數字，將其轉換回語音編號，隨之讀出相應的音。

道理雖然簡單，但要讓盲人準確記住四百多個號碼和語音的一一對應關係，並不容易。為此，穆維良設計出一個今天看上去有些複雜的"編俗話、背俗話"辦法：

先用十個字來標讀數字"一"至"十"，如一讀地、二讀你、三讀迷……這樣，數字"二一三"就讀為"你的米"，代表音節"磨"，然後將二者編到一句俗話中，"你的米不整吃為何去磨"，由此建立起號碼與音節的強聯繫，方便盲人背誦。盲人全部背熟四百零八句俗話，就可以讀書了：他摸到盲文數字"二一三"，讀出"你的米"，然後順著俗話的下半句背到"磨"，就讀出一個音。《瞽瞍通文》就是這套盲文方案設計說明、四百零八個漢語音節與數字編號，以及為方便記憶編制的四百零八句俗話的合編。

穆維良研製盲文的同時，在北京成立了"瞽瞍通文館"，教授盲人識字讀經，效果很好，這也是中國第一家盲人學校。學生熟練掌握四百零八個盲字後，即可扔掉"俗話拐杖"，每分鐘讀寫二十多個字。穆氏盲文後來一直在北京及周邊地區應用，到民國後期才被羅馬字母化的盲文取代。

在一篇談買書的小文裏詳說書的內容，似乎有些跑題。但在"內事不決問百度"的今天，"瞽瞍通文"也不能"百度"出來，讓我覺得有介紹一下的必要。此書雖然少見，並非孤本，國家圖書館就藏有一部（缺失封面）。近年來對中國早期盲文教育以及穆維良（威廉‧穆瑞）的研究文章不少（如北京大學郭衛東教授的數篇論文），均未利用這個一手資料，而多引用英文的教會報告和穆氏傳記，導致研究不完整。如因未見原書，現有研究對穆氏盲文的設計原理和學習方法言之不詳，甚至錯誤；"瞽瞍通文"四字也無一例外被寫成"瞽叟通文"，這就難怪搜索不出來了。雖然古書中"瞽瞍"與"瞽叟"在"舜的父親"這一意義上通用，但就本書及盲人教育來說，"瞽瞍"不能寫成"瞽叟"。瞽為雙目不開，瞍為有睛無瞳，合起來是單純的盲目之義。如果寫成"瞽叟"，就會因"舜父"產生歧義。舜雖貴為聖人，但不幸"父頑母嚚"，瞽叟是歷史上的反面人物，用來代指盲人並不妥當，定非作者原意。

四

幾年來，我在 ebay 等國外網站也買一點外文書，主要是中國典籍的西方譯本，或可稱為"東學西漸"之書，其中有 1837 年巴黎出版的法國漢學家 Guillaume Pauthier（1801—1873）翻譯的《大學》和《道德經》，《大學》還是譯者的簽贈本。

Pauthier 所譯《大學》和《道德經》，是拉丁文與漢文對照的。用來印書的漢文活字，係由法國人勒格朗（Marcellin Legrand）在 Pauthier 的指導下創製，史稱拼合字或疊積字，屬於世界上最早一批漢文鉛字，張秀民著、韓琦增訂的《中國印刷史》考論甚詳。且不論兩部中國經典的西譯之早，單從印刷史角度看，它們也是珍貴的實物資料。在《大學》的封面，Pauthier 自署"㕨鐵西儒西譯著"。"㕨"音暴，是個冷僻的姓氏用字。Pauthier 採用這樣一個字翻譯自己的姓名，足見漢學修為之深。需要注意的是，《中國印刷史》中把幾處"㕨鐵"都誤寫成了"叟鐵"。

㕨鐵與儒蓮（Stanislas Julien, 1797-1873）同受業於雷慕沙（J.P.Abel-Rémusat, 1788-1832），雖係同門，卻關係不睦，飽受儒蓮攻擊。但他參與研製的漢文鉛字，讓儒蓮許多含有漢字的著作得以順利出版，也算在無意中幫了對手的忙。和儒蓮一樣，㕨鐵也譯著了大量與中國有關的著作，在《道德經》上署名時，乃至自稱"小儒"，是一位真心喜愛中國文化的人。

本文開篇引用的"不得異人，當得異書"，就被

《大學》封面，1837 年（道光十七年）在巴黎用勒格朗拼合活字排印。

憂鐵作為格言印在《大學》書名頁的背後。此語當出自《後漢書·王充傳》章懷太子註文，原作"不見異人，當得異書"。在互聯網時代，知識傳播不依賴於面授，書籍流通不受限於國界，這句受到西方漢學家推崇的中國古語，恰可在兩千年後為今日寫照。

買殘書

王洪剛

一件古代瓷器，要是有"衝"有"奔兒"，就被稱為殘器，價值立馬大減，要是摔碎了，那就成了瓷片，瓷片幾乎沒有價值，只能作為標本。古書的境遇要好一些，破了裂了、蟲吃鼠咬都不算毛病，古書還講究"順冊不順葉"，就是說缺幾葉不要緊，也不算毛病，成冊的缺了才叫殘書。即便是殘書也依舊有它的價值，它本身的歷史文物性、學術資料性、藝術代表性一樣也不少。殘書的價格很低，一般沒什麼人買，所以許多殘書最後都去了造紙廠。據說，大藏書家如黃裳等人，也買殘書，不過他們買的，不是孤本就是所謂的"極稀見"，這種殘書是比大多數全書還要珍貴的殘書。

殘書也可以作標本，就是作為學習古書版本的標本。書雖然殘了，但它所包含的版本信息大多還在，紙、墨、字、行、裝，一樣不少，從一滴海水中折射出大海。要想學習古書版本，多看、多接觸古書是必然的。由於經濟條件，從殘書入手，就成了最佳的途徑，我因此買了不少殘書。趕上中國書店大規模處理殘書，從五毛一本，到一塊、兩塊、十幾塊，直到最後的上百塊。那幾年，每年在中國書店的古舊書市，都會買幾千塊錢的殘書，數量從開始的成麵包車往家拉，到最後拿在手中的幾冊。當你蹲在書市放古書殘本的桌子旁專心挑書的時候，從你的頭上、身旁掉落下一本本別人淘汰的殘書，這些書裏有明版、殿版，有白棉紙、開化紙，有時還有元版書。

一部古書成為殘書的原因很多，一般的幾冊，到大部頭的若干函，在閱讀、搬運、出借等過程中，很容易造成書籍的散失。許多殘書只有頭本，或是只缺頭本，據說這是當年書店的銷售方式造成的。書店的夥計上門推銷，帶著若干部書的頭本供顧客挑選，顧客喜歡的，就把頭本留下，過些日子，夥計們再上門，或是收款並送來剩下的書，或是拿走頭本，一來二去的過程中，陰錯陽差地造就了殘書。在地攤上看到一部很好的古書，內容、版本、品相，無一不好，但只有半部，小販說，這書是在某地收的，賣主祖上是朝中的大官，傳到現在，家裏分家，書也分了，所以只有半部，那半部在他兄弟手裏，要買還要多做工作。小販的話不能全信，但也說出了部分殘書的成因。

把一部古書變成殘書，或是把殘書湊成一部全書，這種傳奇，我也趕上了兩回。

在一處位於城鄉結合部的出租房裏，有滿滿一大箱子一百多冊線裝書，是七八個書販子合夥買來加價出售的。書是一位著名學者的身後之物，因為是做學問用的，書的版本很一般，大多是些清末、民國的通行本，石印、鉛排的居多。我想要的沒有幾本，有幾冊內聚珍（武英殿活字本）還不錯，再就是一部《藥地炮莊》，康熙間“浮山此藏軒”本。《藥地炮莊》是方以智晚年的代表作，全書包括正文九卷及總論三卷。“此藏軒本”是該書唯一的刻本，民國間有個叫王木齋的曾題記：“余二十一歲時，聞先師楊樸庵先生屢稱無可大師《藥地炮莊》為說《莊》第一書，即有心求之。廿餘年來，僅得卷首一本。至辛亥六月，乃見有持此書求售者，欣然購之，如獲異珍。首卷復缺四序一題詠。考前購殘本，有此六葉，遂以補入，此書得成完本。”王木齋用了二十多年才求得一套，還是個配本，可見是書之稀見。書很稀見，可惜缺了一冊，沒有卷四。

書價要得很離譜，還要求所謂“一槍打”，就是整體出售。在低矮的出租房裏，昏暗的燈光下，幾個書販環伺左右，分工各不相同。有訴苦的，說書來價如何如何高，起早貪黑、東奔西走，弄來有多麼的不容易。有打哈哈的，邊說些行內近期的笑話，邊和你討論待會兒去哪兒吃飯，喝什麼酒。有黑著臉一腦袋官司的，動不動就把書都收回箱子裏，賭咒發誓說不賣了。有和你套近乎的，趴在你耳邊，小聲告訴書的真實來價和他們對利潤的分配方案。有噓寒問暖、端茶送水、發煙點火、遞手巾板的。還有一個自始至終一語不發，只是隔段時間就去趟門口，打一頓一個正在吃蘋果的三四歲的小孩兒，使其發出的哭聲一直保持不斷。

一番混亂之後，終於同意了《藥地炮莊》可以單賣，但是開出了一個讓人沒法接受的價格，這個價格相當於當時中國書店架上兩部明初本的價格，是那種二十多冊一部白棉紙的明初本。心裏真的很想要買這部書，試著還了個價，並說："這書缺了一本，是個殘書。" 聽說是殘書，幾個書販相視詭異一笑，說："書是全的，那一本能找來，書價絕對不能少了。" 根據以往和書販打交道的經驗，殘書找全的可能性幾乎是零，又是這種價格，於是毅然地放棄了。

大約兩年以後，在某書店架上又看到了這部《藥地炮莊》，價格不貴，只是當年的十分之一。但只有《總論》三卷，忙問店員其他幾本有嗎，回答說有，過幾天找出來就上架。一段時間後，那幾本真的上了架，但再找《總論》三卷已經不見，店員說是有人買走了，再後來那幾本也沒了。

又過了兩年，於某書販處買了一批書，某書販是那七八個書販中的一個，最後成交的價格讓某書販很高興，交易過後請我吃了頓飯，酒酣耳熱之時，他從包中拿出一冊書給我："這是那次缺的那本書，送給你吧。" 他醉眼朦朧的臉上，依舊帶著前次詭異的笑容。

春回大地，冰消雪融，節後週六的勁松早市，天不亮就開始了繁忙。雪水浸濕的土堆上，某書販正在賣兩麻袋線裝書，全都是殘本，全都是科舉考試的教輔書，隨便挑，五元一本。書不怎麼樣，書價也不便宜，比起半年前中國書店書市上的五毛錢一本，這種書，這種價格，想要賣出去很難。一個上午，少有人光顧，某書販卻依然很悠閒地哼著 "妹妹你坐船頭"，看著面前的兩麻袋殘書。書是他大撥撮來的，其中好的他已經挑出來賣了，回了本，還小賺了一筆，這些都是挑剩下的，賣多賣少都是賺的，所以他並不著急。

　　快到中午，我在逛完了所有的地攤後，來到了某書販的攤位前，無聊地翻看著那兩麻袋教輔書，邊和他閒聊些行裏的新聞。臨走，挑出了一本《四書金丹》，一個頭本，有書名葉，有序，還有《大學》和《中庸》。我給了他五塊錢，某問："你買它幹什麼？"我說："這是個明版，金陵'版築居'刻本，還是套印的。"某要過書去看了看又遞給我，然後飛快地收起了地上的書，扛著兩個麻袋走了。

　　忘了是三年還是四年之後，在已經改叫潘家園舊貨市場的同一個地方，也是時近中午，在兩個正在收攤準備回家的蔚縣小販處，我又買到了兩本《四書金丹》，這次是《論語》部分，書和上回的頭本是一套，一樣的裝潢，一樣的印章，這次小販要三十塊錢，我沒有還價。居然又買到了兩本，在接下來的很長一段時間裏，我滿懷著美好的願望，憧憬著再次的好運氣。時間一天一天、一年一年地過去，又過了將近十年，漸漸沒有了憧憬，並且幾乎忘掉了這個書的事情。

　　網絡的發展，帶來了許多行業的革命，其中也有古舊書業的革命。買書，從書店、書攤，轉移到了網上，有了布衣書局，有了孔夫子舊書網。一天接朋友的電話，說："網上正在拍賣的一個書，和你的那個《四書金丹》很像。"去看，是一部《詩經金丹》，也是"版築居"的套印本。書的前面缺了半本，中間缺一本，書葉已經糟糕，翻動就會掉落一地紙渣。可喜的是書後帶著一個荷葉形的牌記。可能是因為書品不好，很便宜的價格就拍到了這部書，然後給賣家打電話，竟然離我只有幾公里。開車過去，賣家竟然還是一位半熟臉的朋友，寒暄、交割、閒聊，賣書的朋友說："這套書非常好，不見著錄，國圖無藏，雖然是殘書，你這個價格還是太便宜了。"我說："是嗎？這些我還真沒注意。"賣書的朋友問："那你買它幹什麼？"我說："我以前買過一個《四書》，和這個書是一家刻的，也是個殘本……""是不是缺《孟子》？""……"這不是在做夢。賣書的朋友告訴我："書已經送去了一家拍賣公司，底價定的是五千元，你要是這個價格能要的話，就去撤回來給你。"一個月以後，書拿到了，三冊，一樣的裝潢，一樣的印章，這套書湊全了。

揚州訪書記

何家幹

第一次去揚州是兩年前的一個春天,和網上的幾個朋友結伴,遊瘦西湖,逛平山堂,訪揚州八怪遺跡,在十里長街沽酒嘯傲⋯⋯其時正當煙花三月,春色滿眼,風景如畫,有兩同志作伴左右,流連湖光山水之間,樂如何之!雖然只有匆匆兩日的盤桓,但一直很是懷念。當時下榻在天寧寺邊的揚州賓館,距揚州古籍書店,只幾步之遙。曾和往事兄去二樓的營業廳看線裝書,滿屋琳琅,蔚為壯觀。其時我的線裝書知識貧乏得可憐,連石印和刻本的區別都不甚了然,身入寶山,也只能袖手而歸,後來還是買了套清代王次回的《疑雨集》,民國石印本,四冊,內容版本都不入流,自己還沾沾自喜,頗為諸博雅君子所笑。

這兩年平裝舊書越來越難買,只好升格以求買點線裝書,一年多的耳濡目染,也對線裝書有了些瞭解。想到上次在揚州空手而還,總是不能釋懷,一直希望能有重訪揚州的機會。這次出差前，意外結識了一個揚州的朋友，朋友的朋友竟然和揚州古籍書店經理是髮小，能給我以去書庫訪書的特殊照顧，如此，訪書揚州就順理成章了。週二下午在北京，在領略了詭異的六月飛雹後，"書話"藏書元老，線裝書專家湯山老農兄在琉璃廠給我作了線裝古籍版本的抱佛腳式的現場培訓，好為此行作準備也。

週五早上，在南京匆匆處理完公事即搭車去揚州。南京不愧是火爐，才剛進入陽曆六月，太陽已經能烤得人發暈。下午一時到揚州，朋友的朋友開車來接，吃飯時，才弄清這位朋友的身份，也才明白為何我有這麼大的面子可以去書庫訪書。飯後去古籍書店，先去三樓門市部看書，接待的還是兩年前見過的那位滿口揚州話的老先生，人稱揚州舊書界的"歐陽鋒"。線裝書放在三十平米的一個房間裏，很局促，也沒什麼好書，基本上都是民國出版的排印和石印本，和兩年前簡直不可同日而語。買了兩冊李蒓客的詩集，便廢然而出。下午兩時，去見書店的經理，一個胖胖的中年人，經理很熱情，但對我專程的來訪書庫顯然是不歡迎的。他有他的苦衷，線裝古籍時下成了收藏的新寵，而揚州古籍書店因為收藏豐富，成為目前古籍收藏者矚目的焦點，這幾年不斷有人通過各種關係來書店書庫選書。收書越來越難，庫藏日漸萎縮，而書店的幾十人賴以生存的也就是這些線裝書。書店已經決定從今年起不再接待人去書庫看書，對庫藏的書，也一概不再出售，門市只拿點普通的本子應景。希望能細水長流，讓書店生存下去，不至於像別的古籍書店，急功近利被書商一鍋端掉書庫，最後只好關門了事。聽了經理一番話，我坐立不安，覺得自己簡直就成了搞不法收購的罪惡資本家，於乞丐口裏討飯吃。朋友覺察到了我的情緒，連忙和經理解釋，說我是學者，因為研究需要，來找點資料，並不是來找珍貴版本的。經理也覺得說話過於直白，就說，既然怎麼遠來一次，書庫一定是可以去看看的，但選的書賣不賣，店裏看情況而定。情形如此，我訪書的興致也有點闌珊了，不過，即便不買，能去那個名聞遐邇的書庫看看，也是一種眼福。

經理安排了兩個工作人員，"歐陽"先生和另外一位店員，一起陪我去書庫。朋友開著車，帶我等一行三人，穿大街過小巷來到書庫所在地 —— 著名的達士巷。巷子很偏僻，少有行人，在夏日的午後，尤為安靜。書庫是一所老房子，和以前看過的鹽商住宅"汪氏小院"風格類似，只格局小了很多，門上釘了揚州市文物保護單位的牌子，沒有說明，無從知道房子的來歷。青磚平房，一明兩暗，三進，前後兩個天井，天井的磚縫裏長出了齊膝深的野草。第一道門房有人值班，後面兩進囤書，因長久沒人進來，房內空氣渾濁。二進房屋的地上，堆放了很多還沒有整理的舊書。"歐陽"先生建議直接到最後一進看書。書架直達天花板，裏面全是線裝書，最上一層，擺放的為大部頭，如古今圖書集成、四部叢刊、明刊本《文選》等。面對這樣書的海洋，又沒有分類，簡直讓人無從下手。來之前，專家組建議找精刻本、明版、開化紙、抄本等等，現在似乎毫無實際操作可能，而且即便是找了好的本子，也未必能買走，還是找幾冊自己感興趣的東西吧。於是決定找清末民初人的詩詞，以前在別的古籍書店，這類東西稀如星鳳，在這裏隨處可見。一個小時下來，把三進的下層線裝書隨便翻了翻，大約有上百種，只揚州南京一帶的詩人的集子，就有不下幾十種。翻檢了半天，找到如下東西：

《觀古堂詩錄》　線裝兩冊　葉德輝　清末刻本

《冷紅詞》　線裝一冊　鄭文焯　清末刻本

《江南二仲詩》　線裝一冊　王蘧常　錢仲聯　民國排印本

《思閣詩集》　線裝兩冊　華世奎　民國影印本

《雨屋深燈詞》　線裝一冊　汪兆鏞　民國排印本

《睫闇室詩鈔》　線裝四冊　裴景福　民國七年石印本

《遐庵詩稿》　線裝一冊　葉恭綽　民國排印本

《悔庵詞》　線裝一冊　夏蓀桐　民國排印本

《曉珠詞》　線裝一冊　呂碧城　民國排印本

《蒼虯閣詩》　線裝一冊　陳曾壽　民國排印本

《蒹葭樓詩》　線裝一冊　黃節　民國排印本

《今傳是樓詩話》　線裝一冊　王揖唐　民國二十二年排印本

《民國閨閣詩選》　線裝一冊　陳含光序　民國排印本

找完了這些書，就在書堆裏轉圈子，翻看清前期的著名刻本，《瓣香集》《才調集》《國朝詩選》，多為白棉紙精印，知道買不起，也不可能買到，但能看看，親手摸摸也如過屠門大嚼，快意無比。純粹版畫類的書不多，只在一些戲曲書中零星見到一些附葉。上世紀六十年代前中華書局、文學古籍刊行社等出版的線裝書有很多，品相如新，如《天一閣藏明代錄鬼簿》

和《古本戲曲叢刊》等。書庫沒有編目，但每種書內都插有標籤，寫明刊刻年代、作者、冊數和入庫時的價錢，比較那時的入庫價格和現在的市價，動輒上百倍的差異，真有不知今世何世之感！"歐陽"先生告訴我，達士巷書庫最多時的存量有近三十萬卷，八十年代流出海外不少，九十年代陸續有重要人物來書庫看書買書，也賣出不少，但即便這樣，在全國古籍書店中，存量也能排前四位。現在的存量因為沒有系統的書目，無法確切知道精確的數字。

朋友和另一位書店工作人員在天井裏抽煙，"歐陽"先生一直陪著我看書，此老解放前就在揚州古籍書店做學徒，現已年過古稀。老人真是敬業，我看書的過程中，他一直不停地在旁邊整理書架，擦拭灰塵。看到好的本子，無法確認刊刻年代，向他請教，總能給出滿意的答案，只是老人的揚州話實在可怕，有時費力猜了很久才能明白意思。在書庫裏逗留了三個小時，把揀好的書包好帶到經理的辦公室，經理看了看我選的書，並無珍稀版本，就說買這些書沒問題，但書價要晚上等書店"定價委員會"的幾個人碰頭後才能決定，明天早上給出價格。經理計劃近期把書庫做個編目，只作內部使用，編成後，還是歡迎像我這樣的"學者"，在缺乏資料時到揚州古籍書店"按目索書"，影印使用的。出書店後，朋友笑笑說，看來夠餵，估計價格不會便宜。我心想，買不買書，本來就是無可無不可的，且待明日。

晚飯在大明寺下一小飯館小酌，老闆據云曾在人民大會堂效勞過。朋友邀請了幾個當地的名人，吃河豚喝茅台酒，河豚前年春天已經領教，味道平平，乏善可陳，最怕吃牠滿是軟刺的皮，這次還是沒能躲過。在座的幾位雖然是第一次見面，酒喝得卻一點不客氣，一點也不照顧客人的酒量。酒菜異常豐盛，也許是白酒的緣故，味蕾減退，很難體味菜的美味，倒覺得兩年前朋友在一家興化人開的小酒館的味道更值得懷念。腐敗到九時，朋友又盛情邀請去"水包皮"，實在是不勝酒力，還是回賓館睡覺。走在天寧寺前面的護城河畔，燈光迷離，楊柳輕拂，"天下三分明月夜，二分無賴是揚州"的句子自然到了嘴邊，只是今夜無月，無法想象明月下的揚州該是怎樣的旖旎景象。

次日早起，因為是週六，就閒逛到隔壁的天寧寺去看看有無書市。七時不到，護城河上還籠罩著薄霧，古董市場已經是人頭攢動了。賣假古董的攤子很多，只有寥寥幾個書攤局促在角落裏，而且是固定擺賣的，兩年前見到在地面上擺賣的流動書攤一個也沒有了。轉了一圈，只買了一本陳從周的《世緣集》。看到一本黃裳的《翠墨集》，正暗自高興，卻被一個家伙眼疾手快搶了去。鬱悶中，在一個攤檔買了幾種舊刺繡，繡工精美，價格也很便宜，也算是早起的一大收穫。

九時半和朋友一起去古籍書店，經理已經在辦公室等了，坐下喝茶抽煙。一會他拿出昨天"定價委員會"擬好了的價格單，一看之下，果然高得讓人咋舌。單冊的價格都不下四百元，兩冊《觀古堂詩錄》價格一千五百元，四冊《睫闇室詩鈔》價格三千元，這樣的價格分明是不讓人買啊，看了只好搖頭苦笑。經理一臉真誠，說這是大家定的，實在不好意思。最後還是忍痛買了一冊鄭文焯的《冷紅詞》，難得經理慷慨給打了九折，終於沒讓我這次興師動眾的揚州訪書無功而返。

中午告別揚州的朋友，驅車去南京，在南京古籍書店見到線裝部的主管金先生，他說，到人家書庫裏揀書，自然是要伸著脖子捱宰的。此次揚州訪書雖然鎩羽而歸，但在達士巷那個縹緗滿屋的書架前翻書的經歷卻是非常別致和難得的。又想到，書，對我這樣的人來說，不過是附庸風雅的玩物，對別人，或可就是賴以生存的食糧，如此風雅的訪書，也確實無聊得很。

淘書六記

龔晏邦

昔有《浮生六記》《幹校六記》，今借其名，雜湊成一篇《淘書六記》，以饗各位好書之徒。

淘書記趣

淘書有利也有趣，這裏單說這個"趣"字。在帝都鬧得沸沸揚揚的商務印書館（以下簡稱商務）老檔散出事件，最初只是聽說，好東西都被少數有大力者瓜分。為此，有人換了車，有人買了房，有人蓋了樓，有人換了身邊兒的人。劫餘至今網上還在賣，拍賣會上也時有出現。碰巧我也撈到幾件好玩兒的東西，先是得到一張商務捐贈其東方圖書館藏書的獎狀。東方圖書館曾是中國最大的民營公共圖書館，在 1932 年"一·二八"事變中被日本人焚毀，後復興。不久又買到一份張元濟、高夢旦簽閱的東方圖書館史料，詳細描述了東方圖書館的

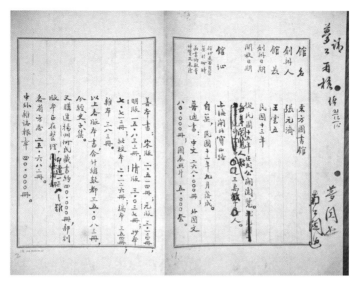

張元濟、高夢旦簽閱的東方圖書館史料

歷史、收藏來源、各種善本數量及被焚燬的經過等等，非常珍稀。時隔半年，又碰到一張更讓我心動的，商務捐贈二十一冊《永樂大典》的獎狀，《永樂大典》可是國圖的鎮館之物啊。此後，陸續又買到商務董事會關於此事的會議記錄及北圖（即今國家圖書館）當時辦《永樂大典》展覽的相關資料。1951 年 7 月 27 日由袁翰青代表商務將《永樂大典》獻交政府，由政務院（今國務院前身）秘書長齊燕銘接收，政務院對此事十分重視，並決定五項辦法：一、政務院函謝商務董事會；二、周總理函謝張菊生先生；三、交北京圖書館展覽；四、褒獎；五、展覽會時於報上發表。我買到的商務 1951 年的一次會議記錄裏對此事有詳細的描述。其後，在鄭振鐸的提議並指導下，北圖舉辦

商務印書館捐贈二十一冊《永樂大典》獲頒獎狀

了《永樂大典》展覽，展出了各界捐贈及北圖原藏的部分《永樂大典》，並附以仍流失在國外的部分《永樂大典》的照片等。開展當天，鄭振鐸特地在《人民日報》發表了一篇名為《關於〈永樂大典〉》的文章，介紹《永樂大典》的成書經過及其遭遇，說明舉辦展覽的緣起和意義，高度評價了商務的捐書舉措。

我得到這宗資料的過程非常曲折，歷時一年有餘，著實不易，每次都讓我欣喜不已，個中的樂趣只有淘書的朋友才能體驗到，此為淘書之"趣"也。

失書記憾

目前淘書已向網絡、拍賣會方向發展，地攤兒及舊書店已逐漸沒落。此前，舊書並不像現在這樣容易流通。當時人們普遍收入偏低，空間有限，大多只買自己喜歡的，出手謹慎，很少有"大網兜"。大家涇渭分明，玩兒新文學的不去買外文書，玩兒信札的也不會關注紅色文獻，玩兒連環畫的不會去注意線裝書，淘書心態相對淡定。那時候，藏書就是藏書，大蒜就叫大蒜，現在的說法統統是投資理財產品，成了炒作對象。"蒜你狠"、"豆你玩兒"、"薑你軍"不斷，又添上了一個"書不起"，林林總總，層出不窮。買書如同炒股，緊跟著市場熱點走，有了市場分析、技術指標、漲跌曲線。有人做莊，有人跟風，稍不留神就著了道兒。淘書像賽跑，個個兒都是十項全能，人人都是千手觀音，古今中外通吃，機會稍縱即逝。現在的理念是：淘別人的書，讓別人無書可淘。大約九十年代末，曾見到一部關於烹飪和食材的清代線裝木刻本，大概十幾冊一函，圖很多，刻得很漂亮，書品完美，要價也不是不能接受，當時只覺得對做菜沒什麼興趣，對線裝書也不是很有感覺，認為省下錢可以買更多自己想要的書，就此錯過。只怪那時還不是全能型選手，連複本都不大買，現在想來有些遺憾。其實，我根本就沒有得到它，也就談不上失去，不知為何現在還能想起這部連書名都不知道的書，也許是裏面的精美圖片讓我過目難忘。

曾讀過張元濟、鄭振鐸、周越然等大藏書家在抗戰中的失書記，印象最深刻的還是張元濟先生苦心經營二十餘載的東方圖書館一夜之間灰飛煙滅，望著漫天飄舞的紙灰，張元濟涕淚長流，唯有自責。他對夫人說："這是我的罪過！如果我不將這些書搜羅起來，不是集中保存，仍然讓它散存在全國各地，豈不可以逃過這場浩劫！"他仰天長歎："廿年心血成銖寸，一霎書林換劫灰。"那萬念俱灰的沉痛心情,大概和失去至愛至親之人相類。我輩有幸沒有他們那段國破家亡、顛沛流離的生活和痛失愛書的慘痛經歷,也沒有遭遇過黃裳先生在"文革"中藏書被抄沒一空的劫難,所謂失書記,不過是為賦新詞強說愁而已。

出書記喜

此"喜"是喜劇的喜。按說有了論壇、博客、微博等平台以後,很多書已經不必出了,有的作家網上的言論要比他的書精彩得多。可不少人還是有出書情結,論壇、博客上發了不算,非要白紙黑字兒地印出來。演藝圈兒是演而優則導,舊書圈兒是淘書精則寫。看著一屋子的舊書,親朋們誤以為自己學富五車,漸漸地自己也相信起來,躍躍欲試做起了出書夢。好在如今出書比以前容易得多,這出書的路子也是五花八門,有條件的要出,沒條件的創造條件也要出。有靠藏品文章打知名度,出版社找上門給出;有花錢買書號的;也有為省錢自己印的;還有弄到港台去出,最後還是轉內銷。文章是"新書話體":今天逛書攤兒撿個漏兒比網上便宜若干,臉紅心跳,還裝作不動聲色,和攤主玩兒心理戰大獲全勝,沾沾自喜;明天買了本兒書,被奸商黑了,今後該如何應對;後天會了個書友聊了幾句閒天兒吃的是炒肝兒喝的是牛二,接著抄上一段搜來的版本信息,某人曾說過這書如何如何稀少,再加上一段讀後感,一篇新書話就可以出籠了。更有進取者,出了書又繼續做起了編書夢，向編書家方向邁進。出版物也向集郵品靠攏，稀奇古怪、不倫不類的版本滾滾而來，不怕你不掏錢。毛邊本（順便還賣裁紙刀，估計也用不上，裁了就不值錢了）、限量毀版（不知道電子版怎麼毀法兒）、簽名編號（有編上千號的，不累）等等。聽說還有真皮本，不光要砍樹，還要宰牛。哥賣的不是書，是理念。奴買的也不是書，是升值預期。簽名蓋章已經過時，精裝毛邊也不稀罕，更有某出版家發明了群毛不裁本兒，一時洛陽紙貴，收藏者趨之若鶩，一呼百應，人傻錢多快來，價格直追古籍，一派繁榮景象，大家各取所需，其樂融融。

販書記勞

　　風雨無阻，在每個星期六的清晨，帝都有兩大人群景觀：一個是天安門的人們抬頭看國旗，一個是潘家園的淘客低頭尋國寶。淘書太多，發展成販書就是遲早的事兒了，也給自己和家人找到了一個絕好的繼續淘書的藉口。淘書客變成了書販子，"趣味"也就讓位於"利益"了，這也是最讓人糾結的地方。好書該留給自己還是販出？對此，答案不同是區分淘書客和書販子的關鍵。販書的辛勞只有幹過這活兒的人才知道，眼力、體力、毅力、財力、運氣一個都不能少，不管颳風下雨還是天寒地凍，這半夜從被窩裏爬出來的毅力就讓人十分敬佩。書販的標準形象是：大號兒雙肩背包（特結實那種），有的還是小推車，左手提布袋，右手持電筒，如今兜兒裏還添了一件高科技秘密武器 —— 智能手機，時不常掏出來搜個書名兒、人名兒、價格啥的，一機在手，盡在掌握。許多前輩們需要潛心修煉，憑大量閱讀、記憶來掌握的秘笈，被新生代輕鬆一步趕上。他們的眼界更開闊，玩兒法更新奇，出手更果斷，更有想象力，善本的外延已經不斷被擴大，價兒高的就是善本。看得懂的敢買，看不懂的也敢蒙著買。淘書的觸角已伸向海外，與國際接軌。他們目光如炬，健步如飛，即使前方有一道道人牆重重包圍，只要從縫隙中發現一張寫了字兒的舊紙，亦可輕鬆穿越，於百萬軍中取上將頭顱如探囊取物的功夫也不過如此吧。新生代淘書客們已將老眼昏花的前輩們狠狠地拍在了沙灘上，讓他們只能絮絮叨叨祥林嫂般地重複回憶以前的屬於他們的那段美好時光了。

最辛勞的還是那些每週都要出地攤兒的底層書販們，他們平時每天出入帝都各個角落的廢品站守株待兔，掙的是聽天由命的辛苦錢，每逢週末，全家出動，經常可以看到幫助父母看攤兒賣書的少年。與淘書客相比，他們從知識到財力等各方面都處於弱勢，在帝都的邊緣地帶艱難地生存著。

聊書記聞

北方寒冬的清晨七點多鐘，經過三個多小時地毯式搜書之後，大局已定。第一撥兒淘書客已逐漸散去，有的去吃早點，有的回家補覺，有體力好的轉戰其他市場繼續淘書，市場裏的廁所排起了長隊。曾有一位淘寶人打電話給著名收藏家 M 先生，請求鑒定一件瓷器的真偽，M 先生在問明購買時間地點後說，不用看了。那人問沒看東西怎麼知道真假，M先生說，那個點兒市場上已經不會有真東西留給你了。

此時，我通常相約與三兩同好，來到市場一角的茶樓，放下大背包，舒展一下凍僵了的四肢，叫上一壺熱茶，燃起一支香煙，曬著冬日的暖陽，聽著淡淡的音樂，望著窗外熙熙攘攘的人群，檢點各自的戰利品，常會有意外的發現，也有天黑打眼的時候。如果有好的收穫，會有些許的興奮和得意，就像多收了三五斗的農民。也會把最近淘到的好東西拿出來顯擺一下，互相串串貨、掌掌眼，這場景有點兒像地下工作者在交換情報。一無所獲會帶來困倦，只有期待下次運氣能好一些。機會大體是均等的，幸運會不時降臨到每個人的身上。大家有一搭無一搭地聊著一些道聽途說的八卦，老甲最近出了本新書，小乙又離了婚，大丙收到了一批某家出來的手稿信札，這時有人插話，那些信札我先看了，被摻了假。某拍賣會上的一批東西是被賣家自己頂回去的。毛邊本氾濫了，某公新書簽個名兒價格堪比民國書，莫言的書法拍出了高價兒，明版白棉紙掉價兒了。如今，大家聊行情的興趣遠遠大於書本身。也會聊起貝盧斯科尼、NBA、干露露、闖黃燈、帝都房價及哪裏的滷煮最好吃之類的話題，這茶樓小聚是淘書辛勞之後最閒適的時光。

書友記實

常在茶樓相遇的A君，是舊書市場的資深大佬，專藏名人信札手稿，自有市場以來就混跡其中，如今已是著作等身，常舉辦各種專題的收藏展覽，上電視做嘉賓，網絡上發微博，指點大眾收藏，粉絲眾多，儼然以學者明星自居，也不大提起從前練攤兒的經歷。此君身寬體胖，據稱是 PM2.5 攝入過量，煙不離手，酒量驚人，頭髮越來越稀疏，人也懶了，來得最晚，到了市場也不逛攤兒，直奔茶樓，小販們都把他當專家，他問的東西全喊高價。常有人來找他鑒寶、簽名兒、合影。A 最愛吹想當年花幾塊錢買了什麼什麼，放現在值多少多少，當時沒人認得出是誰的字，只有他慧眼識珠。A 還愛說葷段子，常把自己逗得哈哈大笑，自稱心動女生是武藤蘭，大家笑他老而彌堅。

B 君是我多年好友，雖係南方人，卻有著北方人的直爽性格，上可以和大學教授盤書論道，下可以和小販們喝酒打架，是帝都舊書圈兒裏的大俠級人物，人脈極廣，擅長空手道，快進快出。此君嗅覺異常靈敏，常能在眾人淘過的書堆裏找到好書，若是哪裏出了好東西，他一準兒在那裏出現。一個人靠販書在帝都單打獨鬥，從無到有，換大房買豪車，忙得不亦樂乎。近來流行換妻，大俠喜歡趕時髦兒，以舊換新，娶了一任新太太，馬上要生第二胎，弄得焦頭爛額，有點兒後悔了。這個最破費，分走近一半財產，不過他也留了一手，隱匿了不少好東西。B 剛出道時跟著 A 混，稱 A 為老師，現在最愛拿 A 開涮打嚓，這老師的稱呼已近蒼老師的意味，多了戲謔，少了尊重。

C 君最年輕，學習古籍鑒定，是圈兒裏少有的科班兒出身，有一手修書的好手段，精通"網搜學"，腦筋活絡，精力過人，遊走在帝都的各個角落，出入各地的大小拍賣會，躊躇滿志，屬少年派精英。淘書時總是低著頭，貓著腰，橫衝直撞，一往無前，視他人如無物，常和人發生肢體衝突，古今中外通吃，時有出人意料的斬獲。C 獨具慧眼，敢想敢幹，常在拍賣會上眾目睽睽之下花高價買下一件東西，居然還能順利出貨。C 是剛需族，丈母娘發話不買房不讓結婚，只好老老實實先交了首付，本來是想用這筆錢做幾票大的再買房的，剛又把摩托車換成了汽車，近來感覺手頭兒有點兒緊。C 對 A、B 兩位都很敬重，常聽他們侃舊書掌故，相信總有一天會成為故事的主角。常來茶樓閒聊的還有拍賣公司的 D 君、開畫廊的 E 君和破爛兒大王 F 君。

這 A、B、C 老中青三個代表了淘書客的昨天、今天和明天。

再訪海伊書鎮

白撞雨

　　這是第二次來海伊。三年前的秋季，曾冒雨驅車，到威爾士海伊小鎮淘書，觀感和收穫都寫到了《翕居讀書錄》裏。閒時還會憶起那次海伊之行，車公司老闆吉姆親征，一路談吐不凡，不管英格蘭、蘇格蘭、威爾士的風土人情、逸聞趣事，都能說得新鮮、生動、受用。那次淘回的一批有關中國事物的西方出版物，有好些是十八、十九世紀出版的精品，涉及中國的陶器、瓷器、玉器、青銅器，中國的村莊、都城，中國的歷史和文化，中國的石窟，對中國和東方的探險，中國的婦女，十八世紀中國出口藝術品，中國的建築，基督教在中國，中國的風景繪畫等等。

　　最值得一說的，是一部《大英博物館所藏中國古籍和印刷品目錄》，1877 年由英國哈福德史蒂夫・奧斯汀父子出版社出版。大英博物館 GEO. BULLEN 和英國漢學家、倫敦皇家學院漢學教授羅伯特・道格拉斯（Robert K. Douglas）作序。序言中講到："本目錄包括的中國圖書於不同時間、不同條件逐漸被收藏。圖書館小部分館藏來自斯隆、哈利父子、舊皇室和蘭斯等遺產，主要館藏來自 1825 年赫爾（Fowler Hull）先生所贈。1843 年，英國皇室將在鴉片戰爭中所獲中國圖書贈予圖書館。"

可見，這部書本身是一部具有重要歷史價值的文物，不僅是因為出版於一百多年以前的維多利亞時代，更為重要的是它記載了 1840 年第一次鴉片戰爭中英國軍隊掠奪的中國古籍。值得高興的是，經中國社科院孫曉研究員力薦，這部書被列入"域外漢籍珍本文庫"，於 2010 年 12 月由人民出版社和西南師範大學出版社聯合影印出版。從中我們可以揭開"被掠奪出境的"中華古籍的面紗，清晰地看到中華典籍在當時英國的確切數量和書名，為"追索非法流失境外的古籍"提供依據。

這次的海伊之行，一路上陰晴不斷轉換，小雨大雨輪番著來，唯一不變的還是放眼望去的四野的滿綠。抬頭看天，晴時是白雲飄逸，雨後是澄澈的瓦藍，在藍天白雲的映襯下趕路，全都忘記了旅途的勞累。車子進入威爾士境內，丘陵起伏，大樹成行，濃蔭蔽天。低著頭、專心致志吃草的黃牛、羊群，點綴在一望無際的草地上，使得威爾士的原野多了一份生機。這裏的綠色不同於歐洲大陸平平坦坦的平鋪之綠，因為是丘陵地帶，所以錯落有致、層次感分明，有移步換景之妙。一路走來，兩旁很少有村莊，偶爾穿過一個，大都會看到小教堂，沿街的小樓也多為兩三層。不經意間看到一家中餐館，大名"客滿樓"，其實這不過是一幢兩層小樓，門臉小得只有一扇門。真像是威斯敏斯特大學 HUGO 教授所說，在英國，只要有人聚居的地方，就可能有中餐館，只要是有點規模的市鎮，就會有中醫診所。

這次出行幾乎走的都是高速公路，不像上次因高速封路，在鄉間小馬路上跑了四個多小時。當我們穿過幾個小鎮，藍色的海伊路牌呈現在眼前時，司機忍不住笑出聲，用扶著方向盤的右手挑起大拇指：嘿嘿，看呀，海伊就在這裏。

第一站直奔布斯的古堡書店，還是那個留鬍子的店員，這個小夥子比兩年前好像滄桑了不少，他的工作照已經收入到我的書中。書店裏的擺放和佈局還是老樣子，藝術書區亞洲部分的書籍不太多，關於中國的就更少了。不過還是沒有走空，見到四種精裝書：出版於 1924 年的《中國藝術》，同年出版的《遠東藝術》，1935 年英國出版的《中國繪畫》，大部頭的是 1974 年出版的《中國陶瓷》。

值得一說的，是將著名的東方通、西班牙裔美國人費諾羅沙（Ernest Fenollosa）的代表作，兩卷一套的《中日美術諸時代》收入囊中。費諾羅沙曾任東京帝國大學哲學和政治經濟學教授，為保護傳統藝術付出了大量心血。費諾羅沙和他的妻子瑪莉 1906 年將辦公室遷往紐約，在此進行《中日美術諸時代》的寫作。1908 年費諾羅沙過世，骨灰葬在日本三井寺。瑪莉於 1910 年回到日本，繼續完成丈夫這部遺稿。1912 年，為了該書出版，她前往英國，和年輕的美國詩人艾茲拉‧龐德（Ezra Pound）結識，將丈夫的原稿與筆記送給對方。在龐德協助下，該書於當年出版，出版商為 William Heineman。此後又在世界各地多次再版，長盛不衰。本書系統介紹了十九世紀以前中日兩國的傳統繪畫藝術，大開本，配有極其豐富的單面印刷圖片，包括彩圖十五幅，全部為整頁，且全部另配保護頁。黑白圖畫二百一十餘幅，圖版一百多張，還包括一些對開大圖。

臨走時，還在櫃台東側的書櫃底層，覓得一部厚厚的燙金《福爾摩斯全集》限量珍藏版，該書囊括了初版本和各個不同時期版本的書影和全部插圖。有意思的是，這部福爾摩斯標價四十二鎊，在我確定購買後，店員走過來說價格要更改，我以為又遇到了像琉璃廠的古籍書店那樣的家伙，看你真的要買，要麼惜售說價格是老價你改天再來，要麼當時就把價格調高。沒想到，小鬍子店員拿出橡皮，把"42"輕輕擦去，瀟灑地寫下了"30"，並且在結賬時又贈送了我一套小鎮書店明信片、書鎮之王布斯"加冕"明信片、書鎮護照和小鎮遊覽指南，這份異域購書的所見，真的是一份暖暖的溫情，充溢心間。

第二站是劇院書店。進門就碰到了書店合夥人 Francis Edwards，我讓 Francis Edwards 給我拿一些 fine books，或者是有關 book binding（圖書裝訂）的書籍。在他引領下直接來到二樓善本區，找到最裏面的"中國和日本書"櫃子，那套二十一冊的日本昭和時代出版的《第一次滿蒙學術調查研究團報告》，已經"書去架空"。

經過十多分鐘的翻箱倒櫃，Francis Edwards 給我抱來了三部書：

一是 1931 年出版的 *Some Aspects of the Rehabilitation of China's Railways*，這是研究中國早期鐵路的書，涉及火車站、機車車輛、鐵路線、鐵路橋樑，有關鐵路的事態發展等。

二是中央研究院歷史語言研究所 1932 年抽印的 *Manchuria in History*，傅斯年節譯的《東北史綱》。原作者李濟（1896—1979），是中國現代考古學家、人類學家，湖北鍾祥人。

三是 1961 年的哈佛大學英文論文《胡光墉與晚清財政》。胡光墉（1823—1885），安徽績溪人，就是大名鼎鼎的胡雪巖。

在即將離開劇院書店二樓時，一眼瞅見西牆窗台上擺放的一部大書，黑色的書脊上橫著印有一個白色的 "CHINA" 和作者 Emil Schulthess 的名字。這不是瑞士著名攝影師艾米爾·修特茲的大型影集《中國》嗎！去年 11 月，曾在天涯社區網站看到過關於此書的介紹，還配有三張讓人震撼的照片，因為這書是 1966 年那樣一個特殊年份在國外出版的，國內幾乎無法看到。這次得遇海伊，實在是一個美麗的機緣。

1964 年 9 月，通過瑞士駐華大使館的協調，艾米爾·修特茲帶了大堆攝影器材來到北京，在中國旅行了幾萬里，於 1966 年出版了這部影集。我遇到的這部是 1966 年英國 Collins St.James Place, London 公司出版的英文版，在瑞士印刷，收入照片一百六十七張，其中有幾十張彩照。全景記錄了上世紀六十年代中國人文山川、政治經濟、文化藝術等各領域的原生態面貌，時代特徵很濃。看得出來，那時候的人們，精神特別飽滿，影像中的老百姓知足、勤奮，雖然貧窮，對未來卻充滿了信心，讓人實實在在感受到光明和希望。

台灣攝影家阮義忠在 2010 年 9 月 26 日的《晶報》曾發表過一篇《艾米爾·修特茲的〈中國〉》。文中講到，上世紀七十年代初期，他在英文《漢聲》雜誌工作。那是台灣第一本以攝影為插圖的刊物，致力於中國民間藝術的整理。有一天，他的老闆黃永松在傍晚下班前趕回公司，神秘地掏出一本又厚又重的書，叫他晚上加班，把書內所有圖片都翻拍下來，因為次日一早，他就得把書還給官方圖書室。那本絕對禁止外借的攝影集叫做《中國》，是"文革"開始那一年出版的，珂羅版印刷，紙張頂級，內容是 1964、1965 年共產主義制度下的"幸福中國"。他一頁一頁地拷貝著那本書，心情愈來愈激動。原來，在共產主義下生活的人民也可以這麼幸福、美滿。在那兩岸關係極為緊張的時期，所有與大陸相關的信息都受到嚴密控制，一般老百姓對"鐵幕"後的生活認知，完全來自官方倡導。那本書的拍攝手法樸實無華、渾厚有力，就像攝影家鏡頭前的那片大地、那群人民。阮義忠認為："直到如今，《中國》依舊是我所看過最難忘的攝影集之一。"

此後的 1969 年，德國 Silva-Verlag, Vorbehalten 公司出版了德文版，硬封精裝，但只有一百幅照片。今天，我們一頁頁翻看這部影集，仍然是那麼震撼。在這部影集中的一張中國地圖上，北京、西安、成都、拉薩、無錫、蘇州、上海、桂林、香港、宜昌、重慶這十一個城市，被人用紅色油筆深深地圈點、連線，這 —— 莫非是艾米爾·修特茲的中國足跡？

擺花街上舊書香

胡文輝

香港神州圖書公司的歐陽先生，前些時候來廣州，就說神州搬家了，從士丹利街搬到鄰近的擺花街。

最早知道神州，大約是因為陳子善先生的一篇《在"神州"覓舊書》吧。但他未說明準確地址，我第一次訪港，遍尋不獲。神州的門面毫不起眼，第二次按圖索驥，也好不容易才找到，結果大有斬獲，不虛一行。此後三番五次，遊港只為買書，買書必到神州，跟歐陽先生也漸漸熟悉。再後來，神州上網，內地的孔夫子、緣為書來舊書網都有其虛擬攤位，我在網上訂書不斷，為了給我節省郵費，歐陽先生總是趁來廣州時大包小包地親自扛給我。除此之外，他還代我義務訂書，像台灣藝文印書館的絕版書多種、港版《陳君葆日記》七大冊，既厚且重，都為我無償搬運。至於幫我複印資料，如汪精衛後人新刊的《雙照樓詩詞稿》補遺部分（此書在孔夫子舊書網競拍至千元以上，力不能逮），當然也屬賣書之外的功夫了。在我而言，歐陽先生，也就是金耀基《劍橋一書賈》裏的那個台維先生，就是海蓮‧漢芙《查令十字街84號》裏的那個弗蘭克‧德爾先生。

歐陽先生一到廣州，我們每每一餐便飯，一杯咖啡，聽他談香港舊書業的掌故：曾出版金雄白名作《汪政權的開場與收場》之類文史筆記的吳興記書報社，已是盛景難再；神州曾收購一批金庸早年流出的藏書，等到金庸聲光大顯之後，再想向神州購回，卻為歐陽先生婉拒；六七十年代台灣散出大量以箱計價的文史出版物，石景宜當時趁低吸納，再轉贈內地圖書館，遂成贈書名流⋯⋯歐陽先生有一肚皮的舊書業滄桑史，我曾送他一冊彙集民國文人買書記的《蠹魚篇》新版，很希望他也能為香江書史留下多少雪泥鴻爪，可惜香港地搵食艱難，他難得有寫作的餘閒。

香港是常人的購物天堂，卻是我的購書天堂。對於淘舊書，除了過不去的台北，我覺得香港簡直可以跟北京、上海鼎足而三。香港固然缺乏京、滬那樣的善本珍槧，但在幾代人海內外隔絕的特殊情境下，港台累積起無數我們未曾ののの歷史文獻，也翻印了巨量民國版及大陸版的學術資料（我覺得應為香港的翻版書編一部目錄，那也是當代文化史上的特殊一頁啊），版本價值雖低，學術價值卻高，這正是香港舊書業的優勢所在。香港的舊書店當然不僅神州一家，新亞書店（旺角）時有廉價秘籍，但來得快去得更快，內地客難得趕上，青年出版社（北角）曇花一現，南京圖書中心（佐敦）無以為繼，論品種的豐富，梳理的系統，都遠不能跟神州相比。歐陽先生是有心人，也是明眼人，在神州自然也難有撿漏的機會，但若只是搜集實用性的學術書刊，則如入寶山，必定不會空手而回。

神州是 1966 年開張的。當其時，正是內地在政治上風暴乍起、在文化上橫掃一切的時候，而那卻是香港舊書業的盛世，是神州書店的黃金時代。"神州"的命名，自有其守護文化神州的寄意。至今近四十年間，人事代謝，道術遷變，香港已非復昔日的香港，而神州依舊是昔日的神州……香港是個可以打通中西、混一雅俗、兼容新舊的地方，有那麼殖民管治地的歐風美雨，但也有那麼中國的舊時月色；有文憑主義、唯洋是尚的大學，但也有繼承古典名士風範的全才饒宗頤；有過於八卦的狗仔隊，但也有過於風雅的董橋。乜都有的香港，同樣也容得下閣樓上一方書的神州。在商業上，神州不過是小小的事業；可在文化上，卻成就了長長的歷史。

這次趁香港書展的機會，掃了一遍剛剛收拾好的神州新店。新店所在地點，叫擺花街。這可是一條有故事的街啊。

前一陣翻看曹民偉的《有咁耐風流 —— 香港百年情色史》（一本"悼念香江風月文化的消亡"的奇書），才留意到，擺花街曾是專門為鬼佬服務的紅燈區："據說洋人召妓要買花來博取妓女青睞，當時熱鬧的花市就催生了擺花街……"就此事向歐陽先生求證，他笑說：曹民偉是老朋友了，那本《百年情色史》的不少資料，就是從神州搜集的。並且還提供了擺花街得名的異說：那條街的洋娼大凡正常開張接客，就在門前擺花一束，以作標誌，日久相沿成習，遂名"擺花"云云。

不論如何，"擺花"早已成了香江傳說。窄窄的擺花街上，花香已遠，僅餘書香，青樓已無花月痕，書中似有顏如玉，我們惟有在故紙堆中尋找艷遇了。

凌晨四點

馬征

週六，凌晨四點，應該算是凌晨，不是清晨，天還完全黑著。我放下手中的書，迷迷瞪瞪地從床上起身，躡手躡腳地下床，怕吵醒妻子。

下樓，打著車，撥通大亮的電話："我出來了。""好。"出小區向西開，過了紅領巾橋向北，路上沒什麼車，不到十分鐘，就到了石佛營。大亮在路口孤零零地站著，戴個厚實的毛線帽子。上得車來哈著氣說："真他媽冷！"

車子掉頭向南。再折向西，朝東三環開，到京廣橋左轉上主路，我開得很快，直奔潘家園。大亮從挎包裹掏出幾本用塑料袋包著的書，回身放在後座上，我邊開車邊問："二百一吧？完事兒一塊兒給你。"大亮低聲回了一句："給二百吧。"

和大亮是在潘家園地攤兒上認識的，他賣我買。買著賣著就熟了，後來他也不擺攤兒了，只在孔網上賣，每天上拍二十件，堅持不懈，很快成了孔網的明星賣家。每週六我們都約著一塊兒去潘家園，四點半開門兒，攤主進去擺攤兒，我們要在開門前到，趕著第一撥兒。

四點二十五，潘家園西門外已是人頭攢動，都捂得挺嚴實。轉圈兒掃了一遍，該來的都來了。沒看見的應該都在北門兒呢。西門門垛上支著一大瓦數的碘鎢燈，明晃晃的。大家紛紛翻看三輪車上手推車上一捆一捆的舊書，這車是誰的，那車是誰的，攤位在哪兒，有沒有好東西，心裏有了數兒，待會兒好有的放矢。

四點半，大鐵門嘎啦嘎啦一陣響，人群慢慢挪動著往裏擁。我和大亮短暫地走散，在舊書區的入口又聚合，他打開手電，東看西瞧，我掏出一戶外專用頭燈戴在頭上，打開開關，這樣可以省出兩隻手，翻書看書方便，大亮打量著我搖搖頭咧嘴一笑，我問："行嗎？""太行了！"

跟緊大亮是關鍵。他天天過手舊書，眼毒。他蹲下去我也跟著彎腰，他放慢腳步我就順著他的眼光踅摸，他快走我就緊跟。大亮動作果敢迅捷，我漸漸地有些跟不上了。人越來越多，黑影綽綽，四散奔突，我如沒頭蒼蠅東一頭西一頭地瞎撞，不一會兒，也有了五六本的收穫。

不到五點，大亮的一個手提布袋已經裝滿。半明半暗中，看到老孫的媳婦正蹲在地上從袋子裏往外掏書，我三步兩步趕過去，叫了聲兒"嫂子"，蹲下，一本一本地看，老孫媳婦呵呵樂著說："你這燈不錯，怎麼琢磨的……"挑了一本，二十塊，交錢的時候問："孫哥呢？""誰知道！你這燈不錯……"再找大亮已不見了蹤影。

天麻麻亮，老吳頭尖利的嗓音劃破拂曉的天空：“就這破東西你要八百？！瘋了？！就三百！……”循聲看去，老吳頭正轉身從王富的攤位裏往外跳，以他五十多歲的年紀，有這身手實屬不易。王富手裏捏著三張百元鈔也不追，笑著嚷道：“再加一百！”老吳頭回轉身掏出一百塊錢遞給他，把雙肩背包卸到胸前，將書塞進去，抬頭和我打了個照面兒，“看看都買什麼了。”我撐開布袋兒讓他看，老吳頭邊看邊數落：“都是破爛兒！這本兒多少錢？”“十塊。”“那還成！……不是跟你說了嗎，別攢這種叢書，就要那兩三種少見的，其他的你早晚後悔，怎麼不聽啊？！”

　　五點半，我正蹲在一攤位前目不暇給，有人從背後用膝蓋拱我，我差點兒一頭栽倒在書堆上，不用回頭就知道是大郎，這是他跟我打招呼的方式。大郎姓劉，陝北人，他個子矮，又黑，大家都管他叫大郎。我回身摟著大郎的脖子，伸手掏他的包，他邊躲邊說：“哎呀沒什麼沒什麼！”一口濃濃的陝北話我最愛聽。他包兒裏只有七八本兒外文書，品相都不好，作罷。

　　突然，幾個人健步向杜三兒的攤位撲去，剛才不見蹤影的大亮以一個漂亮而標準的大跨步騰空躍起，一步跨進了攤位，把腦袋幾乎要伸進編織袋裏，頭也不抬地翻檢，杜三兒的攤位瞬間已是人頭攢動密不透風。我在外圍擠不進去，乾著急，伸著脖子往裏看。杜三兒人已經看不見了，只聽到他急赤白臉的喊聲從攤位深處傳出來：“別瞎翻別瞎翻，不賣呢不賣呢！”杜三兒是小杜的三弟，小杜是潘家園大佬級的書販，帶著弟弟進了這行兒。小杜幹得早，趕上好時候兒了，後來和人合著開了合眾書局，時間不長別人退出他自己接著幹。他在潘家園也有攤位，媳婦看著。大亮翻了半天挑了二三十本兒，和杜三兒小聲兒商量價錢，交錢，裝包，把三個已經滿滿登登的布袋子交給杜三兒說：「先放你這兒，我走時來拿。」杜三兒點點頭，把三個布袋兒一股腦兒放在身後鐵皮櫃的頂上。大亮擠出人群，和我肩並肩地往東走，掏出煙來點上，像是剛取得了一場戰役勝利的將軍，臉上掛著不易察覺的微笑，自言自語道：「還不錯。」

我在緊東頭兒的一個攤位前蹲下，抄起一袋兒榮寶齋散頁裝的木版水印《齊白石花鳥》，慢慢地抽出來對著目錄數著頁數，問：「多少錢這個？」「五百。」「三百成嗎？」「不賣！」「最低多少？」「五百。」「給你加五十。」「不賣。」我抬頭看看攤主兒，不熟，站起身：「四百吧？」「不賣。」大亮在身後拽我小聲兒說：「甭理他，抻他一會兒。」我放下東西轉身還未走開，身後就有人問：「五百是嗎？」「是。」「要了。」我看著大亮，大亮若無其事地說：「太高了。都瘋了。」

六點半，天已大亮，從東往西從西往東，不到百米的舊書區已經往返了十幾個來回，西邊入口有個垃圾桶，垃圾桶周遭是買賣舊書人群的社交場所，這時已聚起幾堆兒人，抽著煙聊著天兒。戴眼鏡兒嗓門兒大的東北人白哥是社交中心，腦袋上歪歪扭扭地扣著一頂阿迪達斯的棒球帽，他喜歡名牌兒。白哥看到我，嘿嘿笑著湊過來遞我煙，問：「咋著？買著啥好東西沒？」「有你們各位在我還能買著什麼嗎？你呢？」「我跟你說哈，今天這東西太他媽牛×了！」「什麼呀？」「你不要，你不收這個。""我瞧瞧我瞧瞧，開開眼學習學習。"白哥拉我到一邊兒，跟接頭兒似的衝牆站著小心翼翼地拿出來：鄭振鐸《中國俗文學史》上冊，還沒等我問，白哥興奮地翻開扉頁："批校啊！你瞧瞧你瞧瞧，批了他媽多少？！老多了，你瞧你瞧！太他媽牛 × 了。"我點著頭："真好真好，多少錢？"白哥收起書："你不要，你也不收這個。"我知道他已經有下家兒了，就沒再問。

國槐若即若離地站在人群外邊兒，也不說話，靜靜地吸煙，懷裏抱著一本厚厚的《十年中國繪畫選集》，心事重重的樣子。我拿過來翻著說："不錯嘛！多少錢買的？"國槐不好意思地笑著說："八百……""這麼便宜？！""我還以為今兒撿著了呢，沒細翻也加上天兒太黑，剛才細看了，缺頁。""缺得多嗎？""缺五頁。""我那兒有本兒全的，給你彩色複印補上吧。""行啊，那敢情好。"

大亮叫我："再掃一遍吧？""走著。"從西向東再折回來，基本上沒什麼漏網的了，每次都得在臨走時再掃一遍，要不心裏老不踏實。

七點十分，小周拉著個箱子和我們走了個對面兒，問我："要走了吧？""沒什麼了，一塊兒走吧？"小周扶了下眼鏡兒說："今天起晚了，我再看看，你們先走吧。謝老師剛才找你呢，聽說你撿漏兒了，正滿世界打聽呢。""他在哪兒呢？別聽他們瞎說，什麼漏兒呀！"大亮問我："什麼呀？我沒看見呀？""《敵後武工隊》。""精裝的？""是，關鍵是帶護封。""那趕緊走吧，這要讓謝老師看見，非得急嘍！""我覺得也是，撤吧。」

七點二十，大亮從杜三兒的攤兒上取了那三個布袋，加上手裏的一袋，都裝得滿滿的。我幫他拎著一袋，倆人還是從西門出去，上車，大亮開始從包裹一本一本地往外掏，我一邊開著車，一邊看著他掏出的書：「這本兒我要了……這我也要……這本兒不錯，就是品差點兒……」從大亮的袋子裏又挑中七八本，大亮給我算了書款，又將書重新裝好，車子正好也開回了石佛營。路上還是接到了謝老師的盤問電話，聽說確實是精裝帶護封的，謝老師急赤白臉地問我：「多少錢買的多少錢買的？」「二十五。」謝老師一聲慘叫掛了電話。

七點五十，倆人又累又餓，飢寒交迫般走進路西的一家清真早點舖，點了四個燒餅夾肉，兩碗炸豆腐，兩碗小米粥和兩個茶雞蛋，外帶一小碟兒鹹菜，風捲殘雲般吃完。大亮交了早點錢，二十八塊。倆人吃完又點上支煙，說著這一早上的所得所失。我問大亮剛才看沒看見小劉兒那本啟功的簽名本，大亮邊戴帽子邊說：「瞅了一眼我就知道不對，總共七個字，深淺都不一樣，哎你說就憑啟功能剛寫倆字兒就蘸回墨又寫倆字兒又蘸回墨嗎？！忒不靠譜了也！」「有道理有道理。」

八點二十，我和大亮走出早點舖，大亮把我挑好的書還是放在後座上，算上那二百，一共四百六十塊。他收了錢從車上取了四個袋子拎著跟我道別，我目送著他進了小區。

回頭看，街上已是陽光耀眼，車水馬龍。

這一個週六的早晨是 2004 年至 2007 年間的往事，這樣的早晨已記不清有多少個了，我從 2008 年開始就不逛潘家園了。

前兩天和大亮夫婦、老孫夫婦吃飯，問他們，大亮已經很久不去了，老孫只是偶爾去一趟。老孫媳婦還記得我的頭燈，呵呵樂著問我：「哎，你怎麼琢磨的？」我們約好，過了這蛇年的春節，再去逛一次。大亮已在前年買了車，到時可以開車來接我了。

買書家

戴芒

　　愛書人常常自稱或被稱"藏書家"，一般理解，"藏"是"珍藏"，一是有珍可藏，二是精心保存。我總覺得自己不夠格，既沒啥珍本，珍藏也說不上，不是堆著就是擺著，不敢稱"藏"，於是學紐頓的那本小書《聚書的樂趣》，自稱"聚書"。等到了自己賣書，所聚之書開始流散，"聚書"也成了空，只剩下不停買書了，從此自稱"買書家"。

　　我從高中在書店站讀，到走進華東師大的圖書館開始有了藏書的想法。師大書亭是天天巡閱的地方，大學畢業時帶了三十多箱書回家。工作之後雖不停買書，但地處西南一隅，所得甚少，基本局限在新書的範圍，直到互聯網的到來。

　　2002年，那是一個春天。木兆軒主人的《我最難過的一天》，把我帶到天涯論壇，從此走上不歸路。從史眼鏡的讀書生活舊書肆、布衣書局直到天涯的舊書交易所和天涯書局，泡壇子，跟帖子，以當第一大網兜為樂。

網絡使人眼界和錢包一起大開，新書已經無法應付，舊書又滾滾而來，書房變成了書倉，書齋鬧起了書災。到手的薪水轉眼變成書，弄得窘困異常。全部精力和財力都用在買書上，再也沒有閱讀的快樂，獲得一本書的快樂被捆載而來的書堆壓得沒有了空間。看到高臥東山寫的胡同，我說好多人都看到了自己的影子，其實是看到了自己。

　　終於開始在網上賣書，不想用大家熟悉的 diamonds，於是隨手註冊了一個"唐岱"開始拍賣，後來開通了迅客書房。先是賣存書，後來從國外網站進貨，走上國際倒爺之路。我的買書，逐漸變成了為賣而買，我成了一名舊書買手，當然，也可以有更好聽的叫法，舊書獵手。

　　早期很簡單，清宮和民初的題材比較受歡迎。後來競爭加劇，於是開始拓展題材，那真是上窮碧落下黃泉，動手動腳找東西。從傳教士到漢學家，從藏書票到石版畫，從限量本到簽名本，無一不可買，只看你如何找出賣點，如何挖掘其價值而已。最遠的賣家在阿根廷，我在那裏買了一本 1900 年西班牙出版的藝術雜誌，還有個賣家在以色列，每次想到這一點就覺得神奇。身邊的朋友們都戲稱我做的是國際貿易，幣種多樣，鬧著說要幫我操作匯兌損益和套期保值，我只好笑罵叫他們滾蛋。

　　自從開始賣書，特別是成了國際倒爺，慢慢知道，當個買手也不是那麼容易。當你為了要賣掉而買進一本書的時候，你不再一往無前了，你會猶豫，會遲疑，會瞻前顧後。還好，這樣的問題沒有困擾我太久。我很快明白，買手的精髓是要相信自己的判斷、自己的眼光，認定的事情，堅持去做，功利心少了，生意反而好做。一個人的精力和財力都有限，什麼品種都想經營或者收藏，也是不可能的。我在國外買書之始，一心要高古，搖籃本、阿爾定版、傳教士之類的，雖然很早就注意到一本張愛玲小說初版，極便宜，賣家註明有原藏者筆跡，並想過那說不定就是張愛玲自己的簽名，但一直沒下手，總說把錢留著買別的，後來被人買走，才知道那是張愛玲簽名送陳世驤的。遺憾之餘明白，要買到好書，除了錢，還是要隨緣。

跟書打交道的二十多年裏，自以為沒有虧待書，做過星探，也救過風塵，下面就顯擺一些得意的，也算敝帚自珍吧。

《北京—巴黎汽車拉力賽》。1907 年 3 月，法國《晨報》提出要舉辦一次"北京—巴黎汽車拉力賽"，而清政府最終竟然同意了。1907 年 6 月 10 日早晨，十一名勇敢的車手和五輛汽車，從北京公使館區的法國兵營出發，他們穿過了中國和俄國兩大國，途經長城，跨過戈壁大沙漠、烏拉爾山脈和普魯士屬波蘭。因為許多地方沒有路，要靠人抬著車走，僅僅從北京到張家口就走了一個月。8 月 10 日，意大利人伯吉斯王子首先到達巴黎。這是人類歷史上第一次洲際汽車拉力賽，此時距離汽車的誕生僅僅二十一年。兩個月的冒險旅程，由當時隨行的意大利《晚報》記者巴津尼用詳細生動的文字和一百多張珍貴的照片記錄了下來，並以德文瑞典文等多種文字出版了這本書。我第一次在 abebooks.com 上發掘出來，以一本瑞典文版本拍賣到四千一百五十元的高價，算是輝煌的成績。

1837 年巴黎排印的中法文對照的《四書之一大學》，這是第一種外國人採用勒格朗拼合活字排印中文的書籍。拼合活字，將漢字分偏旁部首分別鑄造，再組合成字，類似於英文字母組合成單詞，這一工藝真實反映出西方思維方式對東方文化的粗淺理解，在印刷史上有極其重要的意義。由於拼合工效實在太低，這一方式只使用了很短時期便停止了使用，相應的印本書很少。這幾年市場上出現過數本，除了一本隨羅聞達藏書歸了上圖以外，都歸了我。從勒格朗活字始，先後又買到幾本拼合活字排印中文的德版書。

《教皇格里高利九世教言集》。西方目錄學家把 1450 至 1500 年間活字印刷的印本書稱為搖籃本，電影《後天》中最後一本被投入火中取暖的《古登堡聖經》就是最著名的搖籃本。《教言集》，拉丁文本，1485 年法國里昂出版。據沈弘教授的研究，大陸地區僅在北堂藏書中發現搖籃本四種五冊。所以當重慶海關的關員看到此書的報關單上填著數千美元，特意通知我去當場驗看時，我很自豪地告訴他們，這樣的書，全中國也沒幾本。

《〈福力太子因緣經〉吐火羅語本的諸異本考》。這是季羨林先生用德語寫作的成名論文，發表於 1943 年的《東方學報》。我說的書，其實就是那一期的《東方學報》。此書曾想請季先生簽名，可惜沒來得及，後來成為我書店開張的第一個訂單，2012 年底，又有求購者表示不惜代價想要尋找一本，我將另一本存書按原價給了他。價格雖然不高，但能找到如此偏門的東西，心中還是充滿了成就感。

《資本論》。1947 年讀書出版社再版的藍布面精裝本，版權頁上有"道林紙限印本計三十五部非賣品"，書脊燙金字"眉叔珍藏"。此書 2003 年於孔夫子舊書網拍得，並由此開始收集《資本論》各種版本，一年之內先後買到 1938 年讀書生活出版社初版五冊平裝本、1947 年讀書出版社再版三冊護封精裝本、1948 年東北解放區光華書店版精裝本、1950 年三聯書店五冊平裝本，品相都非常好。我還特地寫信請教范用先生特裝本的問題，范先生回信說，他自己就有這種特裝本，眉叔是誰，已經不記得了，但肯定是和讀書出版社有關的人。

《中國裝飾紙》，Bird & Bull 出版。這個出版社專門出版印刷史出版史的書，幾乎每本都是精美的摩洛哥羊皮裝毛邊限量本。《中國裝飾紙》的作者 Hans Schmoller 供職於企鵝出版公司，是一名字體設計師，負責圖書設計。他的前任就是 Jan Tschichold，這個名字一般人大概不熟悉，其實拍場上深受追捧的英文版德文版《十竹齋箋譜》《北平箋譜》，就是 Tschichold 編印的。Schomller 夫婦的一個朋友，老婦人，收藏有 1933 年進口自中國的三千四百五十張裝飾紙，由廣東佛山祥新號發賣。他們買下整理出版了這本書，限量發行三百二十五本，每本收錄紙樣三十種，猶顯珍貴。其實這類裝飾紙，有不少用於印書的例子。曾為董橋激賞的蘭姆《燒豬文論》、1961 年私印僅五百本的《歌德英文作品》，都是這樣的紙裝幀封面或者函套的。Bird & Bull 還出版過限量三百二十五本的《中國手工紙》和僅一百二十本的《中國竹紙》。

買賣了這麼多年書，心中還是一直有一個開書店的夢想。這個夢想，往小了說，就是有個大大的房間，很多書架，大大的桌子，大大的電腦，固定的攝影台，還有個吧台和餐台，可以供朋友小聚，很愜意的那種工作室。往大了說，就是開一個巴黎左岸的莎士比亞、舊金山的城市之光、紐約的高譚那樣的地標書店，讓全世界知道中國也能有這樣的舊書店。

明知實體店是沒有希望掙錢的，為什麼還要開，借用董橋的段子來解釋，最直接不過："這些書都那麼稀罕了，你索性關掉門市在家裏弄個辦公室做郵購生意不是更省事？"Leonora 似乎不忍心多看比爾滿臉歲月的腳印。"關在家裏做郵購生意我肯定見不著像姑娘你這樣動人的顧客了。" 他輕輕掂著 Leonora 的手欠身親了一下。

有人說最偉大的遊戲是愛，最愉悅的收藏是書，正是書之愛讓我覺得平淡的生活有了色彩。對我而言，喜歡書，每天能巡閱古今中外各種各樣的書，這樣的人生已足夠愜意。希望有一天再也不用上班，每天都能找到一本自己喜歡的書，並且能在自己的書店裏安安靜靜地把她看完，如同欣賞心儀的美女。

海外搜書記

林百川

五年前的一個下午，我在 ebay 網上浩如煙海的信息裏尋找感興趣的畫冊。那些我感興趣的畫冊到底在書的子目錄下，還是在所謂古董的子目錄下，搜索的結果總是數十篇密密麻麻的網頁，忙乎半天頭昏腦漲一無所獲。這時來了一個幾年前移民加國的朋友，回北京來看我。他是個 IT 人士，全然不懂舊書，見到我書架上插滿九十年代以後出版的新畫冊，很是驚奇，問我是不是花了很多的錢。我說不算貴，都是書市上買來的，打了很低的折扣，大部分也就是一兩百塊錢。他說那很便宜啦，比這個薄得多的書在加國也得幾十個加幣，甚至更多，還是中國的書便宜。我說那是當然，我們掙的是人民幣，跟你們是不好比。我問他在加國有賣舊書的麼，他說舊書沒見過，現在都在網絡上買書，誰還去書店。我說舊書也有貴的，老畫冊賣幾千的也有。你的英文好，你幫我看看網上有沒有中國藝術的舊書賣。他說這還不容易。但他在電腦上忙乎了半個小時，卻也沒整出個所以然來。最後他說你搜索的關鍵詞可能有問題，比如宋人畫冊，老外可能不講什麼 Painting of Song Dynasty 云云，他們經常用的就是拼音，只是拼法可能與我們稍有不一樣。我說，拼音？這倒是真有意思，是不是什麼魏妥瑪？他說差不多吧。他隨手打出 song ren hua ce 回車，出來的結果出乎我的意料，有一家書店就有兩本正是我要尋找的書，古典藝術 1957 年初版與人美 1959 年再版，店主很詳細地描述了書的品相，大意是有些小瑕疵，總體還是不錯，分別賣一百五十美金和一百美金，比當時國內的拍賣價便宜多了，琉璃廠曾拍過一本四千多塊。朋友告訴了我如何用信用卡支付等等流程，十分鐘就幫我搞定。我從來沒在國外的網站上買過書，不知他們的誠信如何，我在孔網上曾有幾次與無良店主不愉快的經歷，心情很是忐忑不安。我當時並不知道，從這本書開始，我悄悄開了海外搜書的一扇門。

幾天後聯邦快遞就把書送到我的辦公室。書的品相非常好，平整乾淨，護封外函都很完整，看來老外對於品相的要求很嚴格。有了這個愉快的開端，我開始把興趣從孔網轉移到海外的幾家大的舊書網絡平台。買得最多的是 abebooks，最多的一年我從 abebooks 上訂了兩百多本舊書。我差不多買了兩三年，開始關注的多是大陸出版的老畫冊，這些書多見於大大小小的拍場，孔網上的知名店主也列出了非常詳細的目錄。等買得差不多了，我把興趣逐漸轉移到海外出版的中國藝術方面的畫冊。

當時並沒有什麼這兩年大熱的古美術文獻的概念，只是單純地喜歡畫冊。現在看起來文獻的說法相當準確，歐美人並不把畫冊當成什麼了不得的東西（除了極少數的豪華限量簽名本），主要還是把畫冊當資料來用。比如美國人出版的中國古代繪畫的畫冊為最多，他們可以把夏山圖和鵲華秋色圖出成兩本大畫冊，但重心還是放在研究之上。

其中有一些是非常少見和喜歡的畫冊，印象比較深的幾種，我列舉出來。

被譽為民國第一畫冊的《項氏藏瓷》，四百多美金。

大家印的《故宮名畫三百種》初版，三百多美金。

《榮寶齋新記詩箋譜》1951版，一千二百美金。

香港開發的《藝苑遺珍》七冊一千多美金，四僧八大十八冊全一千多美金。

《故宮藏瓷》，清瓷全一千多美金。

華爾納的《萬佛峽》，二百多美金。

《波士頓藏畫》，二卷全一千多美金。

《五至十四世紀中國雕塑》，一千美金。

《北京皇城宮殿》，二千美金。

霍布森的《明代瓷器》與《中國晚期瓷器》限量豪華簽贈本，小牛皮封面，日本手工紙，兩本差不多一千美金，最為難得的是這個特別版本只印了二十六冊！

《中國瓷器和寶石》，四百多美金。

當然大量的還是關於中國藝術的普通書，但若是收集成規模還是蠻有意思，比如華美協進社1966至1986年全部三十八冊的展覽目錄，能夠比較完整地展現當時美國人對於中國藝術的一些看法。如果與我們同期的展覽目錄對比，還是可以找出相當多的視角不同之處。再有加州中國古典家具博物館出的十六冊刊物，研究水平遠在同期中國大陸的出版物之上。

2007年我去了趟日本的公差，特意找了一家離神保町很近的酒店。我花了一天的時間去逛書店，當時給我很強的震撼，好書太多了，大陸出版的，港台出版的，更多的是日本出版的有關中國藝術的畫冊。畫冊太多了，讓我有如入寶山望洋興歎之感。畫冊的價格各個店相差甚遠，但總體來說都可以接受，當然與現在的拍賣行情相比，都算是便宜了。比如我買過一套初版的《東洋陶瓷大觀》，皇皇十二巨冊，算是很貴了，也不過四千多塊人民幣。《西域美術·斯坦因藏品》比較常見，不過三千塊，《西域美術·伯希和藏品》少見些，當時就賣到一萬元。不過我當時的興趣更多在大陸的出版物上，比如"文革"前出的考古學專刊，我曾經找到特種第一《殷契摭佚續編》和第五《敦煌掇瑣》，都是不太常見的書。當時我在一家店裏找到香港初版的沈從文先生的《中國古代服飾研究》與王世襄先生的《明式家具珍賞》，都是赫赫有名的大著，也不過一千塊錢，當時嫌沉還把《珍賞》放下了。

那天最有意思的是錯過的一本天漏，1933年初版的《北平箋譜》，在東城書店售一百二十多萬日元，當時合八萬多塊人民幣，我當時跟日本的朋友聊起這本書，他們認為一本上世紀三十年代的書賣一百多萬完全是不可思議的，我曾經動了心，但這個價格對於當時的我來說，還是高不可及的。幾個月之後據說是中國書店把它買了下來，當年就拍了四十多萬。

書並沒有買多少，但大畫冊都很沉，回國的時候我在機場還交了六百多的超重費。日本的消費很貴，為了買書經常去不現實，不過我很快找到了日本的舊書平台——古本屋。在日本的舊書平台找書比在 abebooks 上容易多了，大多數只需簡單地把簡體中文轉換成繁體中文就差不多了。日本的大多數舊書店並不接受跨國送貨，這成了我最大的一個難題。我日本的客戶幫了很大的忙。我把搜到的結果發給他，他幫我下單接貨然後再給我寄到中國，前前後後發了二三十個大大小小的箱子。最後日本海關的人給他打電話，問他發到中國這麼多的書是幹什麼，搞得我朋友很緊張。海關不過是例行公事，但我不願為個人愛好給人添太多的麻煩，後來就很少從日本買書了。

　　去年夏天我又去了趟日本。第二次來到神保町，和四年前的光景已經大不相同。我發現中國藝術方面的書幾乎無影無蹤，不要說是中文書，就是日文書也很少見到，零零星星的幾本也是常見的小部頭。與中國藝術相關的古美術文獻在神保町就像是被颱風席捲而走了。據說近幾年有很多舊書商到日本淘書，可想而知一波又一波，還能夠餘下什麼值得一淘的舊書？神保町依然熙熙攘攘，人流如織，不過橋歸橋路歸路，書都是關於日本的書，關於中國藝術的書都回到祖國大大小小的拍賣會和舊書店了。

　　網絡上的畫冊又好又多，難免有些審美疲勞。有言曰，取次花叢懶相看。我開始挑挑揀揀，有些書就等以後再說吧。有好幾本因為我求最低價，被告知缺貨，我也懶得再去加點錢尋一本。在拍場上，海外回流的書越來越多，有些標籤都保留著，作為曾入豪門的標誌。海外的書漸漸貴了起來，而且東西越來越少。以前搜個齊白石的關鍵詞，能搜出十來頁的結果，大部分是一二十美金，最貴的木版水印也就是幾百美金，現在動不動就是幾百幾千美金。沒過多久，我就很少再買類似的書。直到有一天發現我曾經買過的圖錄有了新的名詞，古美術文獻。書的價格已經完全陌生，對我來說是不同數量級的天價，我打開電腦去搜尋，發現那些堆積如山的書早就不見蹤影，餘下的一些也已然是與國內拍賣會同樣的天價甚至更貴，我把以前的記錄翻出來，找當時沒有買到的幾本書，現在的價格都是上千美元，而當時訂單不過數十美元！

我經常買書的一家店因為我是老顧客，曾經給我一個不錯的折扣，後來給發了這麼一封郵件，表示抱歉不能再給我相應的折扣。他是這樣說的："My boss informed me today that we can no longer offer a discount on the individual volumes from this set that we actually have. A sudden and strong demand for them has arisen in China and we are getting many requests and our stock is dwindling. We still have copies of the ones listed on our website, but they are going fast."

海外購書對於我來說，無論是興趣還是熱情，已然漸行漸遠了。

網絡上的中國古美術文獻，曾經敞開一扇門，讓我大開視野流連忘返，這扇門已經對我緩緩地關上了。

我和《述學》的緣分

海上散木

　　初次聽到汪容甫的大名，是在我很小的時候，舅爺家的晚宴上。那時祖父的身體還算壯健，年節時偶爾會帶我們兄弟倆回鄉會會親，解解鄉愁，似乎還有點拜望下我們新柳堂一脈祖基所在的意思。也就是那麼一個暮冬的夜晚，一間普通的農家小院，一位在維揚城裏瓊花觀邊教中學語文的遠親，微醺之後談起了他所崇拜的鄉先賢 —— 汪中汪容甫。而我能記得這個名字，卻不是因為後來所熟知的一代通儒的赫赫聲名，而僅僅只是因為他的文集名叫"數學"。大文豪寫了本數學？這個美麗的誤會一直伴隨了我很多年。

　　不知道是不是一語成讖的關係，高考時，出於稻粱謀的考慮，承母命棄文就理念了數學系。但總是內心耿耿，不能自已。由此也越發記住了汪容甫和他的文集，其時卻也早就明白了它真正的名字 ——《述學》。本科畢業後，因工作關係常奔走於滬寧之間，前途一片茫然。也許是天意如此吧，某個初春的下午，不知因為什麼原因走進了楊公井那間不起眼的小屋，從滿架故籍中隨手抽出一本，翻開一葉，"同治八年己巳五月揚州書局重刊"十四個篆字就這樣一下子呈現在我的面前。

事隔多年，現在卻已回想不起當時究竟是什麼感覺了，好像是眼前一亮？又似乎是被電擊了一下？還是天降大任於吾身？也許是兼而有之吧。但不管怎樣，這兩冊薄薄的黃紙本《述學》替我打開了一扇門，一扇古籍收藏的大門。即便後來有了更多更好的善本，拍賣場上也多次有機會換到品相更愜意的白紙本同治《述學》，我也終沒捨得丟棄掉這部有奠基石意義的古書。

人大多有得隴望蜀的毛病，我自然也不例外。在以後的日子裏，我到處收集有關《述學》的資料，結果彙攏了一看，頓時傻了眼：光從卷數上算，就有二卷本、三卷本、四卷本、六卷本、七卷本、八卷本、九卷本之分；從字體上看，還有宋體、元體、大字、小字等等。至於初刻到底是在乾隆五十五年還是五十七年，初刻本到底是三卷本還是四卷本，更是聚訟紛紛，沒個定論。就這樣過了一陣，直到 2003 年 8 月的博古齋小拍上，突然看到一部白紙精印的《述學》，版刻風格像是嘉慶道光時候的樣子。更重要的是，在王念孫所作序的最後一行，還印有這樣幾個字：江寧劉文奎子觀宸仲高鐫。根據記憶所得，我立刻意識到這是《述學》所有版本裏，最為精要的劉台拱、顧廣圻校刻本。於是不顧一切，和一位"眼鏡兄"從一千元開始競爭，一千一、一千二、一千三……你來我往，一直爭到了兩千。"眼鏡兄"終於遲疑了一下，搖了搖頭，把這部書拱手讓給了我。

事隔幾個月，某次到古籍書店四樓進行例行的古籍"巡檢"時，在那兒設攤的"眼鏡兒"叫住了我，神秘兮兮地從架子底下抽出一冊書遞過來："我這也有一部《述學》，只有兩卷，看你要不要？"我半信半疑地接過一看：呀，是阮元刻的文選樓叢書小琅嬛仙館敍錄本。就這樣，第三部《述學》也進了我的家門。

劉台拱、顧廣圻校刊六卷本《述學》

大概是在 2005 年吧，有陣子布衣書局在網上折價賣黃永年先生編著的《清代版本圖錄》。我貪便宜，便也弄了一部回來。閒暇時經常翻一翻，一方面是和《清代版刻一隅》做個對比，看看這位老學長的挑書眼光，比較下"兩黃"的異同；另一方面，也是有意識地補補課，以圖對有清一代的版本情況有個全面的瞭解。不出所料的是，在這部圖錄裏果然看到了《述學》的名字以及它的版本介紹："清道光三年汪喜孫刻本。《述學》刻本最多，此其子喜孫最後編定仿宋小字刻足本，最後又附入《春秋述義》二葉，惟外篇六葉首行'無所惑'上鏟去五字，十葉首行'誣'字上鏟去四字。刷印精美，《四部叢刊》即用以影印。至未鏟字本世尚有之，惟未附《春秋述義》，轉不得謂足矣。"把這段話拿來和我那部白紙精印的《述學》比對一下，果然發現在博古齋買的就是稀見的未鏟字本：外篇六葉首行"無所惑"上有"宋諸儒道學"五字，十葉首行"誣"字上有"宋以後愚"四字，沒有《春秋述義》。那麼，鏟字本又會是什麼樣子的呢？我陷入了遐想中……

很快，一位在拍賣公司做事的兄弟打來了電話："你不是在收《述學》嗎？我們這次有一部，來看看吧。"預展那天，我花了很長時間，仔細地把這部《述學》來來回回翻了好幾遍。有《春秋述義》，有附錄，外篇第六葉缺了"宋諸儒道學"，第十葉除了"宋以後愚"外，連"誣"字也沒有了。咦，王念孫序那葉最後一行字怎麼也沒有了？板框外也沒有同治本特有的"景堂"等刻工名啊？這到底是哪個本子呢？看版刻風格和字體，倒是和我那部未鏟字本一模一樣啊。考慮了半天，最後決定，不管怎樣這也應該是部難得的本子，一定要買下來，結果花了上萬元才如願以償。書是買到手了，但版本問題依然沒解決，雖然我懷疑這就是那種鏟字本，但在沒有確證之前，懷疑就始終只能是懷疑。

好在此時，有關《述學》的研究成果開始多了起來。在網上公開的論著裏，以台灣林勝彩先生的《汪中〈述學〉版本考述》寫得最為詳實。雖然在林先生的論述裏同樣也存在著嚴重的錯誤，如將同治本《述學》校勘記中所講的小字初刻本認定為是嘉慶二十三年本等等。但他對在《述學》版本史上起承前啟後作用的劉顧校本的梳理卻是十分清晰的：劉顧本初刻於嘉慶二十三年，道光三年汪喜孫把它彙印進了《江都汪氏叢書》，而初刻本（嘉慶本）和彙印本（道光本）之間的文字又可能略有差異。忽然間，我的腦海裏不由自主地冒出了一個念頭：黃永年先生講的道光三年汪喜孫刻、外篇缺九字的鏟字本，應該就是彙印本吧？那麼未鏟字本呢？是劉顧初刻的嘉慶本嗎？嘉慶本和道光本的差異，是不是就是未鏟字本和鏟字本的差異呢？這個念頭一經產生，就一直縈繞在心頭，久久不能釋懷。

幾乎與此同時，拍場上又傳來了驚喜：北方一家拍賣公司在 2009、2010、2011 年連續推出了三部《述學》。其中，前兩部分別是大雲書庫劫餘和曼青先生舊藏，也都保留有江寧劉氏的刻書牌記。圖錄介紹說，這兩部書是同一個版本，"不僅存後印本所無的《春秋述義》兩葉，而且連外篇部分第六葉與第十葉後被鏟版的十餘字也完整地保存了下來"，其珍罕程度"連博識如黃氏者想必也未見過此本，不然不會有此語（至未鏟字本世尚有之，惟未附《春秋述義》，轉不得謂足矣）"。

而 2011 年那部更是黃永年先生齋中珍品之一。黃先生在這部未鏟字本的跋裏寫道："此壽萱堂舊藏，乙未冬以五金得之漢文淵。外篇六、十兩葉，板無剜缺，扉葉及附錄、《春秋述義》亦未補入，實刊畢初印。生平可見，惟碧雙樓藏王伯申本與此吻合。餘若小綠天藏本亦在寒齋，精美寬大，然已缺字，不若此本之可珍矣，壬寅三月廿六日記。此本內篇卷一（十四、十五）葉、卷二（十、十一）葉、卷三（二）葉，字跡略異，審是重刻王伯申舊藏本，亦然。"很明顯，黃先生在比對了碧雙樓本、壽萱堂本和小綠天本之後，認為最初印和初印的未鏟字本是沒有附錄和《春秋述義》的，這兩樣東西應該是在後印的鑲字本裏才看到的。因此，也就不存在什麼後印本所無的《春秋述義》兩葉。而恰恰相反，有《春秋述義》正是後印本的主要特徵之一。那麼，附錄和《春秋述義》到底是在什麼時候進入《述學》的呢？是在彙印的時候嗎？還是在這之前就真的有個未鑲字的足本呢？

困惑中，我苦思求解之道，偶然間忽而想起小學老師當初的諄諄教導：只要功夫深，鐵杵磨成針。下笨功夫，花死力氣。好在本地的圖書館在全國都算知名，我分幾天把館內所有的《述學》印本都調了出來，一部接一部地全翻了個遍，尤其關注其中標為嘉慶二十年刻的本子，果然有所發現：這七部書大致可分為三類。第一類中有兩部是和道光本《汪氏學行記》合刊的，都沒有刻書牌記，有《春秋述義》和附錄，外篇第六、十葉各缺五個字，和我買的那部鑲字本一模一樣。七部之中，還有一部單行的，也符合這種道光彙印本的典型特徵。第二類的兩部字精墨濃，一看就像是初印的樣子。其中有一部更是陶北溟的舊藏，館目列入善本的。這一類的特徵是都有刻書牌記，沒有《春秋述義》和附錄，外篇第六、十葉都不缺字，和我買的未鑲字本一樣。最有意思的是第三類，編號分別是長007671和長020343的兩部，像是前兩類之間的過渡性本子：都有刻書牌記、《春秋述義》和附錄，外篇第六、十葉都缺字。其中前者的缺字，收藏者出於求全的考慮全用墨筆補上了。而後者外篇第十葉的缺字則沒有完全鑲盡，"誣"字還能很明晰地分辨出來，跟《清代版本圖錄》中所列《述學》版本非常接近。

綜合這些情況可以推斷：從嘉慶本到道光本的演變次序應該是：有刻書牌記，未鏟字，沒有《春秋述義》和附錄；有刻書牌記，部分鏟字，補入《春秋述義》和附錄；有刻書牌記，徹底鏟字，有《春秋述義》和附錄；鏟去刻書牌記，徹底鏟字，有《春秋述義》和附錄。而區分嘉慶本（劉顧初刻本）和道光本（彙印本）的關節點，個人以為定在是否鏟去了刻書牌記上可能更為合適些。至於說在演變過程中到底有沒有出現過未鏟字足本，那就真的只有天曉得了。

回首往昔，離購入第一部《述學》已過去了十餘年，離第一次聽說“數學”更是隔了三十年。花了如許的時間，卻只是勾勒出了《述學》劉顧本的大致輪廓。此種吃力不討好的事情，可能也只有古籍收藏者這類世人眼中的傻瓜才會願意去做的吧。記得晚明名士張岱曾說過：“人無癖不可與交，以其無深情也；人無癡不可與交，以其無真氣也。”一想到自己這樣的“癖好”者，居然也可以是張宗子異代交接的對象，便也就心氣寧靜，泰然自若了。

我買書的那點事

方韶毅

    書架裏有一本花城出版社 1981 年 7 月內部發行的《小說面面觀》，扉頁註明購於當年 9 月。還有一本少年兒童出版社出版的《流浪兒》，夾著發票，日期是 1983 年 12 月 11 日。買這兩本書的時候，我讀小學，十歲出頭。這樣算來，我買書的歷史不算短了。

    但很長一段時間，我是胡亂買書。和自己不相關的書，因為裝幀精美或者出版社的名聲響亮，也要抱回家。自己需要的書，有時候卻因為裝幀醜陋或者出版社的惡名，棄之如敝屣。即使十年前寓居北京的那段日子，買書的眼界還只停留在收集三聯版書話叢書的調門上，過潘家園、琉璃廠而不入，錯過大好時機，現在悔之晚矣，真是恨居在京城不買舊書，枉帶回十多箱書了。我多次引用過 “書架是人生的目錄” 這句西諺，確實在理。一個人的心路歷程，趣味如何，水平高低，看看他書架上的書大致可以明了。

當然，如今這麼說並不表明我買書的水平有多少長進了。看見美的書，還是會心癢癢，就算不相關，亦忍不住順手牽羊。牛津版董橋著作我見一本買一本，就被眼高的朋友笑話過。其實，買書不就圖個快樂嗎？

胡亂買書圖快樂的後果是書滿為患。我有張剛參加工作時的舊影，是站在書架前拍的，不過百來本藏書。不經意間書架就塞滿了。一個書架不夠塞，一排書牆不夠塞。坐擁書城的感覺儘管美妙，但書價便宜房價貴，一個平方好幾萬，得不償失。

回想起來，我的藏書量猛增，大概有兩個階段，一是我進報社之後，拚命補課，又結交了幾個愛逛書店的朋友，受了刺激。二是定下一個買書方向，本來增長率應降低，但開始一段新的征程，往往有個反彈期。為了有所控制，我還採取了記賬的方式，看看自己一年到底買了什麼書，花了多少錢。成了家有了孩子，不能為所欲為。剛開始記賬的那年，正是我在網上收羅地方文獻最瘋狂的時候，書籍信札字畫數管齊下，費了不少錢。這兩年雖有所收斂，但對一個窮書生而言，還是一筆不小的負擔。

所謂定下一個方向，其實也是一個幌子而已。該買的書還是要買的，書以致用，所以我並不是什麼藏書家。說實在的，我有點討厭這個名頭。我一再說我只是個愛書人。我深知書籍推我成長，因此視之若寶。

我有段時間熱衷購買和書有關的書，寫作所謂書話文章，試圖形成一個專題，後來發現沒有出路。唐弢他們以書話當史，當今文學從版本學上討論，似無多大意義。而且現在的書話也是一個大筐，什麼都往裏裝。我轉而收藏近現代鄉賢著作。一個地方無論大小，總有些文化人，有文化人就有著述。何況近現代溫州處在文化拋物線的頂峰，出現了一大批文化人。

遺憾的是，溫州沒有像樣的舊書店。夏鼐寄售過舊書，鄧拓、趙萬里、路工來尋過舊書的古舊書店，早已成追憶。現在市區水心河畔有幾間書店，只是廢舊書收購站。偶有幾本地方文獻露臉，也被物以稀為貴大肆抬高了價格。舊城改造開始的那幾年，倒是有很多舊書流出來，可惜我沒有趕上，彼時讀書還沒有入門，對地方文獻更是一竅不通。

近幾年我所得地方文獻，十有八九得自孔夫子舊書網、布衣書局或京滬等地的古舊書店。2007年我先後得到《永嘉詩人祠堂叢刻》十冊、《敬鄉樓叢書》一至三輯六十冊，前者係孔夫子舊書網競拍所得，後者在上海古籍書店二樓角落發現。這兩套書是近現代溫州地方文獻整理的主要成果，零本易得，全套難求。得書時，曾記書賬，今日讀來依舊可感當時心情，故錄如下。

5月8日："去歲今春北京的幾場古籍拍賣會上，都有溫州文獻，但都錯過。如明版《真臘風土記》，成交價在四千元左右，未得，令人遺憾。還有一本同治十一年《東甌百詠》寫刻本，收錄《溫州竹枝詞》和《甌江竹枝詞》兩種，也未得。但想不到，最近孔網的武漢李軍竟找來一冊給我，可謂柳暗花明又一村。此乃溫州人寫溫州人刻，異常精美。雖品相沒有拍賣會那本好，但心足矣。一同買來的還有冒廣生刻《永嘉詩人祠堂》十冊，上次嫌價高，這次一併購買，砍了些價。雖然比起同類古籍，價格還是高了。但心存收集鄉土文獻的想法，也就不計較了。和賣主短信交流，知他是學文獻學的，現在武漢一家大學教書，賣的書很多是從一些學校圖書館流出的。此人頗知顧客心理，欲擒故縱了我一把，在網上拍賣的一些古籍也常有精品。我前次曾在他處買孫詒讓家刻本《水心集》。"

6月5日："每每過滬，總不忘逛逛福州路。雖然今日福州路已非昔日，但遺韻猶在。幾次經過，沒有什麼可得。上週六，卻有驚喜。在古籍書店二樓博古齋角落裏發現《敬鄉樓叢書》，一至三輯共六十冊，被圖書館精裝成十四函，品相尚可，標價六千元。因為難見齊全，所以狠狠心買下。當場電話問阿雅，說值得。心安了點。此叢書共四輯，尚缺第四輯十種。又在四樓修文齋購《疚齋雜劇》（上次所得乃殘本）及石印本《永嘉先生八面鋒》《琵琶記》。離開古籍書店天色已暗，急忙找了家旅店。晚在路邊小店喝了一瓶啤酒，吃了碗桂林米粉。有點興奮，卻也感寂寞。我等如此傾心地方文獻價值幾何？"

網上得書常有意外之喜。2006年底，我買到一本商務印書館民國十二年一月版梁啟超著《先秦政治思想

劉節批校本《先秦政治思想史》

史》，書上有少許批註，鈐有劉節印一枚。因為未見過此劉節的印，不能確定是否為溫州劉節舊藏。後來溫州一位記者金輝前往天津採訪劉節之子劉顯曾，我託他帶去鑒定，經辨認是劉節在清華學校研究院國學門所讀之書。劉顯曾特在書上題詞："難得見到此書，印、批註是我父的字，很珍貴。"

2008 年 7 月，一家書店上了一本缽水齋民國三十六年八月版蘇淵雷著《缽水文約》，書中有多處批改刪塗的痕跡，因蘇淵雷曾於上世紀五六十年代在黑龍江生活，店主疑是作者親筆。我抱著當普通本的心態買了此書。收到書一看，發現批改刪塗有二百三十來處，均為毛筆所寫，或改寫，或註明整段刪除，或勘誤，或修改標點，或調整詞序。一般讀者是不會這麼仔細的，我也懷疑是作者修訂。正好當年 11 月 18 日蘇淵雷學術研討會在溫舉行，我便帶著這本書去了。會上與我相鄰而坐的是華東師範大學出版社的季聰。他畢業於華東師範大學歷史系，是蘇淵雷晚年弟子。他拿著這本《缽水文約》仔細端詳了一番，說："這是老師的字，老師寫的小字就是這樣的。"我當即拿出會議贈送的《蘇淵雷全集》核對，果然所修改的與現出版印行的全集大多吻合。2008 年是蘇淵雷百年誕辰，故我請季聰題跋留念，他揮筆道："天南地北，百歲之時獲歸故里，大緣也。"

我一直以為藏書者要利用自己所藏研究點東西、寫點東西，體會鉤沉之樂，否則無異於"書的奴隸"。兩年前，我出版了一本小書《民國文化隱者錄》，就是以我收藏的地方文獻作為線索，展示民國時期的十幾位溫籍文化人的風采。最近我再次搬出我的藏書，開始撰寫《溫州老版本》系列。只是面對這堆書，不免有點失落。外面的人看我買書成癮，搞得熱鬧，幾年下來不過百多本，而且沒有幾本是大名頭的，沒有幾本是拿得出手的，沒有幾本是能入京滬等地大藏家法眼的。這或許就是心往地方文獻者的一點悲哀了。花一樣的時間和精力，結果卻大相徑庭。

南京圖書一老伯

林冠中

幾年前初訪南京街這間書店，店舖已從地面遷上一樓了。

店主是位七十多歲的老伯。他臉帶微笑，摸著有點異樣的發蓋，著我隨便看看，還加上一句：“所有書都有折扣。”牆壁、書架頂黏著“八折”的招貼。全店面積約千來呎，分前後兩廳。前廳佔大半面積，書架貼牆並列，居中是兩大張木台，桌上橫擺書籍；後廳黑漆漆的似是貨倉，並不亮燈，地上滿佈幾重高聳亂疊的書堆紙箱。他好像一下子猜到來客的心思：“剛搬上來，還沒執拾整理。那邊你也可以看看。”說著，他走過去，撤亮了後廳的日光燈。

“你怎懂得摸上來？”“哥哥來過一兩次，叫我上來看看。他專買功夫書。”“哦，那個做公務員的後生仔？徐家傑也常來買書，拳擊協會會長，你知道嗎？”我微笑點頭。

時值暑熱，我渾身汗濕在倉內爬了大半個下晝，興奮地挖出也斯第一本散文集《灰鴿早晨的話》幼獅精裝本，還有幾本香港求實出版社早年印行的聶紺弩雜文集，分別是《二鴉雜文》（1949 年 8 月）、《海外奇談》（1950 年 10 月）、《寸磔紙老虎》（1951 年 3 月）。其中《二鴉雜文》起碼換了兩手書主，首位讀者陳士衡君購於 1949 年 10 月 5 日；隔了十二年後的 11 月 6 日，再由鑒忠君漫評於書底；我將是第幾位書主？彼此共通點在於皆購自香港。神思之際，窗外天色漸暗，我抱著淘來的二十來本尚待標價書籍，怎忘行往結算。老伯手按計算器："這本二十，這本精裝三十，這本有點破，十塊好了……"然後他看著顯示屏總額："來，給你打個六折，再算個齊頭數好了。""呀，這樣便宜！謝謝呀！"他笑著："我姓利，下次再來。"

再次到訪時，利叔劈頭一句："你哥哥呢？"我措手不及："哦，他只找武功書。"話匣子一旦打開，他又提起徐家傑來，那個拳擊總會的，買很多武術書。他說："向氏家族那大哥也常來買呀，人斯斯文文的。"還有今聖歎，他神色黯然："他過身了。靖宇一手毛筆字寫得真漂亮！"利叔引我去看玻璃台面鎮著的一小幅字紙："你看，三兩句子，同一個'為'字竟有多種寫法，四！五！六種筆調！""今聖歎生前常來店內坐，那時在灣仔波文書店，他啖完午茶順步過來，一邊聽馬經，一邊揮筆寫稿，真是瀟灑！""他跟過毛澤東，後來給趕了出來。東方馬老闆很欣賞這人才氣，要聘做社長。他未應允，性情閒雲，只是每天替報社寫很多稿。時刻窩在小店，邊聽馬仔叫生生性性，另手揮就一篇又一篇稿件，還有空幫我收結書款。"利叔笑得帶點淘氣。

前廳的書定得稍貴。一本上世紀五十年代新文藝出版社精裝的《十日談》，標價一百五十元。只是打六折後，價錢顯得合理。兩本一套香港三聯繡像本《金瓶梅》，1990年精裝二印，定價五百元，稍高於新書市價。談過以後，他爽快給了個半價。逢跑馬日，利叔收聽馬經，興高采烈地會叫樓下茶餐廳送外賣下午茶。他請我喝過兩次奶茶。當時，他走到後廳看我這條書蟲滿頭大汗蜷伏地板："呀，拿張凳坐啦！冷氣機弄好了，我幫你開吧。你喝什麼？我請你飲奶茶。"我來不及客氣，喝起他叫來的外賣。收音機直播賽馬衝線，他隨手除下假髮乘涼，額頂光禿禿，活像個可愛的嬰孩。

　　以後幾乎每次來，他都要問："你哥哥咋不來？""讀書好呀！我最喜歡你們這些讀書人。幾十年前我在智源書局當學徒，看著郭沫若出出入入，跟隨過他。這人毛筆字一流，'智源'店號，就是請他寫。""對，'中國書店'招牌也由他書寫。"我答著。談興一來，他續說："智源當年進口日文書，代理很多大陸出版的書刊。後來，我在波文管店。波文出版了好多書，我看著很多讀書人來來往往。"我提起在舊書店買過幾本某位波文編輯讓出來的舊書，他說："呀，那人只愛讀書，和家人關係很一般。太太不讓他藏。"我微笑："我目前還好，娶著賢妻。"他翻閱我選購的一冊魯迅手跡："咦，他的字更好！細字很不容易寫。""胡適的字也很娟秀。"他搬來架上的《胡適手稿》，線裝十函，每函三冊。"看，多漂亮！""這套書要賣幾千，如果你買，可以打折。"我微笑："要留錢供樓，買不起呀！"他不以為忤："隨便看看，欣賞也好。"

他給我打過最多折扣的書，是一套合共八十來本，東方文庫民國十三年初版，約六十四開的小本書。這套我原只看中魯迅、周作人和胡愈之等人所譯的十來冊外國小說集，其他有關化學、科學、地理等書則不大了了，遂大著膽子問可否拆開散賣。他回答："讀書人什麼都要讀呀！"他看看書背定價三千："這個價錢只定來賣給圖書館。以後價太高的，你不妨說一聲。"結果，整套書他僅折以一成多標價廉售。

利叔頗信任我這個晚來的讀者，總是任由我這裏爬爬，那裏拉拉，我幾乎每個櫃桶都拉開看過。買過一些台灣志文出版社早期翻譯的文學書系，大多初印，字體清晰可讀。架上另有本司馬長風的《中國新文學史》，只有上卷精裝本，缺了下冊。我看了幾次，還是沒買下。他總是說："你隨便看看，有位醫生客人也喜歡周圍撻，這樣找書才過癮。""都有偷書賊來這裏，把書偷偷滑進公文包。後來，我就假裝看報紙，另眼睨他。這種人眼瞳遊移不踏實，這樣來回幾次，以後就不再來了！哈哈。"

將近兩載，我隔月來這裏淘舊，幾乎每次都挖到一些合意的書。但書店其實已幾年沒再添補書籍了。後來，書架上還能見到的，除了積存的普通書，只有少數定得近乎天價的，想是當初留來欲售予圖書館。大半年前我帶外地朋友來買書，利叔精神稍疲，但仍然健談，遞過卡片來。朋友買了五十年代初為紀念杜月笙去世而刊印的線裝初集、二集，書名由于右任題簽。結賬時，他慷慨也算半價，好便宜。朋友提醒我以後有空多和他傾談，利叔整個人就是香港書業的歷史。

這次以後，好幾個月總無法抽空往南京街這家南京圖書中心。即使下班途經，每每錯過書店營業時間。趁著農曆年假，定下心摸上去向老人家拜年，樓上過道牆壁書店招牌竟不見了。問大廈印籍管理員，才知道書店不在了。

　　從南京街街頭向彌敦道前行，靠三岔口馬路旁邊有個小公園，往時淘書過後，站立交通燈前等候紅綠燈交替，滿目青翠，很使人心曠神怡。南京街街巷盡處有一排矮石圍牆，頂上豎著鐵勾欄杆，從上極目望去，能見一片發光天穹。連日天氣潮濕，天色灰蒙，不禁回想書店甫搬上商廈的情景，後廳空調未開，倉內部分書籍封面微潮捲起，利叔醺然前廳孤坐，口啖奶茶，聽著馬經。這有趣健談的老伯，我尤其喜歡他返老還童的性情；而他從我初訪一刻，即親切看待視如晚年小友。我掛念著這位個子小小的"老"朋友，老人家有著讓人親近的魅力，祝願他健康、平安、快樂。

淘書寄樂，聚書隨緣

葉尋

　　想想自己流連於舊書攤僅有十五個年頭，前輩書人屢屢提及的隆福寺、東安市場、西單商場等舊書市無緣親臨，即便是九十年代初的地壇、中關村跳蚤市場也只能在夢中閒逛，自己開始淘舊書時已是潘家園、報國寺時代了。但無論是從收藏的總體環境，還是個人歷程來說，起步還不算太晚；可在那個年代，既沒有現在搜索便捷的舊書知識，更沒有如今舊書網上公認的價值指引，大家只是各取所需，每個人都開心地淘換著自認為好的東西，根本沒有考慮其經濟價值。即使在當時貨源相對充足，以現在的標準審視，好書還偶爾可見的情況下，想想自己也並沒有留下什麼可以炫耀的藏品。

　　我自認為還是一個傳統意義上的淘書人，尤其是身處全國的文化中心，既然有條件，便始終迷戀於凌晨即起，奔冷攤，逛鬼市，穿梭於各個舊書市場之間。既然是淘書，就要有個過程，而並非舊書網上鼠標的輕輕一點。傳統淘書，付出最多的是時間和精力，金錢只是適當付出甚至很少，且因為存在著各種可能性，所以驚喜往往是在不經意間獲得；而網絡買書，尤其是買好書，付出最多的是金錢，且結果往往是可以提前預知的，驚喜自然減少。網絡舊書業興起後，對傳統舊書行業和各類愛書人群體的利弊影響是一個需要專門去論述的課題，當然也是極有意義的。

自己獲得書刊的途徑不外乎自淘、網購、獲贈、交換與受讓等方式，最喜歡的還是自己親力親為去市場淘換。在舊書攤間尋尋覓覓，忽然發現一本自己從未聽說書名但內容甚為愜意，品好價廉不是樂趣嗎？來得早不如來得巧，進門就開包，淘得眾人驚羨絕版書，心生竊喜不是樂趣嗎？點兒倍兒順，好書一本接一本不斷擒獲，囊中漸滿不是樂趣嗎？頂風冒雪夜訪書攤，老天眷顧收穫頗豐不是樂趣嗎？先人一步拿得好書，眾人覬覦久圍不散，攤主仁厚未加價相讓不是樂趣嗎？以廉價淘得普通書，裏面居然還有名人墨跡等附加價值不是樂趣嗎？……太多的感受堅定著自己持續淘下去的信念。我希望在自己淘不動的時候，面對每一本自己心愛的書刊都可以娓娓道來它背後有趣的故事，而並非告訴他人：這是我在某網花多少錢 PK 掉多少競爭者（含若干馬甲）而得，那樣豈不是太單調了嗎？當然，在舊書知識日趨普及化、經濟價值日趨公開化的前提下，信息對稱、貨源枯竭，都使得傳統淘書方式的付出與所得嚴重不成正比，這也促使更多的愛書人轉向網絡尋書，這既是不爭的事實，也是更加實際的選擇，但我想這已與樂趣無關了。

我對如今持續推出的所謂限量版圖書頗不以為然，精裝、毛邊、限量、簽名、鈐印、編號、貼藏書票，好家伙！太刻意了吧！還有什麼賣點可以往上湊嗎？這好比一個人——事業輝煌，金錢無憂，婚姻幸福，身體健康，父母雙全，兒女有成，家庭和諧，這是每一個人的期盼，但有一點很關鍵，它可夢想而不可預設，更何況很多方面是主觀能力無法控制改變的，否則，每一個人的人生便都沒有缺憾了，這怎麼可能呢？另外，我最不喜一本書在普通版本之外又故弄玄虛地做出一些所謂的特殊版本，雖然它們的絕對數量不多，但總的來說，這類特殊版本的收藏意義不大，尤其是在目前為做而做的情況下，有逐漸成為高檔垃圾的趨勢。因此，我總覺得這類書多年後是一種擾亂藏書後來人思維視聽的物件。

藏書好比追求女人，過程遠比結果更重要。品好價高、唾手可得的所謂好書，就像美麗的高級風塵女一樣，只要錢到位，就會跟你走；而眾裏尋它千百度，一朝輕鬆擒到手的書，有如冰清玉潔、絕世獨立的女孩，百追不果，而一旦她以身相許，必定是你用真心並以獨特的引力去感化而成，它所帶給你的愉悅遠非前者可比！而你也會倍加珍惜！這樣想來，每一份藏品似都應有一個從醜小鴨變為白天鵝的過程。至少在我心中，披沙揀金得來的藏品和一出生就是富貴身的藏品，分量顯然是不同的。

回憶自己多年的淘書經歷，除了因各種或變換或堅守的原因收進了一些舊書刊外，始終關注的就是非主流出版物專題。所謂非主流，是從出版形式和作為收藏品的定位兩方面來講。從出版形式上講，不是正規出版社公開出版發行，而是自編自印，主要用於交流贈送，數量少範圍小；從收藏品的定位上講，不像古籍善本、新文學、高檔畫冊與名人墨跡那樣認可度高、熱度強，而是小眾的、冷門的。我將自己收藏的時間範圍重點確定在上世紀七十年代至 2000 年前後，這其中包括作家、文化人、思想者的自辦刊物、自印著作以及與一些歷史事件相關的出版物等等，而其中尤以民間詩刊詩集為最大類。其實，對其中一部分出版物的收藏與研究，早已有當事人或當時人作為先行者走在了前列，並已有頗具價值的論著和目錄性質的成果貢獻出來，嘉惠後人。我只是意識到了這些東西在出版史、文化史和思想史上的特殊意義而沉湎其中而已。

檢視自己多年間陸續獲得的舊物，沒有銘心逸品，更多的僅是自娛自樂的敝帚自珍而已，隨手檢出幾份聊聊獲得的機緣吧。

《黃萬里文集》

此文集 2001 年 8 月初版，由黃萬里先生的學生、同事等為祝賀他九十歲壽辰而集資自費印刷，為了不給出資人帶去困擾，本該一一鳴謝之人在序中一概略去。此書出版之後的很短時間，黃老即仙逝。我想，黃老臨終前終於見到了此書，也算走得安心吧。我得此本為 2004 年初的第二版，十六開四百一十五頁，含四頁圖版。內容包括序、水利工程學理論、黃河治理、三峽工程、詩文拾零、記者訪談錄和補遺十一篇。閱後記得知，此版比初版增加了補遺部分，也就是更為全面的一個版本。

此書自淘於黑燈瞎火的潘家園熟悉攤主之手。"麗麗，這書多少錢？" "呦，大哥是你呀，給五塊吧，別人怎麼也得要十塊。"人熟是一寶，這會兒見效了！

黃老剛直不阿，秉心直言，一生未有公開著作出版。比這本文集更為難得的是他於 1991 年 6 月自費打印出版的《治水吟草》一書，十六開二十三頁，內容分自序、右冠殘草三十首、治河詠懷十五首、憶舊感懷二十六首和漫遊閒詠二十九首，一共一百首詩。不知哪裏修來的福，好友也為我尋到了此書，成為舍下珍藏之一。

《海邊的孩子——散文詩集》

這是上世紀八十年代初楊煉自印的一本油印詩集，十六開七十六頁，全書分祝福、漫遊、讚美和奉獻四部分。

幾年前獲知一位書友在市場巧得一批油印本，其中大部分為詩歌資料，因是自己關注的專題且與這位書友交善，便用其喜歡的簽名本與之交換而得。同時得到的尚有楊煉詩集《禮魂》油印本的初稿及定稿本，均為簽贈鍾夏一人之舊物。在這本《海邊的孩子》中，楊煉寫道："給鍾夏：在生活面前，需要堅毅！楊煉 82、7、8"

楊煉詩集《海邊的孩子》

三十年前的贈語今日讀來依然有現實意義。

2012 年 4 月，借楊煉來北京單向街書店舉辦講座之際，我攜其幾本油印詩集請其題簽，楊先生在這本《海邊的孩子》上題道："隱在遠方之人，顯現身邊之魂！楊煉隔世 2012、4、8"並謙稱這本詩集乃少時習作，意思不大的。

《禁錮下的吶喊——1978—1989 年中國的報告文學》

謝泳著，簽贈題跋本。1989 年冬完成寫作，1992 年底自費印刷一百冊，三十二開，精裝，一百八十四頁。

按謝先生跋語，此書出版後將贈送北京圖書館、北京大學圖書館、香港中文大學圖書館和美國葛思德東方圖書館各三冊，其餘分贈三五同好，並因為寫作《儲安平——一個自由知識分子在中國的命運》和《〈觀察〉研究》的需要，也將贈送一部分給相關學人作為資格審查之用。只是，贈與北圖等國內公立圖書館的幾本會得到善待嗎？巴金贈書不也不得善終，從高貴的殿堂流落到舊書市了嗎？

此書的獲得頗有緣分，辦事途中心血來潮殺入一個間或有幾家書攤的舊貨市場，一個攤主剛好收來一批社科院文學所的藏書，真正的冷時冷攤，意外擒獲！正所謂，好花一朵丟在了黯淡的角落。說實話，初遇此書時尚不知謝泳為何人，只是本書獨立出版的形式、秉筆直書的內容和極富個性的跋語深深吸引了我，才使自己沒有錯過這樣一本有意思的小書。

謝先生原打算用自印方式繼續出版《中國現代文學的微觀

研究》一書，後來《中國現代文學的微觀研究》改由北嶽文藝出版社於 1996 年正式出版，但一千冊的印量，在十幾年後的今天也不易見到了。

《知識分子》

這份極富人文色彩的文學刊物 1997 年 4 月由四川詩人蔣浩等人創辦，刊發小說、詩歌及思想性論文，佔相當篇幅的譯文全部轉載自海外出版的《傾向》文學人文雜誌，重點發表了異議知識分子作家哈維爾的許多文章，以及納粹屠殺的幸存者、諾貝爾和平獎獲得者作家埃利·威塞爾的散文等，它的思想性已超越了傳統意義上的民辦文學刊物。此刊物僅在 1997 年和 1998 年各出版一期，均為三十二開，每期三百至四百頁，約印刷兩百本。

這套雜誌我先獲得的是它的停刊號，得自於一位北京書友的轉讓。此刊是周一良舊物，前後滿蓋"畢竟是書生"、"周一良所藏書"等十三枚印章，顯然是周氏後人所為，章越多反而越顯滑稽。幸運的是，在不久以後的一次網拍中，巧遇此刊創刊號，雖起價頗高，然豈有錯過之理。好在無人競爭，輕入囊中，可喜的還是老威簽贈本。這兩本雜誌得價均不低，但在可遇不可求的機緣面前，價格倒在其次了。

這類民辦文學刊物一般的生命都在十期，甚至三期之內，由此也引發了自己的一個想法：力爭要把那些影響大、刊期短的全套收齊。

《今天》

　　1978 年 12 月 23 日誕生於思想解放時期的北京，十六開，油印。兩個靈魂人物 —— 北島執筆了《致讀者》，開宗明義；芒克為它取了個響噹噹的名字。

　　嚴格來說，《今天》是一份綜合性的文學雜誌，小說、評論、翻譯等等一應俱全，但詩歌顯然是它的最高成就。經《今天》首刊的北島的《回答》、舒婷的《致橡樹》等詩作早已成為中國當代新詩史上經典的名篇，而《今天》雜誌本身也已成為中國當代新詩史甚至是中國當代文學史都無法迴避的存在。

　　自 1978 年底創刊至 1980 年底停止出版活動，在兩年的存

《今天》創刊號

續期內，《今天》共出刊雜誌九期、《今天文學資料》三期、《今天叢書》四種，刊載了大量極有價值的文學原創作品，可以說是從上世紀六十年代中期到八十年代初期文學最高成就的集中展示。

　　《今天》雜誌前兩期手刻油印，後七期打字油印，其中或粘貼有原版版畫、線條畫和攝影作品等。比如創刊號中就貼有中國當代前衛

藝術家馬德升的兩幅版畫作品：《正在捲煙的清潔工》和《你們出生在哪兒？》。馬德升係大陸早期美術團體星星畫會的重要成員，後旅居法國繼續從事藝術創作。星星美展被取締後，他拄著雙拐行走在遊行隊伍最前列的形象已歷史性地定格在經典鏡頭中。令人痛心的是，上世紀九十年代初馬德升在國外橫遭車禍，痛失法籍愛妻，自身也高位截癱，使原本就患小兒麻痺需靠雙拐輔助行走的他只能在輪椅上度過餘生。在馬德升藝術生命日臻完善成熟的同時，現實生活卻日趨艱難不幸，使人聽來不勝唏噓！

1990 年夏天，《今天》在挪威奧斯陸艱難復刊，自復刊第二期起即移師瑞典斯德哥爾摩，後又輾轉世界多個城市，至今已出版到近一百期。雖然期號延續老版，尤其是作為靈魂人物的北島堅韌的毅力可欽可敬，但包括多名《今天》核心圈成員在內的評論家都不認為那是一本在本質上一脈相承的同一刊物了。看來，時過境遷終歸是要人非物異的。

由衷感謝多位好友的慷慨相贈，使寶劍終佩壯士，紅粉香抹佳人，《今天》系列出版物已成為寒齋珍愛之一，也算得了好歸宿吧。

《里程：多多詩選 1972—1988》

上世紀八十年代末的一個重要文學事件，是已停刊八年的《今天》文學雜誌在原主編北島主持下，於 1988 年 12 月 23 日（《今天》創刊十週年之際），在北京將首屆今天詩歌獎授予了

多多詩集《里程》

詩人多多，授獎詞說："自七十年代初期至今，多多在詩藝上孤獨而不倦的探索，一直激勵著和影響著許多同時代的詩人。他通過對於痛苦的認知，對於個體生命的內省，展示了人類生存的困境；他以近乎瘋狂的對文化和語言的挑戰，豐富了中國當代詩歌的內涵和表現力。"《今天》為此特別出版了這份打字油印的《里程：多多詩選1972—1988》（首屆今天詩歌獎獲獎者作品集），並在中央戲劇學院禮堂舉行了由幾十位詩人及文化界、科學界人士參加的授獎儀式。

本詩集十六開，一百三十二頁，刊多多五十二首（組）詩。手中這本得自於一位北島友人的饋贈。因是自藏本，所以品相絕佳，據他講也只印了幾百本，其本人多年前在馬甸轉車時還曾在路邊舊書攤見過，如今也成稀見書了。

正應了那句老話：自己的老婆再好，別家的女人更俏。這些年來，也陸續得知一些自己心儀之物花落旁家，雖然均為熟悉之書友，但在其文獻和經濟價值都日益顯現的今天，或買或換均變成尷尬人難免尷尬事。也罷，水中花與鏡中月，不如憐取眼前人。在收藏領域切忌求全責備，那只是一個奢望而已。我的原則是不貪多求全，不爭大佔先，經濟上不傷筋動骨，性情上不急火攻心，以淘增藏，玩中取樂，有多少東西就說多少話，自得其樂，一切隨緣。

我淘到的一些東方學舊書和舊刊

高山杉

對歐美和日本的東方學,我一直很感興趣,多年以來在北京的舊書店裏以及互聯網上買到過不少這方面的舊書和舊刊。在我的記憶中,海王村中國書店始終是同繆勒(Friedrich Max Müller, 1823-1900)的《宗教起源與發展講演錄》(*Lectures on the Origin and Growth of Religion as Illustrated by the Religions of India*)和艾德(Ernest John Eitel, 1838-1908)的《中國佛教必攜》(*Handbook of Chinese Buddhism*)聯繫在一起的,而古籍書店則意味著麥唐奈(Arthur Anthony Macdonell, 1854-1930)的《實用梵語字典》(*A Practical Sanskrit Dictionary*),文化遺產書店象徵著《東方學報》中長尾雅人(1907—2005)的《攝大乘論世親釋漢藏本對照》,王府井外文書店代表著西尾京雄(生卒年待考)的《佛地經論之研究》,燈市口和隆福寺的中國書店分別意味著《藝文》雜誌裏榊亮三郎(1872—1946)的《梵文〈唯識三十論〉之偈》,以及蒲仙(Louis de la Vallée Poussin,

1869-1939）的紀念論文集（*Louis de la Vallée Poussin. Memorial Volume*），孔夫子舊書網代表著高楠順次郎（1866—1945）的《梵文學教科書》和荻原雲來（1869—1937）的《實習梵語學》，布衣書局意味著牟尼－威廉斯（Sir Monier, Monier-Williams, 1819-1899）第一版的《英梵大字典》（*A Dictionary, English and Sanskrit*）。

要說我買書最多的地方，還是海王村中國書店。不記得是具體哪一年了，反正是在上世紀九十年代中期，海王村忽然進了很多日文舊書，一捆一捆地堆在書架前，沒有定價，也不讓隨便抽出來翻看，惹得人心急火燎的。過一陣子再去，發現一部分書終於上了架，我相中的第一本是日本佛學史權威宇井伯壽（1882—1963）的《印度哲學研究》岩波書店版第一卷（1944），書的定價並不高，當場拿下，這是我淘到的第一本真正意義上的日文學術專著。後來斷斷續續地從這批書裏淘到不少類似著作，如：

姊崎正治（1873—1949）的《印度宗教史考》（1898）1912 年第五版。

村上專精（1851—1928）的《佛教論理學》（1918；扉頁上鈐“渡邊藏書”印）。

境野哲（境野黃洋，1871—1933）的《支那佛教史綱》（1907；此書有村上專精所寫著名序言，近年由陳繼東漢譯，收於他和龔雋合著的《中國禪學研究入門》）1919 年第四版和《支那佛教史講話》上卷（1927）。

中野義照（1891—1977）、大佛衛（生卒年不詳）共譯，高楠順次郎校註的《印度佛教文學史》（1923；Moriz Winternitz 著《印度文獻史》第二卷的日譯本，後來中野義照將該書三卷全部譯註出版）。

荻原雲來的《印度之佛教》（1917；呂澂《印度佛教史略》是它的編譯本）1928 年第四版。

河口慧海（1866—1945）的《西藏傳印度佛教歷史（上）：一名釋迦牟尼佛之傳》（1922）。

手島文蒼（生卒年待考）的《印度宗教論》（1924）。

山崎精華編《佛教各宗綱要》上卷（1928）1933 年第六版（書名頁鈐“齋藤”印）。

宇井伯壽的岩波書店版《印度哲學史》（1932）1944 年第八印和“現代哲學全集”本《印度哲學史》（1936）1942 年第六印。

馬田行啟（1885—1945）的《印度佛教史》（1917）1927 年第五版。

金倉圓照（1896—1987）的《印度精神文化之研究》（1944）和《印度古代精神史》（1939）1942 年第四印。

富貴原章信（生卒年不詳）的《日本唯識思想史》（1944）。

佐保田鶴治（1899—1985）的《古代印度之研究》（1944）。

《大日本佛教全書目錄》（1932）。

高楠順次郎監修的《南傳大藏經》零本。

還有巴托爾德（Wilhelm Barthold, 1869-1930）的《歐俄東方研究史》日譯本（1939）1942 年第三版。

這些書大多是清華大學圖書館的舊藏，戳蓋著“北平國立清華大學圖書館”的鋼印，書前還粘有借書袋。零本的《南傳大藏經》共十三冊，包括《長部》《相應部》《增支部》《小部》《分別論》《雙論》《發趣論》等，是我考上研究生時向父母索要的“獎品”。《印度佛教文學史》是在 1996 年 8 月買到的，我當時特意在書上記了一筆，從中可以看出這批書上架的大致時間。

　　不過說老實話，我買到的東方學舊書和舊刊，有的固然翻過，但絕大多數就這麼一直放著。比如我曾在西單中國書店報刊資料部買到過一些北京大學圖書館剔除的《亞洲報》（*Journal Asiatique*），可買來之後一直都未翻看，直到去年才發現在 1933 年 1 月至 6 月號的封面上竟然有鋼筆寫的 “Lin Li-kouang”，這應該是林藜光（1902—1945）的手跡。林藜光於 1933 年年底到巴黎留學，跟隨烈維（Sylvain Lévi, 1863-1935）等人研治梵藏巴利佛典，可以說是中國第一位職業梵語學家。

　　除《亞洲報》之外，我在報刊資料部還買到過一些《華裔學志》（*Monumenta Serica*）的抽印本，其中最值得一提的是一篇德國漢學家福克司（Walter Fuchs, 1902-1979）有關清代地圖的論文（“Materialien zur Kartographie der Mandju-Zeit”）。這篇論文上面有很多鉛筆批註，不知

《亞洲報》上的林藜光簽名

道是誰寫上去的，封面上還鈐有一枚"雨讀齋藏"印。直到請教了網友八百民，才知道就是福克司本人的字，網友 tantan 也幫我檢索到"雨讀齋"就是福克司的齋號。我和福克司還算有些緣分，後來居然在孔夫子舊書網上又陸續拍到他舊藏的日本清史學者駕淵一《關於清初的八固山額真 —— 清初八旗研究之一出》（收於《山下先生還曆記念東洋史論文集》）的抽印本，以及荷蘭漢學家施古德（Gustav Schlegel, 1840-1903）的《哈喇巴爾噶遜回鶻碑漢文碑銘譯釋》（*Die Chinesische Inschrift auf dem Uigurischen Denkmal in Kara Balgassun*, 1896）。駕淵一的抽印本上有他親筆題寫的"著者 謹呈 福克司先生"，而《譯釋》一書上面不但有福克司本人的很多鋼筆批註，在《闕特勤碑》一章首頁左上方還鈐有一枚"福克司印"。福克司於五十年代初離開中國，他的藏書都留在北京大學圖書館。他哪裏會想得到，北大圖書館竟把他的書處理給舊書店了。

日文佛學雜誌《ピタカ》

我關於東方學書目的知識，很多是來自瞎逛報刊資料部。舉個例子。前些年讀李慶的五卷本《日本漢學史》，發現他在第二卷第八十八頁提到一種日文佛學雜誌，書名音譯成《毗撻芥》。這本雜誌我在報刊資料部買到過零本，雜誌原名“ピタカ”，其實就是梵語或巴利語“毗茶迦”（Pitaka）一詞的日語音譯（封面上也用悉曇體梵字拼了出來），意思是“三藏”的“藏”。李慶顯然沒見過這本雜誌，對佛學也不熟悉，於是就給硬譯成“毗撻芥”，那肯定是不行的。

　　現在我基本不跑舊書店了，只在網上買書，經常出沒於孔夫子舊書網和布衣書局。我是2006年底在孔網註冊的，不久就發現張家口有家“察哈爾古舊書店”忽然掛出很多日文舊書，這些書品相都不太好了，缺封少頁的，但其中不乏學術名著，尤其是一本榊亮三郎編校的《梵藏漢和四譯對校翻譯名義大集》，定價僅五十元。不過我晚來了一步，這本書已經被人搶先訂去。在孔網買日文學術書的人不多，我當時就猜肯定是被喬納森（劉錚）訂去了，一問，果然。我問喬兄這書能否割愛，他說店家已經寄出，等他收到後就把書寄來送我。等我收到他寄來的《翻譯名義大集》，發現封面和封底都沒了，書名頁上蓋有“察哈爾省立圖書館閱覽部”和“張家口圖書館”的藏書章，但書是初版的，而且還有原書主人的題

山崎次彥舊藏《翻譯名義大集》

字："（昭和十八年七月） 東京帝國大學印度哲學 山崎次彥"。我檢索了一下，山崎次彥確有其人，上世紀五十年代以後還在《印度學佛教學研究》等權威刊物上發表論文。這是喬納森送給我的第一本書，我到現在也不知道該如何感謝他。最近他知道我想對照著英譯本看一下張錫彤和張廣達父子合譯的巴托爾德《蒙古入侵時期的突厥斯坦》，就又把他在孔網高價拍到的該書英譯本初版寄給我參考。布衣書局老闆胡同說喬納森"愛書不戀書，他是書多但是不迷書的不多的一位"，這話很對。

喬兄曾想送我一本宇井伯壽的《印度哲學研究》第一卷，但如上所述這書我早年在海王村已經買到過，所以絕對不能再要。其實他要是送我宇井伯壽的弟子中村元（1912—1999）的著作，那我肯定要，當然這是說笑啦。我在孔網淘到過很多中村元的書，原文和漢譯都有。其中有一本1977和1978年第十一、十二號合刊的《三康文化研究所年報》，裏面是中村從梵語翻譯的《勝論經》和《攝句義法論》，扉頁有他題寫的"蔣忠新先生 留念 一九八〇年九月二〇日 中村元 敬贈"。蔣忠新（1942—2002）是季羨林（1911—2009）最好的學生之一，可惜十年前就去世了，他活著的話，現在北大的梵語研究哪裏輪得上別人呢！蔣忠新的藏書有一部分已經散到網上，除這本《年報》外，我還買到一批歐美日本印度學名家送給他的論文抽印本，其中簽贈本有辛島靜志的《法華經之文獻學的研究》和《進入初期大乘佛典文獻學研究的新視點》（封面均題 "With best regards Seichi KARASHIMA 12/v/97"），以及 David A. Utz 的 "Language, Writing, and Tradition in Iran"（封面題

"With best wishes, David A. Utz"）。此前我還從老友周運那裏弄到過一本日本印度哲學史家前田專學（1931年生）的精校本梵語印度哲學經典《示教千則》（1973），也是中村元（曾為該書寫序）簽贈給蔣忠新的，而且還是和上述《三康文化研究所年報》在同一天簽贈的，文字內容完全一樣。《示教千則》有社科院某君的漢譯本，最早收於其有關吠檀多哲學的

《示教千則》扉頁上的中村元題字

一本專著裏，但該書緒言中有關《示教千則》的部分竟然大多是譯自前田專學英譯本的導言，嚴格來說已經是一種抄襲的行為了。

周運是一個非常有意思的人，不但在學問與知識上對我有很大的幫助和影響，還送給我很多很多書。他淘到過兩套十九世紀出版的小字版《叔本華全集》，一套全的，共六冊，一套殘的，只有三本，包含了《作為意志與表象的世界》卷一和《哲學拾穗集》卷一和卷二。他把這套殘的送給了友人崔慶傑，小崔後來又轉送給我。這套書雖說不全，卻有可能是姚從吾（1894—1970）的舊藏，是他留學德國時買下的舊書。周運知道我喜歡新康德派大家 Hans Vaihinger（1852—1933），

二話沒說就把以前淘到的 Vaihinger 作序、August Schricker 所著 *Wie Kant beinahe Geheiratet Hätte* 送給了我，這書還是張契尼的舊藏。周運送我的書中，東方學方面還有前清華和北大英語教授溫德（Robert Winter, 1887-1987）舊藏的《吳哥窟考古指南》（*Archeological Guide to Angkor*, 1932；書名頁鈐"溫德藏書"印）、Swami Pranavananda（1896—1941）的《西藏探險記》（*Exploration in Tibet*, 1939）、印度佛教復興運動之父達摩波羅（Anagarika Dharmapala, 1864-1933）的文集（*Return to Rightness. A Collection of Speeches, Essays and Letters of The Anagarika Dharmapala*, 1965）1991 年第二印、英國東方學家 Reynold Alleyne Nicholson（1868—1945）校譯的波斯詩人魯米詩集（*The Mathnawī of Jalālu'ddin Rūmī*, 1925-1940）德黑蘭 Soad Publisher 2002 年重印本（原書共六冊，缺第五冊）等等。周運還幫我搞到過鋼和泰（Alexander von Staël-Holstein, 1877-1937）校勘的《藏漢對照大寶積經論》、佛學家韓鏡清（1912—2003）舊藏長尾雅人校梵語《辯中邊論》（扉頁上有鉛筆寫的"81.8.5 購　82.8.28 收　鏡清"），都是非常重要的著作。

　　在孔網呆久了，就會覺得那裏真是一個適合進行獨立學術研究的好地方，因為只要你有錢有閒，基本都可以搜到你所關注的學者的材料。舉個例子。我非常佩服日本宋史學者竺沙雅章（1930 年生，京都大學名譽教授，曹洞宗僧侶），一直在孔網搜集他的各種作品，前後買到過他參與編訂的幾期《東洋學文獻類目》，收有其雜文《雍正帝與黃檗宗》的《日中佛教》創刊號（1975 年 3 月）、專著《征服王朝的時代》（講談社，

1977）及其漢譯本（吳密察譯，台灣稻香出版社），甚至連他同意參加暨南大學舉辦的紀念陳垣誕生 110 週年國際學術討論會的回執也在 2009 年 8 月 26 日被我用二十元拍下。竺沙雅章先後發表過《宋元時代的慈恩宗》（有趙雲旗漢譯，譯文質量較差）和《宋元時代的杭州寺院和慈恩宗》，復原出慈恩宗（又稱唯識宗、法相宗）在宋遼金元四朝的流傳歷史，徹底糾正了前人認為慈恩宗在唐五代以後就已徹底衰落的錯誤印象，這是他在學術史上的一個主要貢獻。這兩篇論文後經修訂，作為第一章和第二章收進其代表作《宋元佛教文化史研究》（汲古書院，2000）。這兩章還有英文摘譯本 "The Ci' en School during the Song and Yuan Periods"，刊於 2001 年第五十九號的《東洋文庫研究部歐文紀要》（*Memoirs of the Research Department of the Toyo Bunko*）。我有這號《歐文紀要》，也是從孔網買到的。

1985 年 5 月 14 至 18 日，杭州曾召開中國宋史國際學術討論會，竺沙雅章參加了這次會議，並提交了會議論文《宋遼佛教文化的交流》。這篇論文在《竺沙雅章博士著作目錄》（《東洋史研究》1993 年 3 月五十一卷四號）裏沒有著錄，看到的人似乎不多。2012 年 9 月，孔網有家書店掛出來一批杭州大學歷史系 1985 年編印的《中國宋史國際學術討論會論文》的抽印本，其中就有竺沙這篇《宋遼佛教文化的交流》的漢譯稿，我趕緊買下來。收到後一看，發現譯文質量相當不錯，實在應該找機會重印出來。上面說的還不算什麼，我還在孔網花六百元買到竺沙雅章 1992 年 3 月 9 日寫給中國某大學教授的一封信，信中談到他研究慈恩宗的計劃，是很重要的學術史料。我買到的這封信附有漢譯文（譯文有一些錯誤），還加了個標題叫"日本宋史專家竺沙雅章（京都大學教授）對某書的評價"，估計是被那位教授拿去用作科研項目的申請或評審材料了。其實竺沙只是在信裏很客氣地恭維了一下他的著作，根本算不上正式的評價。

雖然滿意地購入竺沙的這封信，但我卻沒能買下森安孝夫（1948年生）的一封信。森安是中亞語言和歷史的權威，年輕時由於很敢講話，得罪過剛剛去世的號稱中國突厥學第一人的耿世民（1929—2012）。孔網上曾出現一封森安寫給耿世民的信，考慮到兩人的交鋒歷史，這封信當然值得收藏。但是等到我下訂單時，店家卻說信已經在網下交易賣出了，真是太讓人失望了。雖然錯過了森安寫給"中國突厥學第一人"的信，我還是在孔網買到了土耳其學者 Hüseyin Namik Orkun（1902—1956）的土耳其語著作《古代突厥碑銘》（*Eski Türk Yazitlari*）第二卷（1939），還有俄國學者馬洛夫（1880—1957）的俄語著作《蒙古和吉爾吉斯地區古突厥文碑》（1959）。買到馬洛夫這本書的時候，我剛好在重新精讀陳垣的《元也里可溫教考》，發現他在歷次修訂時刪去了不少材料，特別是有關馬洛夫（原文譯作馬祿甫）的一段："王樹楠《新疆稽古錄》畏吾兒殘字條云，宣統己酉冬月，俄人馬祿甫訪古烏城，言五大洲識西域畏吾兒字者只有二人，彼其一也。適吐魯番土人掘地，得畏吾兒字數紙，因出殘紙，丐其翻俄文，周縣丞源復由俄文譯成漢字，其教非佛非回，蓋亦西域古教也。其文有'天詔下降，靈神出現，神相全無，以虛無寂滅，度化大千世界，一切眾生，得此光明，感動天地，降詔妖魔，藏伏骰悷，至誠度化，萬劫不磨’等語。按此所譯係由俄文展轉而得，未必悉符原意，然其大致與《景教碑頌》'分身出代，湛寂常然，救度無邊，日升暗滅’諸語及近時譯本'上帝無形無像，永遠存在，為世真光’等語相類，疑亦也里可溫所遺。證以《馬可遊記》，元世畏吾兒之信也里可溫者當不乏人也。”（《東方雜誌》第十五卷第四號）我想陳垣後來之所以刪掉這段話，是因為他拿不準馬洛夫找到的畏吾兒字（即用於書寫古代突厥語的回鶻文）殘紙的內容到底是屬於也里可溫（景教）還是屬於摩尼教的緣故。民國學者李證剛不就曾把摩尼教殘經誤定為景教經典嘛！關於景教的研究論著，我在孔夫子舊書網買到過伯希和（Paul Pelliot, 1878-1945）的遺作《西安府景教碑譯註》（*L' Inscription Nestorienne de Si-ngan-fou*, 1996），而且還是整理者福安敦（Antonino Forte, 1940-2006）的簽贈本，扉頁上有他用圓珠筆題寫的 “I offer with respect to Professor Hu Ji, Antonino Forte, Rome, 11 October 1997”，“Professor Hu Ji” 就是中國隋唐史學者胡戟。胡教授1941年生人，我想他自己還不至於這麼早就開始計劃賣書收攤吧。

尋沈記

陳曉維

　　下午去琉璃廠取一副裱好的對子。從南柳巷那家裝裱舖子出來，看看天色尚早，就踱進一家中國書店去翻翻新書。見書架最上一層排開一部七大厚冊的《民國時期發行書目彙編》，國家圖書館出版社新出的。搬下來翻翻，原來裏面收錄了當時編印的各種圖書發行目錄，比如《生活全國總書目》、開明書店的《全國出版物總目錄》等，全用影印的辦法。海量存儲時代，印這種大部頭的工具書，標價三千多，讓人覺得既不方便使用者，又浪費紙張，不如把所有拍好的圖片直接放到網上，供人付費下載來得實惠。第一冊開篇是"上海書報郵售處"1929年7月印的《新文學書目》。恰好前幾天正在研究邵華強編的《沈從文總書目》，就翻到小說類，看看當時有哪些沈從文的著作列在單子上。在這份郵購單的沈從文名下發現有一種光華書局出的《病與夢》，為邵華強編的書目裏所無。由於沈從文解放前的著作有十幾種至今下落不明（比如著名的《看虹摘星錄》），我想，《病與夢》有沒有可能是又一種失傳的"沈著"呢？於是趕緊用手機把這頁拍了下來。回到家上網一搜，確實沒人提到沈從文寫過這樣一本書。不過查到光華書局出過樓適夷的小說集《病與夢》。那麼想必是八十年前上海書報郵售處的人馬虎，把樓適夷的作品安到了沈從文的名下。可見，在採用舊材料的時候也是需要特別小心的。

新大陸沒發現，不過這幾年搜集沈從文著作初版本的一些點滴卻因此來在眼前。沈氏在解放前創作力極為驚人，到1949年已有六十餘部著作面世，因其高產在當時被譽為中國的大仲馬。從我2003年買到《湘行散記》算起，屈指十年，至今已有超過三十種"沈著"入賬。照此算來，我在沈從文的粉絲裏大概可以躋身高富帥之列了。

為什麼要收集沈從文的作品似乎不必說了。東北作家舒群曾經講過："在生時，作品多以作家的命運為命運；而在死後若干年，作家卻以作品的命運為命運。"沈從文和他作品之間如齒輪般互動的生命歷程即相當妥帖地印證了這句話，我的收藏行為則可視為替它所作的一個小小註腳。

我最早得到的《湘行散記》，是商務印書館1936年3月出版的，文學研究會叢書的一種。這是沈從文相當重要的一部作品，他自己談到此書時說，"乍一看來，給人印象只是一份寫點山水花草瑣瑣人事的普通遊記，事實上卻比我許多短篇小說接觸到更多複雜問題"。但從版本的角度來看，這書卻比較常見。那時候網絡購書尚未興起，還是逛地攤的潘家園時代。我初入此道，正在興頭上，見什麼都眉毛鬍子一把抓，是書商最喜愛的那種"人傻錢多"的大網兜。每個週六我都上好鬧鐘，備好手電筒，起大早兒，打了車繞上半個三環興致勃勃地到潘家園趕"鬼市"。家裏現在存放的大量"雞肋"，就是那段無知無畏的時光攢下的。那天趕上陰雲密佈，我到的時候，已經是要下雨的樣子，各家都忙著收攤。我便抓緊時間趁書販打烊之前東看看，西瞧瞧。文學研究會的這套書很顯眼，草綠色精裝封面，開本又特殊，遠遠就能瞄見。我快步搶到攤前，蹲下身來，捂住書打聽價錢。老闆正急著把書收進身後那個蒙著塑料布的小三輪車，就頭也不抬地："十塊！"我心下暗喜，沒敢多耽擱，趕緊付錢走人。買書這麼多年，別人要說起撿漏的經歷，都能滔滔不絕扯上一頓飯的工夫，講得你目瞪口呆。我一直都是有眼無珠過來的，就這一次算瞎貓碰上了死耗子。每次跟書友聚會，我只有這段乏味的評書可講。重複次數多了，免不了像老兵講戰鬥故事一樣，添油加醋，到後來花椒、孜然，凡是手邊有的調料都一股腦地撒進去，把一件無足掛齒的小事渲染得神乎其神。現在我鉛華洗盡，立地成佛，老老實實回想起來，就只見印象中那舊書堆裏露出的草綠色一角，還有那位人過中年不知姓名的書販正對著我的謝了頂的光亮腦殼。

　　沈從文的第一個集子名為《鴨子》，北新書局 1926 年初版，當時他只有二十四歲。這書是個大雜燴，獨幕劇、小說、散文、詩歌全都有。當時沈從文初入文壇，寫作雖有一定的使命感作支撐，但很大程度上是為了換錢吃飯。他自稱是"最先的職業作家"。蘿蔔快了不洗泥，收入其中的作品可讀性並不強。但因為是處女作，所以無論對作者還是藏家來說都有著特殊的意義。很多沈從文研究的專著裏都印有《鴨子》的書影，但來源都是一處：因為封面都殘缺不全，且缺的是相同的一角。由此可見，這本書並不是太好找。我得到的這本，卻是品相完好，毛邊未裁。那是在泰和嘉誠的小拍上，地點就在首都圖書館。當天我到得早，時近初冬，寒氣迫人，圖書館還沒開門。在門外啃白胖肉包子的時候，遇見一位熟人，濃眉大眼，梳著整齊的分頭，斜跨一個帆布書包。平時拍賣會很少見他出現，這次一照面兒，我就知道他奔著什麼來了，我們倆心照不宣地相視一笑。這位就是收藏新文學的大亮。拍賣會上經過一番激烈搏鬥，我終於拿下來了，一萬多。散場後，大亮和我碰上，臉上毫無遺憾的神色。我明白，他這是在說，你買貴了。這是我的沈從文收藏裏最奢華的一本，讓我又愛又恨。每次別人問多少錢買的，我只好支支吾吾拿"君子罕言利"來搪塞。實則當了冤大頭的挫敗感使我羞於啟齒，而同時也有種夙願得償的滿足感湧上心頭。令我略感欣慰的是，此後的幾年裏，我再也沒在市場上見過這隻昂貴的《鴨子》。

我這些沈從文著作幾乎沒有在琉璃廠買的。對於買舊書的人來說，"日落猶戀海王村"的那個時代早已過去了。計劃經濟時代帶有學術等級制度色彩的特供、專家服務部讓位給更為公平的自由競爭。中國書店是國營的，"中央軍"再強大，也難比網絡上聲勢浩大的"群眾運動"。現在藏書人要戀也只能迷戀孔夫子舊書網了。凡事一利一弊，網上的書比當年的海王村當然多得多，但交易過程變成了冷冰冰的數據傳輸，一切都在感官無法觸及之處萌芽開花，總少了一份迎來送往的人間氣象。如今去琉璃廠，更多的只是為了和朋友見見面，或者瞭解一下新書的出版動態。不過我還是在中國書店買到過一本沈從文的《蜜柑》。這是他的第二部著作。前幾年我在網上發過一個遊戲帖子，把自己藏書裏那些封面設計悅目可喜的，排了個座次。《蜜柑》排在第十七位。事實上，與其說我喜愛這本書的封面，不如說是喜歡沈從文的文字，喜歡沈從文這個人。有一次在杭州看到沈從文作的一個詩軸，標誌性的窄長琴條，標誌性的那一手章草，寫的則是他解放後一次路經桂林所作的舊詩《灕江半道》，記得裏面有這樣的詞句，"船上花豬睡容美，岸邊水牛齊過河"，讀了心裏不禁為之一動，就覺得這個年代裏大概只有沈先生能信筆勾勒出來這樣樸素、安詳的鄉村風景畫，比王維的"斜光照墟落，窮巷牛羊歸"妥帖，比胡蘭成的"小院風露下，助其收羅衫"真摯。沈從文的詩三言兩語間便將我拉回在廣西水鄉度過的貧窮而淡如清水的童年歲月。將田園裏隨處可見的花豬、水牛入詩，作者心中必然懷著對故鄉草木，對水上生活，對蓬勃生命力的款款深情。沈從文是陶淵明主義者，是大自然忠誠的情人，晚年時他曾經對美國學者金介甫這樣解釋自己與自然的關係："後來我成了泛神論者，我相信自然。神不是同鬼一起存在而是同美並存。它使人感到莊嚴。所以你完全可以叫我是一個信神的人。"說到回歸自然，有位朋友常勸我，到山裏租塊地，蓋個農家院，種上幾畝作物，過躬耕自足的鄉村生活。偶爾心情和天氣都好，開車捎上幾袋自己種的綠色蔬菜、有機稻米到城裏串親訪友。我總覺得這是我們這個時代特有的田園作秀，是一種"擺拍"。我向他承認，自己是極端世俗的城市病患者，對田園生活的嚮往純粹是葉公好龍，永遠只要停留在口頭上、睡夢裏即可。

聊買書就應該只說買書的事情，我一下子又跑題了。買這麼多年書，簽名本一本沒有總有些說不過去。我那本是抗戰期間開明書店版的《邊城》，土紙印刷的。這雖然不是《邊城》的第一個版本，卻是沈從文送給向達的。向達也是湘西人，又和沈一樣有少數民族血統（向是土家族，沈從文的祖母則是苗族），他們二人應該不缺少共同語言。買這本書是在一個書友家裏，那時候碰到好機會，類似的民國書還是可以一次幾十本幾十本地購進。書友家的陽台上沒有花花草草，而是堆了上千冊新文學。我說，太陽總這麼曬著，書該曬壞了。他說，家裏地方小，沒別處可放，你隨便挑吧。我就坐在小板凳上一本一本地看，有意購買的就先放在一旁。他隔著扇門在裏屋一邊抽煙打遊戲一邊跟我零星地聊上幾句，那個正上小學的胖兒子時不時地把門推開一條縫探進頭來，看看大人到底在幹些什麼。直到日落西山，我才裏裏外外粗粗翻過一遍，（非常草率！）真是看得頭暈腦漲。當阿里巴巴來到藏寶的山洞，那種得到一顆鑽石的狂喜完全被山洞裏疊床架屋的珍寶給沖淡了。好書實在太多，我挑出這本向達藏書時，還猶豫了一下，只因為它不是《邊城》的第一個版本。我記得當時還看到周作人簽贈給江紹原的毛邊本《中國新文學的源流》，我嫌缺了封面，連價錢都沒問，就擱下了。現在不知道這本薄薄的小書漂流到世界的哪個角落去了，而我，當然是追悔莫及。

開明的《邊城》畢竟不是此書的第一個版本，這個遺憾在此後的幾年裏得到了彌補。我相繼買到了兩冊生活書店初版帶護封的《邊城》，品相都是嶄新的。我一般不買複本，但對《邊城》，我破了例。我實在太喜歡這部書了。這是沈從文從新婚幸福的海水裏托起的一顆珍珠。我讀它的時候，常常會想象一位新郎穿著長衫坐在北平達子營住處的樹蔭下埋頭寫作的畫面。寫作的人被樹葉沙沙的響聲環繞，他寫下的故事遙遠而美好。就是這樣，我收藏《邊城》的偉大事業也就算功德圓滿了。

這些經歷我拉拉雜雜說來，內心已漸有為富不仁之感。但"為惡務盡"，最近買到的一種還是應該交代一下 —— 那是中華書局 1930 年出版的《旅店及其他》。當年沈從文為營救好友胡也頻而籌款，就是賣掉了《旅店及其他》和《石子船》的版稅。這冊書是一位熱心的書友從台灣幫我弄來的。取書那天，我去潘家園橋東找他。見他推著自行車從東邊慢悠悠地走過來。除了這本書，他還給我看了王世襄四十年代印的曬藍本《中國畫論研究》。我有心得隴望蜀，但曬藍本是非賣品，我只有讚歎的份兒。這位年輕的朋友來自南方一個縣城，是我的大同鄉，他告訴我說明年準備回老家了。我問為什麼，他說他想擁有一套帶游泳池帶院子的大房子，而在北京，這個夢想永遠也實現不了。他補充道："老家的房價只要兩千五一平米。"我把沈從文品相完好的《旅店及其他》拿在手裏，心裏暗暗祝福這個勤快、聰明的南方小朋友。

在十年的時間裏，沈從文的這三十多本書，從天上來，渡海而來，乘著貨運火車來，以各種各樣的方式來到我的書架上，就像你生活中的人以各種各樣的方式與你相識。藏書家愛

買書記歷：三十八位愛書人的集體回憶

德華‧紐頓說，世界上最有意思的是人，其次是書。那麼人和書的相遇就必然是一件奇妙的事情。那天我帶著這冊《旅店及其他》行駛在回家的路上，北京又下起雨來了。這年夏天，不知道為什麼，北京的雨水格外多。我就想，雨水和你相遇的方式，也和書一樣，是多種多樣的。比如，在山裏，雨水是先從核桃樹的青果子上滑下來，然後群山和城市就被霧氣隔開了；在京塘高速路上，雨水在我的擋風玻璃上叩門，劈里啪啦地敲擊出一份馬馬虎虎的路況報告；到了晚上，城鐵會從我頭頂的高架橋上呼嘯而過。每節車廂的那盞紅色指示燈像流彈一樣射入黑夜，雨水就被這些飛旋的流彈抖落到我的頭髮上。你要知道，無論它們如何到來，都只是為了遇見你，為了在你寂寞的時候，輕聲說上一個新的故事。

六十噸

胡同

　　半年前，設計家胡穎給布衣書局設計了一個 logo，主體形象是一個正在昂首拉車的人，以剪影形式出現，因為書也是黑色的，被有的書友譏諷為"拉了一車磚頭"，相熟的朋友來說，不要用，象徵意義不好，累。我堅持用了，並且在新年到來之前印在了名片上，那天正好跟一個拍賣公司的老總坐一輛車，我給他看我的新名片，他瞥了一眼，扔出一句話："一看就是勞碌的命。"我之所以在這麼強烈的反對聲中仍然堅持使用這個 logo，是因為設計者胡穎的一句話打動了我 ——"我覺得胡同身上有一種使命感"（大意）。

　　或許就是"使命感"這樣一種動力，讓我沿著這條路一直走到了今天，我的路也就是布衣書局的路，是我，給布衣選擇了這樣一個名字，選了這樣的一條道路。這十一年來，越往後休閒娛樂的時間越少，辛苦程度越高，原因很多，但是路線問題是根本的，就是我起步的以"經營學術類舊書"為主的指導思想，讓我沉迷於這種看似並不賺錢的狀態裏。2012 年一年，我試圖轉變，做了很多嘗試，或許現在說，已經發生了一些變化，在原有的品類之外，嘗試著以收藏類的古舊書為主（主要是古籍），兼營手稿信札等名人墨跡類藏品。回頭來看前面的十年，有近千次收購，但是記憶猶新的，還是那一次拉回六十噸的收購。

那是 2009 年 4 月 3 日，以前曾經聯繫過我看過一點舊書的人，又電話給我，說準備賣給我了，就是數量多一點，必須全要，不能揀選，總的數量他也說不清楚，說估計有六十噸。乖乖，六十噸，一噸折合成三千冊的話，就是十八萬冊，按我們每天一百種的速度，要上一千八百天，也就是接近五年。去還是不去？當然去。我找老王開車過來，拉上我，去到那人指定的一個地點。那是一個機關的大院子，聽說搬到這個地方不久，七拐八彎，轉到一個大棚子處，那人指著棚子下面的一大片說：就是這個，你看看吧。

這如何看起呢？差不多一人高，都用苫布蓋著，他爬上去，掀起一角，讓我看。書都是成包成捆的，上面都貼著標籤，撕開幾個包裝，都是最近十多年出版的新書。再換一個角看，是最近這些年出版的幾種雜誌，又換個角，是些文藝理論的書，第四個角也看過了，都不用拆了，跟第一個角的書是重複的。沒舊書啊，更不要奢求什麼古書了。

看著我猶豫的樣子，帶我去的人（姑且稱之為小 L 吧）跟我說，這裏面也有點舊書，我們裝了箱子，放在辦公室裏了，你要的話，也給你。我讓他帶我去看，還真有，"文革"時期的出版物，關於一種著名著作的，也有複本，有個十幾套。再問：還有什麼？小 L 答覆我：沒了。

"那書堆裏就沒有舊的了？"不死心的我還問。

"真沒有了，這些都是我們從地下倉庫裏一點點拉上來的，堆的時候有舊的散本的，我們都挑出來了。"

"那說價錢吧。" 我只有走到這一步了。

"你說⋯⋯"他又推給我。

"你的東西當然你說價。" 我沒接他的話。

"五千一噸。" 他盯著我。

"再見！" 我招呼老王往外走。"買不起了，走吧。"

他看我要走，趕緊說："別走，我們商量商量。"

我說："你前幾天就讓我看過一點樣本了，當時我把就買那幾個品種的價也報給你了，現在你弄出這麼大一堆雜誌加複本的書，你讓我怎麼說？再好的書，也架不住你這麼大的量啊，還這麼貴，沒法買。"

"你讓我開價嘛，誰不往高了說？" 他趕緊賠著笑，順手遞過來一根煙。

我趕緊攔住："我不抽煙，你也別抽了，這不等於放火嘛！"

他也收了手，打火機和煙都裝了回去："那你說多少吧？"

"一千五一噸，你賣廢品，這些銅版紙的雜誌還賣不了一千一噸。" 我回覆他。

"誰說的？上次那個某某印刷廠的都給我一千一一噸了。"他有點急了。

「你看你看，人家才給你一千一一噸。還不知道你雜誌的量有多大，我就給你一千五一噸，要全是雜誌，我得賠死。」我也回了他一句。

「一千五不成，最少得三千。」他也鬆動了。

「三千？」我說：「你等等，我上書堆上看看。」

我找了一個有斜度的角，爬了上去，把苫布扯開，真大，費了半天的勁，才挪到一邊，這還是其中一塊兒，另外還有幾塊大小不同的，我喊了老王上來，乾脆都掀了，裏面的看不見，就在面上看看，看看能有什麼？都掀開了，半個小時才挪了小半片，還是不知道下面的是什麼。

看著我老不下來，小 L 著急了，在下面喊：「你到底是要還是不要？不要我就找別人了。」我下來，重新回到他的小屋裏，開始跟他繼續侃。

「這東西當然是想要，不要我就不費這個事了，你看折騰半天，一身土，也不知道你都放在這裏多久了。」我一邊抖摟身上的土，一邊跟他說。

「以前領導不讓賣，不然早賣了，還輪得到你？」小 L 憤憤地說。

「問題你也打了很多電話，如果要是別人出價高的話，你就不找我了。」我回應他。

小 L 說：「話可不能這麼說，我是看你給幾個樣書出的價還可以，所以才讓你來的。」

「咱們別說廢話了，接著說價錢吧。我給你加到一千六一噸，怎麼樣？」我說。

"不成不成，這個價錢我還不如找某某某來呢，說不定他還能多出一些。"小L的頭像撥浪鼓一樣搖了兩分鐘。

　　等他停止搖頭了，我繼續說："那再加一百元，一千七總成了。"

　　他這次沒說話，繼續搖晃剛剛停下搖動的頭。

　　"一千八！"我又追加了一口。

　　他說："你等一下，我請示一下我們的頭兒。"走出屋門，打電話去了，出門之前，還不忘記把門帶上。幾分鐘之後，他回來了："我們領導說了，看你也比較有誠意，再讓五百元，兩千五百元一噸。"

　　我歎了口氣，接著抖了抖身上沒抖乾淨的土，跟他說："我真想買，但是這個價錢我真買不了，算了。"

　　他說："那你說你最高能出多少？"

　　我咬住牙："就一千八了。"

　　他說："你再坐一下，我再跟領導彙報一下。"又邁出屋門，門再一次被帶上。我探探身，透過窗戶，看到他拿著電話，飛快地說著什麼。隔得遠，聽不見。最後看他點點頭，掛上電話，我也趕緊坐下，看著屋子裏的錶，已經十點半了，來到一個半小時多了。

　　這次快，兩分鐘就回來了。

　　小L說："這次是最後的價錢了，兩千一噸，少一分都不成。換句話說，這些書十二萬，少了你別想了。"

　　"好，我要了。"我接著他的話音說。

　　他沒想到我這麼痛快地答應了，多少有些意外。我跟他說："雖然是要了，但是我出門的時候沒有裝這麼多錢，你等我去籌一下。"

我想到了一個朋友，他肯定有這些錢，但是他能借給我嗎？我電話過去，朋友正在開車，我把事情經過說了，問他能不能先借給我這筆錢。他說："只要你覺得能賺錢，沒問題。你有沒有招行卡？"我說沒問題。他說："你把卡號發給我吧，我去找地方轉給你。"

我把我的招行卡號通過短信發給了他，回到小屋坐著等，十一點了，他的短信來了："錢已經匯出，我多轉了一萬給你，還要僱車僱人，有點富餘好。祝好。"我趕緊拉上已經有點不耐煩的小L，到附近的招行去轉賬，因為數額大，在櫃台去辦，折騰好一會兒，才弄好。這下子他踏實了，輪到我頭疼了。

為什麼呢？這麼大的量，事先一點準備都沒有，眼看著就中午了，還沒吃飯呢。因為現在這東西歸我了，就得看著了，不然再丟失了，他們也不管了。我讓老王出去先吃一口，我在棚子下面先看著。然後順便打電話找車，好在認識幾個開貨車的，一聽說這麼大的量，都知道自己拉不了，最後定了四輛卡車，但是因為分時限行的緣故，所以他們只能到晚上九點鐘以後才能進城裏。沒辦法，只有等著。我又電話找裝卸工人，找了六個，幸好不久前用過一個裝卸工，是個頭頭，手裏有些人，滿口應承，不然還真不知道該如何是好。

老王吃完回來，帶了個盒飯給我，順便也買了兩瓶礦泉水，找了個地方，搬了兩箱子書，對著書堆坐著。從十二點到晚上八點，這段時間可真難熬。這個地方，臨近單位停車場，很多人看到平素蓋著的書堆打開了，都過來翻看，也沒法制止，就讓他們翻翻吧。下午一上班，就有一個雜誌社的人來了，說：這是誰讓賣的？我們怎麼不知道。我趕緊出來解釋，是誰誰賣給我們的。他說："這些書我們雜誌社還沒有呢！"一邊說一邊掏出手機來打電話："那誰，你讓小張小李小王都下來，過來搬書。"因為在人家地盤上，我也沒法大嚷大叫，只好眼睜睜地看著他們把 2008 年到 2009 年的雜誌每期抱走了一箱。老王想上去制止他們，我說："算了，他們編輯部的東西，拿幾箱就拿幾箱吧，我們不是還多嗎。"

誰知道，這才是開始，這個消息可能在機關大樓裏悄悄地散開了，陸續地有人過來，因為大多數的書都帶著箱子，沒法看，他們就撿邊上的翻，有的箱子還被撕開了口子，看裏面到底是什麼？大多數人離開的時候，手裏都得抓上幾本。我讓老王守住了一摞大畫冊，這是這堆中比較貴的，可不能讓搬走了。

這書堆所在的棚子前面是單位的食堂，晚飯開始前，師傅們也有聽聞風聲的，出來溜達，他們更方便，打開後門就是書堆。有個胖乎乎的師傅從裏面左一本右一本地往外抽，我跑過去制止他的時候，他已經抱了一摞，最上面的是一套四本的一部音樂理論集。我說："這個書您也有用？純音樂理論啊。"他放下書，跟我比劃："我原來在家裏的時候也會吹嗩吶 —— 嗚里瓦嗚里瓦……"我哭笑不得，眼睜睜地看著他把書抱走了。我爬上書堆，把掀開的苫布再蓋上，看不到大書堆了，過來的人漸漸少起來。

天漸漸暗下來了，我讓老王又出去弄了盒飯回來，因為擔心有人來拿書，這次他也回來吃，擔心我一個人看不過來。裝卸工已經上了其中一輛卡車，等著準備時限一到，就馬上進城來。大院裏上班的人慢慢都回家了，少數幾個加班的人在吃了飯之後又走回來，大樓裏亮起了星星點點的燈。

漫長的一天終於過去了，夜降臨了，車也來了，陸續幾輛車，先到的給後到的指路，面對這麼大堆的書，裝卸工頭老李又來把價錢確認了一次，他對我說這些書有六十噸表示懷疑，他疑心還要更重一些。我說："你們就算搬著不好計算，司機還沒數嗎？一個車能拉多少，他們最清楚。" 我這話起了作用，他們開始工作了，反正是按噸計算的。我讓老王在底下當巡視員，我也跟著加入搬扛大軍。這個過程是單調和勞累的，累到以至於都想不起來是如何將這些書裝完的。只記得兩件事，一是裝到最後最高的時候，這些書也沒裝完，只好他們又叫來一輛車，那時候都凌晨兩點多了。還有一件事，就是很多書從箱子裏散出來，因為他們在拋物（如同現在的快遞）過程中經常有失手的時候，書散落出來，他們視如無物，一腳又一腳地就踩在剛才還是嶄新的書上。要是平時，我早跳起來開罵了，可是那時，連罵人的力氣都沒有了。

全部裝完是五輛大車，一個小麵，小麵是我們自己帶的，我們前面帶路，車過大柳樹，已經是凌晨五點多，有賣早點的了。我招呼所有的人下來吃早點，呼啦啦一群人，賣早點的舖子一下子就滿了，大家敞開要，油條、包子、豆腐腦……還好，那時候真不貴，一群人花了七十元。

老李跟我說：他們這幾個人實在是沒力氣了，吃完早飯要回去睡覺，他已經電話叫了另外幾個人來，讓他們直接到庫房去。車到租用的院子門口，因為庫房沒有這麼大的地方來裝，所以要等房東起床之後跟他商議借我們門口的庫房用用，正好有個空著。加上那幾個後備的裝卸工也拖拖拉拉，直到上午八點半才開始卸車，卸車快，前後花了三個小時。

車空了，屋滿了，錢交了，人走了。在開始卸車之前，我跑到辦公室，拿出了相機，拍了幾張照片，幾年之後，能看到的六十噸就是這幾張照片了。

卸車之後太累，連續二十八個小時沒有休息，睡了一覺，又出去拉了兩包書回來，到網上發了個帖子，以示紀念。

六十噸的故事其實講到這裏就可以告一段落了，當然，大家還很好奇，後來如何了呢？按照原來的計劃，這些書我們分揀之後，就準備批發出去，分揀工作在接下來的一週裏面大致分了，剩下的就是推銷。我打了可能的那些電話，請了若干做批發新書的同行上門，他們都搖頭，只要其中一點，剩下的雜誌，不論是單本還是合訂本，他們都不要。只要一點，那沒法賣。折騰了一個月以後，還是不成。那倉庫因為地處路口，也沒法看，只好又請了那批裝卸工來搬到了裏面的倉庫裏面，堆成了山，好在那倉庫大，湊合裝下了。

後來的經歷是，這批書在兩年之後被迫搬家之前，被再次分揀，其中的絕大多數雜誌還是被當做廢品賣掉了，價格是一千至一千一百元不等，估計賣了四五十噸，剩下的則陸陸續續分批運回了山東，少量的自己銷售了，因為時間太長，無法算清到底是虧是賺，但是算上那幾次搬動的成本和房租，賺回來的那點利潤都消耗進去了。

回過頭來看，這是不是一次錯誤的採購呢？答：否。如果當時能夠放棄非要把"書"賣成"書"的想法，把其中的絕大多數在第一時間賣了廢品，雖然每噸會虧一千元，但是節約了大量的房租和人工成本，而且剩下的部分（十噸左右）也便於分揀銷售，再根據剩餘的庫存分攤成本，估計是能賺到錢的，當然，辛苦還是肯定的。

痛定思痛，原因就出在我那有些虛空的"使命感"上，把印了字的紙當做文化的載體，不肯從實際出發分揀處理。覺得既然單冊能夠消化，那麼大批的也能夠消化，可是沒考慮到這期間的運營成本，這個成本之高，是做零售的人難以想象的。看著成箱嶄新的書被當做廢品處理，總是會心痛，有時候也覺得有罪惡感，這些書在我這裏走向了生命的終點，我成了它們的終結者。當然，沒有我，還有別人，別人或許會讓它們儘快回到再生紙的狀態，早些發揮作用，對它們來說也是一種"解脫"。

寫到這裏，多麼希望電話再次響起：我這裏有六十噸書，你要不要？或許會是另外一個故事。

2013 年 1 月於百納居

〔附錄〕當時所寫的網帖中的一組數據：

1. 收購時間：2009 年 4 月 3 日上午

2. 收購到卸貨時長：27 個小時

3. 貨物體積：15×4×1.5 米

4. 貨物重量：約 60 噸

5. 參與人員：出售方 6 人，司機 6 人，裝卸工 12 人

6. 參與車輛：小面 1 輛，東風大貨車 5 輛

7. 裝車時間：2009 年 4 月 3 日晚 9 點半至 2009 年 4 月 4 日凌晨 3 點半

8. 卸車時間：2009 年 4 月 4 日早 8 點半至 2009 年 4 月 4 日中午 11 點半

9. 佔用庫房：145 平米庫房一間

10. 胡同連續工作時間：28 小時

11. 車費：2650 元

12. 裝卸費：1100 元

13. 純淨水：40 元

14. 早餐：70 元

……

我的 OED 情結

周運

西蒙・溫切斯特在《OED 的故事》裏提到，因為英國維多利亞時代有高水平的讀者和作者群，才可能編出 OED（《牛津英語詞典》）來，這些博學而自信的讀者是 OED 這部偉大詞典產生的土壤。借用陳寅恪的話講，"凡解釋一字即是作一部文化史"（《致沈兼士 二》，載《陳寅恪集・書信集》，三聯書店 2001 年，第 172 頁），OED 就是一部詞語的文化史的合集。它代表了維多利亞時代文化的高峰，成就了大英帝國的榮光。政治家國會辯論，要拿它的詞條來當依據；外交方面，如果對方說你沒看過牛津詞典，那是鄙視你沒文化；學者們在學術會議上，為一個詞爭執不下，就要去查閱 OED 來解決。因而 OED 被譽為 "印刷術發明以來最偉大的出版物"，有位中國學者提出，我們也可以編一套漢語的 OED，不過到現在還無法可想。

我對 OED 念念不忘，還是 2002 年初讀了楊傳緯先生譯的西蒙・溫切斯特《教授與瘋子》，特別是知道 OED 原來叫 New

English Dictionary。說來也巧，2003 年夏，去淘書前一天，我還跟朋友開玩笑說，希望可以淘到 OED。而次日清晨，在潘家園一個舊書攤上（當時還在沒修停車場前那片空地裏）我看到了一大厚本棕紅色皮面的書，書脊上赫然寫著 "New English Dictionary"，不會就是 OED 吧，再看扉頁，主編 James Murray，看來就是了。一問價，攤主說二百元，最後一百三十元買下，和朋友一起用布袋抬回來。這是第六卷（L to N），還有 Library of the Peking Union Medical College（北平協和醫學院圖書館）的英文藏書票和圓形鋼印，看來是剔除書。這冊 OED，是 1908 年的一卷，這套書 1884 至 1928 年間共出了一百二十八個分冊，到 1928 年合訂十卷。過了二十來天，我去潘家園，還是在那個書攤上，又看到一冊 OED，1901 年第五卷（H to K），品相比我上次買的那冊要好。我忙問，還有其他的嗎？攤主說收上來的就這些，其餘的要等等了，要了一百六。得到這兩卷後，我就一直想其餘八卷到哪裏去了，可到現在它們也沒有再出現。

2004 年初，我看到一個人在天涯社區發帖子，轉讓一冊零本 OED 和一套五卷本《弗洛伊德論文集》。我特意上班前和他在北新橋郵局那裏接頭買了這些書，這是第一版 OED 第二卷 C，1933 年出的十二卷本系統，1978 年重印本。兩週後的一個週六，我在潘家園一個攤主那裏買到了 1972 至 1986 年的 OED 四卷本補編第二卷（這是原版，翻印本書攤上也時有發現），另個攤主說週日他可以帶其餘三本過來。我週日一早過去，他拿來了這三本，還說家裏有一堆呢，並留了電話。過幾天與這個攤主聯繫後，和朋友打的過去，趕到清河那個攤主家去。當時一路都是野地，雪色彌望。到了攤主住的平房後，走過門口燒火的柴禾堆，見屋裏赫然堆著一套OED，黃色書衣的第一版，加一卷本補編（1933），共十三本，五百元買下來，朋友還花一百元買了一本《韋伯斯特第三國際版大詞典》。攤主派車把我們送回來。到了這年底，還是在潘家園，朋友一百八十元淘到一本OED第二版（1989）縮印本，外面一個大盒，就是少了那個放大鏡，也轉給了我。第一版OED七十年代後期還出有兩冊縮印本，套盒，附帶個放大鏡，在大學圖書館工具書閱覽室看到過。

因為OED，我讓公司買下了溫切斯特《教授與瘋子》和《OED的故事》的版權。因此結識了譯者楊傳緯教授，開始了一系列西文書話的翻譯合作，他也很快就譯好了《OED的故事》。我在編輯審稿時，發現在天涯書局網站，有一位上海書友發帖賣一套OED第二版，二十冊。沒見別人跟帖。我跟她取得聯繫後，說書還在，書價加郵費不過七百八十元，趕緊把款匯了過去。她說這套書太大太重，可否把外面的硬盒扔掉，我請她原樣寄來，又多匯了二十元給她做郵資。她分兩次把書從郵局寄到。我一看這是國內翻印本，儘管不是原版，可這個翻印本價值更大。沒想到當時還有這麼大魄力，把第二版也翻印出來了。國內翻印的水平和大手筆從這兩版OED翻印本就看出來了。看裝幀，也是布面精裝，墨藍色護封。開本約相當於原本的三分之二大小，紙張用的類似聖經紙（有些鬆軟發暗，但沒有聖經紙潔白光滑）。每卷外面還套了個硬紙盒，對原版的模仿中規中矩。曾看到一篇國內報紙的專訪，其中現任 OED 第三版副主編的彼得・基里弗提到，到目前為止，他們還沒有發現 OED 被全套盜版過，"這也許是因為詞典多達二十卷，每卷一千頁，盜版成本太大的緣故"（《牛津詞典編了一個半世紀》，載《環球時報》2003 年 12 月 17 日第十四版）。呵呵，其實我們國內不只盜版過全套，還把兩版的 OED 都翻印過，在學校圖書館就看到過 OED 第一版十二卷本的翻印本。後來四卷補編也翻印過。這樣加我手裏這套第二版二十卷本的翻印本，幾乎把 OED 一網打盡了。我在社科院外文所英美室的書櫃裏也看到一套第二版的翻印本，他們還沒意識到這不是原版。以前國內獲得國外原版書有困難，便通過大量翻印來解決這一問題，更有魄力的是翻印了兩版 OED、《里德爾—司各特希臘語、英語大詞典》等重要工具書，所以去考查一下當時外文書的翻印情況還是有必要的，這也是中國出版史的重要一頁。

編《OED 的故事》時，我正好查了一些條目，助力不小。設計封面時，設計師特意趕遠路到我家把那兩大本十卷本 OED 分冊拍了圖片，後來《OED 的故事》出來，看到封面上那兩冊古色古香的詞典照片，感覺很出彩。這書也代表了當時英國裝幀工藝的最高典範，據溫切斯特介紹，1928 年牛津大學出版社銷售廣告說 OED 還有十卷十二冊半摩洛哥羊皮本、二十冊四分之一波斯綢本和二十冊半摩洛哥羊皮本等幾種不同的裝幀。其中第六卷出版時，因為金匠協會捐了五千英鎊，出版社為了答謝，而在詞典書名頁致謝。有個編輯在該卷校樣書名頁"五千英鎊"下面寫了一行字："這筆錢絕大部分沒有分給員工"，還在書名頁下寫了莎翁《錯誤的喜劇》中的一句話："帶我到金匠那裏去／我希望知道真相"。我這套是其中半摩洛哥羊皮本的一種。聽一個朋友說，這個十卷本系統，加州大學伯克利分校圖書館一開始沒收，還是一個校友捐了一套。他一直想看每卷前的主編前言，後來1929年第一版就沒有了，這時早已啟用OED的名稱（1915年開始）。這個朋友認為，當時是外國教會在華辦學的高峰期，所以連好的國內教會中學都會有。我這套協和圖書館出來的OED，也是洛克菲勒捐贈的。估計圖書館看到這套書又大又重，感覺太老了，就當廢書剔除出來。

後來我又在潘家園淘到一本《OED指南》（1993），編者伯格（Donna Lee Berg）就是以前新牛津英語詞典滑鐵盧大學中心的項目主任和圖書館館長，其中不少有用的材料，如果《OED的故事》晚出的話，倒可以補充一些很好的註釋。我手裏的這幾套OED，不論是翻印本還是原版，都是從公家單位出來的，說明北京書源的豐富，也看出這套書不是一般個人可以置備的。不過藉助地攤、網絡等途徑，自己可以收到這些，也算現在淘書人的便利與幸運了。

中行門下客

舒罕

一

我從沒見過張中行先生，卻固執地把他以及他的書當做我的啟蒙老師。舊年間的大家為表崇敬前賢之心每以門下走狗為喻，我自是愚鈍，然中行先生之於我，亦願作如是觀。

最早接觸到行公的書還是在讀高二的時候。其時先生的《負暄瑣話》《負暄續話》已經印行數載，從報上讀到幾則片段，立馬把興趣從鄭逸梅先生的"以舊為舊"轉移到張先生"亦新亦舊，似舊實新"的文字境界上來了。可惜身居僻壤，耳畔除了兵工廠特有的機器轟鳴聲，就是居所前後不知疲倦的聒噪蟬聲，哪裏能得到這樣的書？好在暑假按時降臨，坐上客車折騰幾小時站到書店門口。其實今天想來那算不上一家真正的書店，只是本地一家出版社的門市，令我驚喜的是店裏有不少其他來路的新舊雜書。那一日的書單我至今明晰不忘：岳麓書社版《王維孟浩然集》，曾國藩選編的兩厚冊《十八家詩鈔》，最驚心動魄的便是這薄薄兩冊《瑣話》和《續話》了。

終於看到封面上瘦骨支離的蕭勞老人的題字，兩三個老者對坐而談的溫煦，正和內裏的文字一致，當年曲園老人印製"如面談"箋紙分贈友好，大約亦和這書一般，求其友聲，以解岑寂。

行公的寫人，有自己的面目，並不重其人的刻畫、其事的鋪敘，而多藉由親身交往以淡筆用深情寫其神，不論是在上者如章太炎、胡適之，還是無聞者如汪大娘、怪物老爺，都是以少少許勝人多多許，簡練而傳神。"負暄"系列走紅之後，憶舊懷人的書如過江之鯽，或瑣碎於記事，或自矜於行文，挖掘的言行事功或者更多更細，但真從文章境界上勝過行公，竟也鮮見。

世人多說張老的文字絮叨散碎，我想這是他飽讀西哲說理文字後的移山造化功。中文原本不大長於說理思辨，先秦以後尤其如此。為追求理性思維之清澈明確，把欲申說之理趣講通說透，行公只好選擇了這樣的道路；說只好，似乎有點被動，實則行公寫出了自己的面目：絮語如棉未能休，千言落筆亦悠遊；文辭道斷真容易，思想清明更難求。不習慣的讀者只覺得囉嗦單調，待有了合適契機之後，會發現這和所謂的囉嗦單調大不相同。打個比方，同是一枚硬幣，行公想做的是把它的兩面都揣度刻畫得清清爽爽，一般人卻只貪愛一面的花紋或是圖案，不識其間真面目了。

買到兩本書之後的那個寒假，在現在已是一片廢墟的新華書店裏，遇到了社科出版社印行的“張中行作品集”前三卷：《文言和白話·文言津逮》，《詩詞讀寫叢話》，《禪外說禪》，裝幀設計獨具匠心，護封用行公手書詩詞墨跡製版，內頁封面則是禪意十足的水墨小畫，一荷一魚亦微物，欣其所遇見自然。這三本書拿在手裏便捨不得放手，可恨錢未帶足，磨蹭半天，排比斟酌，捧起一本毅然結賬。滿臉冷漠的收銀員冷光乍出於匣，彷彿鼻縫裏出來一絲涼氣：這書不拆零。這正是魯迅先生所說的“無物之陣”，明明恨之入骨卻又無計可施。

　　回家後茶飯不思，只好求援於母親。母親埋怨幾聲之後便走開了。幾日後，正是年關過去的冷清安靜中，我回到家中，三本作品集正在床頭。欣喜若狂自不必說，當時正迷舊體詩詞，剛剛手鈔了一本五百首的《花間集》，《詩詞讀寫叢話》出現得恰當時。以如今的眼光看，近世以來講解舊詩的書高妙者不多：王國維先生的《人間詞話》，顧隨先生的《駝庵詩話》系列，俞平伯先生的《論詩詞曲雜著》，繆鉞先生的戔戔小冊《詩詞散論》，錢鍾書先生的《談藝錄》，今人的則以葉嘉瑩先生的著述講稿和這本《詩詞讀寫叢話》最見樹見林了。這幾本書裏有的言簡意深，不便領受；有的精金美玉，令人目盲；有的海天遼闊，茫無際涯。唯有行公這部書，深入淺出，用心良苦，把艱難險途化而為康莊大路，且不說內容的兼收並蓄，單論文字的平易醇厚，已是跡近自然了。書後所附《說夢草》，亦當得起當行人語。其詩語淺情摯，像是唐人的小李杜額外加了一點拾得和寒山。似乎有點拙直，細味卻是純真，錢默存公的《槐聚詩存》好則好矣，和行公一比，則其學養厚，而情意略少了。

社科版的"作品集"一直出版下來，我也是每見必收的，可惜後來的幾種未免用紙稍劣了，尤其最後一種《散簡集存》，連護封都省了，封面設計也大變，未免虎頭蛇尾。

二

讀大學二年級時，行公的回憶錄《流年碎影》出版。為買這書費了不少力氣。彼時讀書的那個城市只有一家百味書屋志趣不俗，雖然只是別家商舖屋簷下的幾平方逼仄之地，卻是我常常光顧的地方，尤其剛領了家裏寄來的生活費時，真是左顧右盼，趾高氣揚。買《流年碎影》是見了報上廣告後在這家書屋預訂的，清癯而有詩人氣質的店主收了二十塊錢後有幾分得意地給我看他的預訂書單，我粗略過目，上面有《俞平伯全集》《楊義文存》《管錐編》的名字，店主還說，單為訂書方便，在昆明和成都的書刊批發市場專門請了人把關進貨，當日他意興飛揚的神態我至今記得準確，只是不知道如今他的生意是否依舊順風順水。

訂完書後連著三個星期天我都去打探，都是躊躇滿志去沮喪失意回。直到下一個週末，才終於拿到了厚厚一大冊，滿是文竹花紋的全新的《流年碎影》。這本書是我第一次讀完且讀了很多遍的最厚的回憶錄。一個動亂的大時代裏，除了求知順遂其他都"知其無可奈何而安之若命"的小人物的平凡一生究竟是怎麼打動當時的我？至今也想不明白。估計第一還是裏面的文字和由文字浸染出來的思想吧。文字是一如既往的平實淡泊，哪怕是分了好幾章來寫的《傷哉貧也》，也寫得不激憤，只有難以言說的苦澀。從出生到小學，從北大到人教社，從孤城裏的順民到紅海洋下的疑惑者，行公一路淡淡寫來，沒有五四以來常見的捨我其誰的精英氣概，也不試圖去再造一個宏大敘述底下有目的有價值的世界，他是真正的布衣之士，城市平民中的有理性的思想者。裏面提到的不多的歡樂記憶，有兒時通縣 "暖而偏於熱的炕"，味道鮮美的 "烙餅配肉片熬白菜"，有大學圖書館裏獨據一桌信手翻來的中西典籍，也有小攤小市上負手對殘書的悠閒自得，凡此種種，都是憂患人世裏難得一見的片刻歡顏吧。行公的整部書裏沒有激烈言辭，卻同樣呈現了悲天憫人的情懷。

用了半月讀完第一遍，忍不住謅了幾首歪詩，詩必不佳，卻也是當年痕跡，抄在下邊：

"渭水秋風吹六代，蓬山細雨濕三生。夢回北國雞聲遠，暗負東籬客語輕。玄鬢無心朱雀宅，青衫有志白鷗盟。多歧大道憑誰歎，片紙微言任意行。"

"樽前不是愛惜身，秋去春消意態真。九派波濤聲已逝，六朝煙雨畫終陳。悲歌當哭情何補，斷句難成夢尚邃。一卷芸編勤在眼，且憑舊話長精神。"

"開元舊貌遺碎影，暮筆依依話流年。蕭瑟江關頻入夢，呢喃燕語空題箋。分明大患平生累，恍惚小劫幾世遷。一笑拈花誰應是，我儕不語向晚煙。"

另一樣忍不住是終於鼓足勇氣給行公寫了封長信，大約五頁信紙吧。不誇張地說，態度真是比寫情書還認真，寄給出版社轉交行公，雖然此後再無傳說中的後文，卻並不遺憾後悔，難得向師長傾吐一番，盡興便可，至於收未收到，回沒回覆，彷彿只是餘事了。

<h2 style="text-align:center">三</h2>

好幾年之後，才在胡同的布衣書局見到了《負暄瑣話》的一印本，居然和後來的版本差異如此之大，整體殷紅，幾枚紅葉幾乎蓋滿封面，其下一座小亭子，正是蕭疏散淡氣氛。喜歡得很，毫不猶豫搶了回來，下文是當時所寫的文字：

> 東籬曝背秋陽暖，拾取叢楓色正丹。老子白頭說天寶，離痕也作夢中看。

> 大概是張老進入八十年代以後的第一本書吧。胡同拿來拍賣時一眼就愛上它的封面設計，通體火紅的楓葉熏人欲醉，其下茅屋一架，真是自成高格。恰如清霜初臨，山間煙嵐未遠；寒林始醉，坐前茶盞方溫。雲生雲滅，心無礙而豁蒙；鳥飛鳥返，意從容而遲遲。但見籬下龍鍾皓首者數人，清言雋語，緩緩說來；紅塵紫陌，徐徐宕開。六代滄桑之事，三生眷顧之懷，書以淡墨，寄以深杯。大道多歧，頻生亡羊之思；斷句難成，頓起鳴箏之盼。書無勝義，筆方宛轉；襟有悲欣，歌自了然。

我從來沒想到我能買到行公的簽贈本，而且是少見的毛筆題贈本，工致中有瀟灑。這得感謝相交已久素未謀面的"書巫"周興老兄，他在京城販書為業，時有巧遇，這本行公簽贈給"杜振和經理"的《負暄續話》便是他成全與我的。對這書當然是喜不自勝，愛不釋手，也沒工夫去想簽贈背後有沒有故事，只是覺得這下海從商的杜經理也愛看行公的書，而且行公也肯用毛筆鄭重付與他，是很有意思的事。直到去年揚之水先生的《〈讀書〉十年》翩然臨世，讀到其中某節時方才兩眼一亮，歎道：原來是他！

先抄揚之水先生的日記原文：

"一九九一年六月廿七日（四） ……五點鐘到馬凱餐廳。由馬凱做東，張先生出面請啓功先生，牟小東夫婦作陪，並有凌先生、郭師傅及經理杜振和。"

日記裏的張先生即是行公。杜振和經理則是當時馬凱餐廳的負責人，張先生和馬凱餐廳似乎情誼不淺。我對京城飲食掌故不甚了了，查證了一下，馬凱餐廳開業於 1953 年，梅蘭芳為其剪綵，是當年著名湘菜館，1986 年經理杜振和接手擴建成兩層。

行公和杜振和經理交好，是以下筆便額外用心了。兩年多來的疑竇偶然知曉，讀書發現之樂，便盡在於此了。當然更喜歡這本《續話》了，還是有詩為證："東籬暄負又一回，肯把詩情入酒杯。往景迷茫山似隱，鄉園冷落露未晞。常憂治亂疑狐筆，空歎微毫笑犬悲。幾闋樵歌吟罷了，書成殘卷掩柴扉。"詩仍是不佳，但自覺比之前的幾首有了一點進步。

文章開頭說我視行公如蒙師，回顧這十數年間讀行公著作的經歷，究竟得到些什麼？我想也不外乎幾個關鍵詞：懷疑，淡泊，從容，自信。所謂懷疑，當然是不盲從，多思索，這樣也許比較迂遠，卻儘可能地避免了偏執；所謂淡泊，當然是視身外物真如身外物，少了許多無謂牽絆；所謂從容，該是由淡泊引出和延展的東西吧，摒除了不相干的雜務，面對自家要做的事，不一定都遊刃有餘，倒也不會失掉沉穩的分寸；最後的自信，和自尊自強自傲一類無牽涉，堅定地護持而略去動搖，終會守得中天朗月明。寫到此處不禁又想起鳳凰小鎮旁聽濤山下沈從文先生墓前的話：照我思索，能理解“我”；照我思索，可認識“人”。我從行公的大小書冊和一生際遇裏，也得到如斯結論。

昆明訪書記

戴新偉

"昆明的確是好地方，如果將來發了財，頗想在這裏蓋一所房子，一年裏來住他幾個月。"

1944 年，黃裳先生在《昆明雜記》中如是說。而我們在翠湖邊吃過午飯，沿先生坡而上，穿過文林街，走到雲南大學附近一處小區，偶然看到房屋中介的玻璃門上，均價都超過了一萬一平。看來六十多年之後，在昆明蓋房子的願景是越來越遙遠了。我正後悔沒有帶上黃先生的"少作"來遊昆明，轉角卻出現了一家書店，店子甚是文藝，名曰麥田，門口貼著新近"名正言順"進入中國的馬爾克斯大幅招貼。不用問，這裏一定有新版的《百年孤獨》，不過我想的是書店的租金豈不更貴？

如果不是詩人雷平陽帶路，我即使在文林街附近走好幾個來回，未必能發現這家書店。到了我這樣的年紀，文藝書店多少都看垮過幾家，而文藝書店又多少都看起來大同小異，驚喜欠奉。麥田自有其文藝特色，比如音樂，有黑膠也有 CD 唱片，又比如二手外文書，當然也比如你在各地書店都可以見到的時興文藝作品，這裏都有。但進書太快了，不說那些大路貨，像南方日報出版社出的《異域盛放》等一套四冊軟精裝小冊子，來昆明前剛剛給朋友討了一部，竟然這裏也有。陳侗魯毅策劃的著名的法國午夜文叢新書，擺著七八本，書後蓋著藍色印戳"樣本"，老闆說是寄來徵訂的樣書。在廣州的書店裏過往的午夜文叢都難得一見。最為有趣的是我們剛剛做了評介的《妓女與文人》一書，這裏也有貨，而我前不久才買到這套叢書中的另一本《刻在石頭上的世界》。

如果今天還愛逛書店，你就不得不忍受千篇一律的大型超市書店，或者書目大多一樣的小書店。在麥田書店，我多少被衝擊了一下：像前面提到的書，明顯不是剩下的，而是進貨選擇的結果。誠然，今時今日，你要買書大體上都可以在網上解決，但在書店裏見到久欲一讀的書，立刻攫住的那種心情，我想愛書人都有體會。對我來說，日本人蘆原義信的《街道的美學》（百花文藝出版社2006年6月版）就是這樣一本書，立刻捏了一本在手裏（只有兩本）。而擺在顯眼位置的雲南人民出版社"舊版書系"叢書，則提醒遊客，這裏是雲南。這套書收了不少學人作家關於雲南的舊作，如艾蕪的《南行記》、李廣田的《西行記》、丁文江的《漫遊散記》等，勒口書目有李霖燦的《雪山·碧湖·喇嘛寺》，可惜店裏沒有，只好取了新出的《昆明的雨》。汪曾祺先生的書，搜羅了不少單行本，江蘇文藝出版社的《汪曾祺文集》十年前混跡在另外一座城市就已買得，山東畫報出版社近年出的汪氏各種"閒情逸致"小書，更是案頭讀物。我一直盼望新版《汪曾祺全集》出版，可以讀讀他晚年的短篇小說，可惜兩年了只聽樓梯響。還是買了這本汪老關於雲南文章的彙集，坐在麥田書店的門口，喝著詩人泡的茶，消磨一個下午，把這四十篇短文章都重讀了一遍。

汪老說昆明的雨季，"好像相當長的，但是並不使人厭煩。因為是下下停停，停停下下，不是連綿不斷，下起來沒完，而且並不使人氣悶"，而我們在昆明那幾天正當雨季，大啖菌子。他又說"昆明的雨季是明亮的，豐滿的，使人動情的"，那天下午也下了一場大雨，算應和了這本書，只是書有不少錯別字，版權頁更將作者寫成了"馮至"，不知道算不算"錯版"？但對我來說，在麥田書店買這本《昆明的雨》，足以算得上一段遊蹤的紀念。看目錄已經覺得這是一本上好的旅遊指南，尤其是對沒有到過昆明的人而言（想來很少了）—— 跑警報、西南聯大固然已成陳跡，但翠湖、鳳翥街就在左近，還有昆明的雨，剛吃的昆明茶，論斤賣的鮮花和菜市場上的牛肝菌，唯一覺得遺憾的是沒有訪書的蹤跡。

前不久看某書友用謝國楨先生舊題寫《江浙訪書記》，今天看來頗有些"坎普"味。世上自然有人經常訪書記，但我的積習總是訪書。翌日我又跑到文林街吃了一碗汽鍋雞肉米線（見店中碗有缺口，立即目為老字號，鐵了心要吃），跳上出租車，"去賣舊書的地方"，司機說那叫小屯舊貨市場。往北久久未到，又塵土飛揚，問了司機兩次道路是否正確。司機答，我們整天在城裏跑，清楚得很。頗不以我的質疑為然，且以了如指掌的口吻說，此處的舊書只有週末兩天才開。無聊中我又誇昆明的空氣好，司機也很不以為然，與昨天另一個大讚城市發展的司機完全不同觀點。看來訪書記、訪書，都該好好問問當地司機才是。

到了舊貨市場，果然有個超大的舊書地攤集市，不少攤主打出"2元一本"的招牌。蹲了一圈，只揀了兩三本可買可不買的書：《太平廣記》第五冊，呂鳳子的《中國畫法研究》，長征出版社出版的《外國新聞通訊選評》下冊（通訊特寫）——這是我十一年前的入門書，相見頗有蘇童論塞林格之感：他雖是一張用舊的錢幣，我總不欲見其被人糟踐（大意）。雙腿酸麻之際，翻出一本"文革"中武漢印的毛主席手跡選，有意思問問價，想不到那位據書箕坐的老闆揮揮手：起碼上千，我要賣給戴金錶的。真是太不客氣了，只好很羞愧地放下書走開了。舊貨市場裏面還有幾家實體舊書店，竟然在第一家找到一部毛邊本的《徐霞客遊記校註》，雲南人民出版社1985年6月版，那個年月印的書而又毛邊，說不定是校註者自留的——恰好扉頁已撕去，姑且作此遐想。好在這家店老闆沒有看我的手錶，並且價格公道，不枉我風塵僕僕一場。

小屯的舊書，有關雲南地方風物類不少，只是太大路貨。買此類書最佳是在大觀路——當時我和同事橋兒正在翠湖邊壓馬路，他突然想起李公明老師有一篇在昆明大觀路訪書的文章，我遂立刻電話李老師問了店名，驅車跑去——昆明的士司機大概太熟書店了，下車便是民族書店。這裏有兩家都賣舊一點的書，太舊的就自定價。民族學學者汪寧生的三巨冊著作，不敢下手，選了《雲南掌故》（民國羅養儒著）和李孝友先生的《昆明風物誌》，都是好玩的地方文史書籍。接著又找到李孝友先生一本《娜嬛著稿》，雲南人民出版社2010年3月出版，精裝本，四十五元。這幾年小精裝叢書不少出版社都在推出，此書列入的"雲南文史書系"則從未見過，不知還有其他什麼人的著作，不過李氏此書所收錄的《木氏土司的詩文別集》《"釋儒"擔當》《精校細勘釋錢灃》等篇都引人興味。在另一家書店也找到一本與雲南有關的風土誌《滇海虞衡誌校註》。在昆明找到與雲南有關的書自不足奇，奇怪的是還淘到王健群先生的《好太王碑研究》，好太王碑在吉林集安，卻在雲南昆明淘得此書，不能不說是書緣了。聽說大觀路附近就有一個超大的圖書批發市場，但來這兩家的人卻委實不多，老闆也叫我們多選選。看到文史資料出版社的"文史資料選輯"，堆了一書櫃，也就不客氣地翻起來。這套"內部發行"的叢刊保留了不少清末民國人物的回憶錄，雖有政治氣候原因，但大體上可見其經歷，殘篇斷簡也是一個時代的歷史記錄。我依著感興趣的人和事選了一些，如馮玉祥北京政變、美國收藏家福開森、辛亥以後的袁世凱、李宗仁代理總統前後，此外有一些較有意思的話題，如民族資本、國民黨時期的郵政、北京的錢舖與銀號等等。最有意思的是第六十五輯中《沙文求烈士在廣州起義前後的七封書信》，沙文求是書法家、篆刻家沙孟海的弟弟（沙孟海字文若），參加過著名的五卅運動，1927年參加廣州起義，次年被捕犧牲。從沙文求的信中看得出這位早期共產黨員對家族的影響，他的三弟、四弟都參加了革命工作，而非黨員的沙孟海也受其影響——以前和師友談起過沙孟海在解放前經歷複雜，而解放後卻能以藝術大師的身份平安度過各種政治運動，曾猜測他負有秘密任務，是冀朝鼎一般的人物。今天讀其弟弟沙文求的信，或可見一二端倪。

買書最忌選殘書，結賬時，我還是拿下了精裝本的《顧維鈞回憶錄》第一冊。此書共有十二冊，要配齊只有向網絡書店求救了。不過，第一冊正好是辛亥革命前後十數年間的事，現在讀豈不應景。再說，讀殘書的好處即是讀一點是一點，真有了皇皇十二冊，恐怕就沒有時間去讀了。

九十一天的訪書行腳

陳逸華

　　抵達哈爾濱機場的時間已是午夜了，季冬的冷冽空氣鑽入身軀，剛剛在飛機上的昏沉陡然一空，處在人生地不熟的城市深夜，旅途的第一站著實教攜帶大型行李箱的我感到些微慌張。乘上機場巴士到了市區，好容易尋到先前預定的青年旅舍，沒有絲毫燈光的旅舍外觀更添加了我的不安，撥打電話詢問之後，一個中年男子回道："你現在在外頭啊？那我去給你開門。"門一打開，我問為什麼不開燈呢？"三更半夜的開什麼燈？"

　　2009 年，我以雲門舞集資助的"流浪者計劃"，沿著中國大陸東半部的大型城市，一一探訪其間的舊書市集與舊書店，並拜訪各個地方的藏書家。也許很多人都有著出走的衝動，卻礙於種種外在的內在的理由而難以實現，說穿了，真正出走的人多半得先克服自己所造成的阻力才行。只是萬事起頭難，除了在台灣時透過書界前輩協助所取得的幾個電話號碼，以及網絡上查到的信息之外，要從什麼地方走起實在沒有太大頭緒。然而沒有過於詳細規劃的旅程，往往也最能夠帶來豐富且意想不到的收穫。

一個人走在陌生都市的街頭，很容易產生一股專屬旅人的滄桑與淒涼，儘管這份孤寂是由自己決定。但一個人的旅程有著更充裕的時間和更寬廣的視野，一旦可以專心地省視自我，很多從沒看透的羈絆便迎刃而解了。在不同的路上，也總能夠碰見有著一致方向的同好。因此就算是孤單，卻也不會寂寞。

到瀋陽時，我下榻在由張學良之東北軍"軍官俱樂部"所改建的帥府賓館，打算好好一探清初遺留下的皇城和張學良故居等地。當我隔天準備前往盛京故宮時，無意間在兩個重建的城門之間發現"盛京古玩城"的牌坊，沿街行走則有遍地書攤。那一塊一塊各自擺設的相連攤位，有著花花綠綠的大量書冊典籍，隨著摩挲的人潮踅走，即使沒買上一本書，仍有種醍醐灌頂的滋味，彷彿就這麼走啊走的，再怎麼鬱結的情緒都能夠舒化開來。這是台灣沒有的景象，亦是所有淘書者念茲在茲的幸福所在。姑不論能否從大批的出版品裏淘到喜歡的書，"淘書"的過程本身便是一種享受，試想能肆無忌憚地浸淫在書堆間，細細篩選、撿拾，一攤一攤重複挖掘尋找，是何等過癮又愉悅的事？再者，並非所有城市都有露天的書市，陰晴雨雪，不同的氣候成就不同的風景，唯一相同的，是人人都能夠逡巡在等待的書本之中。

北京的舊書當然豐富。有這麼一句戲言說，全中國百分之九十的舊書在北京，百分之五在上海，其他各個地方加起來就是剩下的百分之五。這話當然誇張了，卻也更顯示出北京的聚合力與包容力，各地的書販來到北京分食這塊大餅，舊書多，淘的人也多，眼捷手快不見得管用，端的是耐心與眼光，以及不畏日夜時差的精神。而在南京淘書是不同於北京的。除去散落城市的舊書店不提，北京有聞名的潘家園，也有報國寺、甜水園等淘書地，相對於南京，只有朝天宮附近的舊貨市集較為人知。我與南京的藏書家薛冰相約，在週日清早前去尋寶。薛冰是位溫文儒雅又待人謙恭的長者，剛到南京時我直接以電話打擾，薛冰不以為忤，還領著我逛了不少南京的大小舊書店。我對市集的諸多地攤能否出現珍品沒有太大信心，且連續一個多月的行腳訪書實在有些疲憊，因此在攤與攤之間並未太認真去挖掘。不久我與薛冰迎面相遇，打過招呼後便錯身往對方來時的方向繼續前進。直到整個繞過一圈再度相逢時，薛冰笑瞇瞇地問我："前頭那一攤你剛逛過了嗎？" 我點點頭回應。"你看漏了。" 話一說完，薛冰便從袋裏摸出一本書，我一看大驚失色，那是上海淪陷時期十分具有代表性的文學刊物《古今》雜誌，其附屬的古今出版社所發行的古今叢書之一《蠹魚篇》。古今叢書前後只有《往矣集》《蠹魚篇》《一士類稿》三種，每一本內容皆是上乘之選，如今其中任何一本在市場上均十分搶手，有錢還不見得能買得到。薛冰說，這算是撿漏了，一年還不見得可以碰上一回。而我只笑笑，腦海裏不斷浮現 "薑還是老的辣" 這句話，同時慶幸《蠹魚篇》落在薛冰手裏總勝於流落回收場。也因為如此，日後再逛書市書店時，無不打起精神逐一掃視了。

在蘇州，自然不會放過一探文學山房的機會。文學山房位在平江街歷史街區，山房主人江澄波先生家學淵源。其曾祖父江椿山在太平天國時期為掃葉山房的夥計。祖父江杏溪於1899年創立文學山房，乃清朝末年盛極一時的舊書店。父親江靜瀾更將山房發揚光大，南北名家如張元濟、章太炎、顧頡剛、鄭振鐸、阿英等都是書店常客。而後舊書業收歸國有，文學山房並入國營的古舊書店，江澄波遂被延攬其中為客服務。江澄波自小跟著祖父、父親於書店出入，多次親眼見到過去盛極一時的私家藏書流落民間，也和許多已然逝去的學者、藏書家有所交流，耳濡目染累積了許多書籍版本知識，其自身儼然便是一部活生生的蘇州舊書業史。從蘇州古舊書店退休之後，江澄波於2001年另立文育山房，並偕同女兒江娟娟合力看顧。至2012年，書店改回原名文學山房，在名實上都真正接續前朝。書香五代，文學山房以家族承襲來傳遞文化，是中外少見跨越三個世紀的舊書店。

我前後去了三趟文學山房。在山房裏，淘書不是重點，能與江澄波面對面聊天才是最為值得的地方，儘管聊到興起時，江澄波總會默默從書店後方，將珍藏的光緒年間的貢宣或是乾隆年間的皇室墨錠取出供我欣賞。而當我表明想買一本書權充紀念時，江澄波笑瞇瞇地拿出一本品相極佳的《一士類稿》問我需不需要，想起與《蠹魚篇》的擦身而過，對能夠在有生之年走訪文學山房竟感到些許自豪了。

香港的第一代舊書店實用書局位於住宅公寓裏，相鄰的樓層便是聲色場所。實用書局的老闆龍良臣，年紀已臻上壽。上世紀四十年代成立時是販賣新書的求實出版社，其時特別隔了一個小小的客房，專門給大陸來港的文人們暫時棲身。不論是出版社還是書店，龍良臣對於文人的尊重與協助，都是讓人津津樂道的。"文革"結束之後，不少作家失去寫作意願，龍良臣不忍心這些文學生命就此埋沒，遂整理書店中各個作家的所有相關著作，無償翻印送給灰心喪志的作家們。沈從文致徐遲的信曾提及："我的一切舊作已於五三年即燒盡，紙型也不保存。台灣方面待遇相同，倒像是歷史少有事情。'文化大革命'一來，且把手邊留下的，作為紀念的底子全部'代為消毒'毀去了。近年有機會重印幾卷舊作，公私圖書館既保存極少，全靠香港方面，為寄來翻印本四十二冊，不少還是上海一折八扣重印本，才能著手。"如果沒有龍良臣，或許我們便不會知道沈從文、聶紺弩、蔣牧良、秦似等作家了。

還得回頭說說到香港之前去了福州，那是我血緣上的故鄉，更計較一點說是侯官則更恰當。祖父在 1947 年來了台灣，兩年之後發現無法回去，索性落地生根，在台灣延續了香火。然而在祖父離家時，出生十四天而被大家認為恐怕來不及長大的大伯，憑著強韌的生命力活了下來，因此旅程中刻意安排回鄉，一來為了長時奔走之後的歇腳，二來想好好瞭解祖父的生長軌跡。於是福州的幾日，是我整個旅行期間唯一不外出的行程，整個村裏都是同姓的近親遠親，就算從未見過面，也待我如去了遠方而終於歸來的子弟般溫暖親切。我知道，許多和祖父同輩分的長輩們，把對祖父的殷殷念想毫不保留地釋放在我身上了。我看著和祖父有著相同面容的姑婆，看著和父親有著肖似相貌的大伯，一丁點不適或違和感都沒有，好像我真的只不過是離鄉多日，總算回家了似的。大伯在瞭解我的旅程目的後也翻出家中堆放經年的斷簡殘編，然後我看到了未曾謀面的曾祖父的藏書與手抄本，以及祖父幼時上私塾所使用的課本如《幼學瓊林》《分類尺牘全書》《繪圖大小九九算法書》等。這些已經超過八十年的啟蒙讀物，還留有祖父稚嫩的簽名。都說歷史是回不去的，但卻可輕易在這幾本毫不起眼的書上感覺到所承載的時間重量。在鄰人和耆老的回憶裏，我知悉了曾祖父如何將大伯撫育成人，祖父的血氣方剛如何教日本兵頭痛不已。這些簡直是另一個世界的故事，卻是從小疼愛我的祖父從來沒有提過的。

由北邊的哈爾濱，到南方的香港，走過二十個城市之後，才深深感到三個月的時間，其實並不夠走遍預定的行程。幾乎每個大型城市都有自己的舊貨市集，遑論那些點綴其間的舊書店。即便如此，我仍有緣淘得許多好書，訪見許多藏書家，並聽到許多故事。當我終於返家，面對著攜回的一百五十公斤好書時，心中踏實且滿足，特別是僅佔百分之一，從福州隨身伴我護我的那一點五公斤極不起眼的破紙爛葉，上頭一筆一畫，細細記載曾經的歲月，不只血脈，也依稀看見所謂的根，結結實實地自這幾要隨風飄散的冊頁裏茁壯起來。

到底我也順利走過這一遭了。

淘書十年記

常青田

　　一般來說，一個人自幼所受的家庭熏陶對其成長應該是最為重要的，可我的家庭熏陶與讀書一事真可謂素絲無染。不僅如此，就連我的父母他們這一輩子也是隻字不識，然而，就是這樣一個與文字幾乎絕緣的農家孩子，一直是自由生長，一不小心成了一個靠寫字為生的人，每每想到此，我還是忍不住感慨，甚至感覺很是荒誕。

　　但要說到與書結緣，也就是從喜好讀閒書到開始真正為自己買書，那還是二十歲我到了上海之後的事。那一年，我誤打誤撞地考入了上海一所藝術類高校，所學專業為戲劇文學。雖然現在很多人開始趕潮流似的不喜歡余秋雨先生，但是，還得客觀地說，當時我選擇報考這所學校和這個專業，跟大量地閱讀了余秋雨先生的很多散文有至關重要的關係。就是在這所學校，我有生以來第一次走進了真正意義上的圖書館，也是第一次見到那麼那麼多的書，比我之前常去的縣城那一家不大的新華書店裏的書多太多了。我完全像是老鼠掉進米倉裏，那種幸福感無與倫比。就這樣我如飢似渴地在學校圖書館裏借書，但是借書要還，這慢慢地讓人很不捨。

人性之弱點有一種叫做佔有慾，我未能幸免，讀過的好書就想佔有。這種人性弱點在大學四年開始膨脹爆炸，當然，這跟當時自己手裏有一點可憐的生活費也有關。慢慢地，喜歡的書買了一大堆，可大多是糊牆派的新書，一些幾年前十幾年前甚至幾十年前出的書就只有在圖書館借閱，這又讓人很不甘很抓狂。幸運的是，在上海這樣一個舊書店舊書攤還算是沒有滅絕的城市裏，我像尋寶一樣搜尋著各種偏僻旮旯裏那拿著放大鏡也難以找到的舊書店舊書攤。用大言不慚的話說，這應該叫"功夫不負有心人"，就這樣我常常為能意外買到一兩本早就想買卻一直買不到的書而興奮好幾天，可查查口袋裏那可憐的生活費，只有勒緊褲腰帶過日子了。

其實，去書店買新書那應該叫買書，不叫淘書，真正的淘書指的是淘古舊書。所以，我真正開始所謂的淘書應該也是從舊書店舊書攤開始算起。記得施蟄存先生在一篇文章裏引用了一句不記得是誰的詩"暇日軒眉哦大句，冷攤負手對殘書"，這大抵是我印象中對淘書人最生動的寫照了。

上海最大的舊書集散地是文廟舊書市場。當時是每逢週六日兩天開放，裏面一個方方正正不大不小的庭院裏擺著縱向六排、橫向兩排的各種舊書攤，大概總有三四百個攤位。這幾乎一網打盡了全上海灘舊書業裏的"遊擊部隊"，整個場面與菜市場無異，只不過這裏買賣交易的不是蔬菜而是舊書。當然新書也有，只是比例極小。打折新書是在背後那個圖書批發市場，而蠹魚們多還是衝著買舊書來的。還有這裏也夾雜了比如信札、碑帖、文件等只能稱為"故紙"的另一路東西。這一路東西我在頭幾年是只看不買的，後來也忍不住買了一些，不過都不是什麼大名頭的，因為大名頭的東西太貴了。這些舊書販們哪一個都不是吃素的，幾乎個頂個都是"版本專家"和"目錄學家"，賣漏的時候還真不多。

人性之佔有慾為一端，可貪婪更是不可救藥。開始的頭三年，實用主義的我用實用主義的方式買我自己實用的書。所以，在文廟買的舊書絕大多數是跟我所學專業相關的戲劇類專業書。並漸漸有一個構想 —— 就是模仿知見錄一類寫一本《百年中文戲劇書籍知見錄》，挑選一千冊版本最為重要的中文戲劇類書籍，每書配三四百字的簡要文字介紹，並配以書影。可幾年下來，戲劇專業類的書買得差不多了，二十多萬字的簡介寫著攢著就闌珊了作罷。只是淘書這事興趣不減，原本意志堅定的我也慢慢地開始往文學類和文史類擴充。這一個把持不住的擴大範圍，眼前就顯出兩個巨大的無底洞。雖然這時我已經開始工作了，經濟狀況也比學生時代好多了，但買書的開支仍是僅次於生活開支的一項大開支。為了能搶到好書，基本是按文廟舊書市場早上七點半鐘開門前就趕了去。當然，早了也不怕，偶爾能趕上鬼市，各種手電筒強弱光束互相交錯，各種有點偷偷摸摸似的交易，各種傳說哪邊又出來一批誰誰誰家的東西被那誰誰誰一槍頭包了圓，這時一定還伴有各種神神秘秘和唏噓不已。然後，就是市場門一開，賣書的買書的魚貫而入，就像搶東西一樣奔走於各家攤位，其實僅僅一小時後的九點鐘，這種行動迅速、人頭攢動的快進場面就回到正常節奏，因為一些能被撿到的漏兒都沒有了。之後就是——好書不賤賣，考的就是你兜裏的銀子和喜好程度了。一些相熟的老蠹魚開始陸續聚集在旁邊的茶館裏喝茶賞書閒聊，當然，這閒聊時間裏仍離不開書，這個環節裏還有買賣交易仍在繼續。根據各自藏書興趣不同，經常是你讓我一冊，我讓你一本，價格公道光明，與純粹從書攤上淘來不一樣，也許是這裏多了那麼幾分友情的緣故。此一日文廟淘書活動才算是告一段落。

除了文廟舊書市場，當時上海還有散落的一些舊書店，我因常去福州路的天蟾舞台看戲，就多提前一些時間去那附近的一家上海舊書店看書。據說這是上海碩果僅存的幾家國營舊書店之一，分店有三家，不過都比不上這總店。雖然是總店，可店面真是不大，跟上海隨處可見的吉祥餛飩店面差不多大。不過店裏舊書倒是不少，可售價也不低，尤其是一些線裝書和民國版的書都是天價，在當時只能看看過個眼癮。不過實在遇到自己喜歡的好書總是顧不了那麼多，依舊是拔不動腿，不買下不罷休。好在這裏不需要討價還價，按標價出售，省卻了一些口水，你只需要跟自己的錢包交代即可。記得我就在這家店裏買到好幾本徐訏的民國版書，當時是為了寫我的那本學術著作《徐訏戲劇論》，奈何後來這書也一直荒廢在抽屜裏，也許永遠也不會完稿了。不過，那些年我幾乎讀完了我能找到的所有徐訏先生著作以及研究徐訏的絕大多數著作，這對後來我自己的藝術創作有深遠的影響，尤其是徐訏先生著作裏所描繪出

的 "民國世界"，一直是我對那個逝去不遠的時代最為直接的感觸。直到去年還有相熟的書友偶然得了徐訏著作還不忘留給我，想來這真是令人溫暖和感慨。

印象深刻的還有瑞金二路上海古籍出版社附近巷子深處的新文化服務社。聽這名字就有點六七十年代的味道，據說這就是碩果僅存的國營舊書店之二了。這樣藏在深巷的舊書店，不靠浮華來招攬顧客，靠的是給懂行的業內人士提供的細心服務。作為上海圖書公司旗下專業經營古舊書刊的這家新文化服務社已經有二三十年的歷史，相比其他舊書店窄小的格局，這裏算是很寬敞：一層的店面兩百平米左右，陳列著大量的老舊期刊和原版圖書，一般舊書按藝術、教育、社科、文學、辭典、醫學等等分門別類擺放，有點圖書館的感覺。二三層是書庫，總共大概在六百平米，據說庫存書籍一直保持在三四萬冊左右。我往往在這裏一待就是三四個小時，臨走時總是發現又一次拎不動了。對了，值得一提的是這家舊書店裏有一個不對所有客人開放的 "九華堂書齋"，只有熟識的客人或主動要求的客人要看，店員才親自帶著客人走進一扇門內。三十多平米的空間裏擺著幾乎是純收藏級的古舊線裝書和民國版珍本書，當然售價不便宜，動輒上千上萬。一部十幾萬的線裝書偶爾也會有。書比人長壽，看到這些老古董，想想它們的年歲比我的祖父都大，想想它們不知道曾經在哪位前輩書房裏待過，被翻閱過，心頭很有感觸。但感觸歸感觸，價格已經不是像我這等實用主義購書者能接受的了，不過免費開開眼總是好的。這裏源自舊書的溫潤厚實的歷史沉澱，已經遠遠超過書的內容本身。

其他散落的小店，如集中在多倫路的三兩家，每一家都不大，書也不多，可是一段時間不去總是惦念著，似乎沒去的那幾天就有好書被我錯過了一樣，讓人揪心。每次去了，即便是一本書也沒買到，也心無掛礙了。有一陣子在多倫路的地下商場還曾聚集過好多家規模不大的舊書店，可惜時間不久又倏地不見蹤影了。更值得一說的是福州路的圖書公司三樓。這裏原本只是賣打折書，資深一些的老蠹魚是不太會光顧的。可有一天這裏居然隔成一個個小門面，租給了滬上一些資深舊書販，頓時成了文廟舊書市場的升級版。之所以說升級版，是因為這裏出售的舊書比較高端，不僅僅是舊書，而是古舊書範疇了，不過比"九華堂書齋"檔次低一些。這裏的大多數店主也是每週六日文廟的常客。也就是從那時開始，我發現自己家裏的書已經需要精簡了，就在孔夫子舊書網上申請了個名為青田書房的網上舊書店。這個存在了僅僅三四年的小店，讓我的書開始流通起來，又敢多買書了，大不了看看不要，掛上網出售了就是。這樣一來二去，我的書籍更新速度快了起來，結束了之前只進不出的狀態。那三四年大概售出近三四千冊書，加上留下來的，我總數買進的書已經過萬冊了。

因為工作性質原因，我常常是天南海北地跑，新到一地之前，總會先查查當地哪裏有舊書店，若是不去逛逛，總是不甘心。北京、南京、長沙、蘇州、深圳、昆明、濟南、鄭州、哈爾濱、青島、揚州、杭州等等地方給我留下很多關於淘書的零散記憶。有的失望而歸，有的小有所得，印象最為深刻的當屬兩京——南京和北京。南京不愧是六朝古都，文化氣息濃，讀書人多，舊書店也是除了北京上海之外最多的一個城市。這些舊書店主要集中在南京大學附近，比如學人舊書店、品雨齋舊書店都是必去逛逛的地方。至於說到北京，那就更令人嚮往了，潘家園、報國寺、中國書店等都是淘書者夢寐以至的地方。但自從我四年前因工作自上海搬來北京居住之後，也去了幾次潘家園，可是不得不說每一次都失望而歸，恍惚而不知何故。後來突然領悟了，其實很多事是相通的 —— 就是我錯過了你最好的年華，即使重逢，一切的熱情和美好都已然不在。原本一直想要的東西，等能得到的時候，你已經不想要了。

十年不長，十年也不短。十年也許在歷史書上連一行字都留不下，十年在文學書上也可以是一部厚重的《平凡的世界》。而我的十年就是我的十年，至少在我的生命裏是難以替換的，這裏飽含著我的愛、我的恨、我的所得、我的失去，我的那十年的一切！同樣，我想下一個十年，潘家園還是潘家園，文廟還是文廟，亦或是潘家園也不是以前的潘家園，文廟也不是以前的文廟，但我更不是現在的我了。

人生如寄可奈何，奈何奈何是為記。

尋找朱偰的十年

勵俊

如今朱偰譽滿海內，很多人都知道他是南京城牆的“保護神”，曾經為了保護明城牆而被打成右派。然而十年前知道他的人並不多，我也不例外。直到某一天起，通過尋找朱偰著述，我才對他有了多元化的認識。

說起來，我最早知道朱偰這個名字，是因為作家黃裳。他的《金陵五記》中多次引用《金陵古跡圖考》，並頗致溢美之詞。黃老從不輕易許人，我記住了《金陵古跡圖考》，也就記住了朱偰。那時我剛入大學，見識短淺，雖然喜歡跑跑書店和圖書館，但讀書找書毫無門徑。直到有一天，文廟書市的某個攤主告訴我，他能弄到《金陵古跡圖考》，但要這個數。他張開手掌，在陽光下來回比劃了一下。這真是個驚人的數字！看著他銅鈴般的大眼，我選擇默默地離開。之後的很長一段時間，我都不願意再走近他的攤位。對於捨不得倆月的伙食費，我感到愧疚。後來，終於在文廟遇見朱偰的另一本書 ——《南京的名勝古跡》。這本其貌不揚的《南京的名勝古跡》看起來像是一本導遊書，印量很大，應該屬於當年的暢銷書一類。雖然為人捷足先登，但發現這本書還是讓我興奮了半天。因為此時，我才終於知道朱偰並非近代人物，五十年代時他還在南京工作。

時間過得飛快。轉眼我就畢業，又搬了家，從此絕跡文廟。說來慚愧，那時我只有兩本朱偰的著作——《南京的名勝古跡》和《蘇州的名勝古跡》。這是個不夠格的成績，還遠遠談不上專藏。2002年開始，互聯網上的舊書交流興起，全國各地的愛書者都被吸引到了天涯社區，我這個書迷也不例外。在那兒，藏書家 L 先生貼的一個書單吸引了我。因為搬家的緣故，L 先生當時正打算處理舊藏一批圖書，知道我喜歡朱偰的書，便欣然同意割愛。那天在他家，我奮戰晨昏，翻得雙手烏黑，餓得發昏，也只找出《明清兩代宮苑建置沿革圖考》，而目錄中的《金陵古跡圖考》卻不知所蹤。望著他家從地板堆到天花板，從廚房到廁所，幾無落腳之地的書堆，我只能悻然作罷。

《明清兩代宮苑建置沿革圖考》成為我尋找朱偰的新起點。這冊四十年代商務印書館出版的圖書，與《金陵古跡圖考》都屬於"故都紀念集"之一。扉頁上署德國柏林大學哲學博士，我這才知道考古並非朱偰的專業。玩票亦成大家，前輩風流真不可及。如今，朱偰的生平事跡已為很多人所熟知，而在十多年前，卻並非如此：沒有生平介紹，缺乏著作目錄。當時，網友注注在天涯社區寫"舊書新識"，介紹《越南受降日記》，並揣測作者朱偰就是後來寫《南京的名勝古跡》的朱偰。然而前者身份是國民黨財政部的代表，而朱偰在1949年後做過江蘇省文化局副局長，以常理揣度似乎並非一人。一時間，網上的正反爭論十分熱烈。

那時，我在圖書館中查閱過朱偰的著作，清楚兩書的作者確為同一人。但是國民黨官員怎麼能為新政府重用，仍令我百思不得其解。所謂知人論世，我下定決心，準備寫一篇完整朱偰傳記。上海市圖書館的近現代圖書館藏全國首屈一指，然而其中的朱偰著作不過十來種，寫作的第一步仍然是搜求更多的資料。於是，我在書友們常去的論壇上貼出求購帖。

我的高調大搜，很快得到了南北友人的大力響應。一年之內，收集到了十餘種稀見的朱偰著作。當時滬上散出一批原某縣的圖書館藏書，其中包括九十年代初北京古籍出版社重印的朱偰著作三種：《北京宮闕圖說》《元大都宮殿圖考》和《明清兩代宮苑建置沿革圖考》。我知道消息已晚，幸好 Y 兄為我留存，書品新若未觸，令人感慨不已。香港 K 兄有一本朱偰長序的《江蘇之塔》，他還曾用詼諧的筆調寫過一篇《論〈江蘇之塔〉的倒掉》，紀念當時淘書之樂。知道我的朱偰專題後，他便慷慨饋贈。

《廬山新導遊》也是當時聞所未聞的朱偰著作，這部 1935 年初版的排印本採取傳統的線裝裝訂，十分別致。書中詳述了廬山的地域、山脈、水系、形勝及沿革，分述各條登山線路之沿途景觀等，並附廬山風景照片五頁凡二十幅，別有佳趣。朱偰酷愛山川，曾說過："余生小有放情山水之志，嘗發願孤筇雙履，遊遍天下名山大川。思人生不過一遊局耳。所謂天地為逆旅，光陰為過客；若不及時遊覽，悔將何及？故今日放情山水，非謂有所寄託。晉之謝靈運，明之徐宏祖，蓋異世而同感者也。"

不久，又得三十年代朱偰譯施托姆小說兩種——《燕語》和《漪溟湖》，圖書館中都未查到；前者是蘇州的 H 兄割愛，後者在冷攤拎得，令人喜出望外。這兩本書都是開明書店出版，方形小冊，裝幀清麗，十分可愛。五四後，德國人施托姆的愛情小說風行一時，所謂"有著詩一般清瘦抒緩的故事，訴說著惘然若失的淡淡悲傷與失落"，極受青年喜愛。比如《漪溟湖》，扉頁就有一段前人的短記，寫道："這是一部小《紅樓夢》，謹贈寶華兄　樹屏　吳淞 1933.4.2"。不久，我又從 Z 兄處借閱朱偰的自傳體文集《行雲流水》，其中的兒女情長令人低徊不已。朱偰細膩的描寫令人感同身受，這三本書一掃我對於朱偰的舊有印象。原來以為專研文物、考古的人必然是懷有遺老氣的刻板學究，沒想到朱偰早年是個有血有肉、有情有愛的熱血青年。

說到熱血青年，不得不提一下朱偰的另一本書——《日本侵略滿蒙之研究》。這本書和《燕語》《漪溟湖》一樣，都是朱偰北大政治學系就讀時的著述。作為名教授朱希祖的長子，朱偰是學校的風雲人物，曾領導過聲勢浩大的復校運動。1928年，日本在華製造了濟南慘案。對於日本侵略趨勢，他十分敏感，所以專門寫作了這本考查日軍侵華源流的《日本侵略滿蒙之研究》。這部書是 2005 年初夏，我在潘家園的鬼市上買到的。當日，與珠海的 Z 兄都在京城出差，兩人書興極濃，拽上京城藏書家 M 兄，三人一起跑到新開胡同的布衣書局夜訪，在那個大宅門的院子裏淘書、喝酒，一直聊到凌晨過後才作別散去。回酒店不到半小時，得Z兄電話，兩人相約於潘家園鬼市淘書。當時天色未明，還得帶著手電筒一一搜訪地攤。書興之豪，可浮一大白。

那段時間，與朱偰的緣分格外好。當時滬上舊書商雲集福州路的上海書店四樓，各種珍稀書籍琳琅滿目，只是價格貴得誇張，有專供歐美港台之說，可發一噱。在那兒，我前後淘到兩本朱偰的著作。一部是四十年代在重慶出版的《杜少陵評傳》。這書是土紙本，裝幀簡陋印刷散漫，不為書賈所重，所以平價得之。另一部則是《金陵古跡名勝影集》。1934年國民政府提出建設"新首都"的計劃，在城區內改築街道，改建房屋，改命地名，古跡文物毀壞喪失者不勝枚舉，六朝古都有面目全非之虞。朱偰對此痛惜不已，傾費三年調查測量照相，攝影兩千餘幅，以一己之力著成《金陵古跡名勝影集》和《金陵古跡圖考》。這部精裝的《金陵古跡名勝影集》，藍布面燙金字，十分豪華。同時還捎上了一本上海書店重印的《金陵古跡圖考》。這部書雖然不是原版，但足以令人心滿意足。

《金陵古跡圖考》是朱偰著述中最膾炙人口的。關於這部書的傳說也很多，有一些濃墨重彩的說法。據說，五十年代初，時任中國人民解放軍軍事學院院長的劉伯承和時任華東軍區司令員陳毅通過南京市委約見朱偰。見面時，劉伯承高興地對朱偰說："昔日在延安讀你書（按：指《金陵古跡圖考》）時，很想與作者一見。可那時我在解放區，先生在國民黨統治區。今日書與作者俱在面前，可謂如願如償。"之後，劉、陳二位將軍約朱偰，共赴清涼山新發現的陳文帝陵，莫愁湖，石頭城，鳳凰台弔瓦官寺遺址，南唐二陵……所有這些重點文物，都被一一編為文物保護單位，樹立標誌牌加以保護。

專題漸起規模，朱偰傳記當然也已啟動。在自己的博客裏，我透露了一小段：

> 民國的時候老有人這樣幹：說是吃完油條，發現包油條的紙是某某手稿，而且內容有些意思云云。我一直很想也揀到這樣的手稿，做夢都想。所謂夢寐以求，這不，這次撞上了。

> 認識伯商，大概在民十二，那時我們都考取了北大的預科，屈指算來已有八十多個春秋了。光陰荏苒，回憶過往真有說不完的話。

> 我們是在預科乙部報到的那天遇見的，當時他給我的印象是個翩翩少年。後來聽人介紹，知道他原來是北大名教授朱希祖先生的長子。因為是同鄉，後來又住得近，我們漸漸就成為好朋友。伯商比我長兩歲，生於民國紀元前五年（1907），三月初三。三月三正是上巳。《詩·鄭風·溱洧》關於上巳有"士女秉蘭"之文，頗為風流旖旎，正符合伯商的"翩翩"形象，於是我們便常拿他的生日開玩笑，他也不以為慍，只偶爾一次辯說"上巳祓禊"是先民禳災的習俗。

> 伯商國學功底好，這必定是家學淵源，中學時候迷上了德語……

這段小露臉，被我冠以《歪曲歷史》之名。所謂"殘稿"當然是不存在的，故弄玄虛是為了看看大家的反應，是否能接受近距離、更鮮活的朱偰形象。當然，我也不忘繼續"大搜"，在文末貼出了一張二十幾種未見的朱偰書目。

嘗試的結果出乎我的意料：朱氏後人輾轉找到我。當時，朱偰之女朱元春女士正在收集、整理先人的著述。看到我的這段"親歷"，她有點將信將疑：在現有資料中，她並未找到父親的"同鄉好友"，但青年時代的形象讓她感到親切和激動。知道真相後的朱女士很快接納了我這個忘年交。從她那兒，我終於解開了朱偰出任江蘇省文化局副局長之謎。原來，朱偰一度在江蘇省政府參事室賦閒，不久傳來了學者歐陽翥自殺的消息。歐陽翥是朱偰摯交，留德同學，專攻脊椎動物神經系統的顯微解剖，享有國際聲譽。歐陽翥的自殺震動海內外，知識分子待遇受到廣泛質疑。出於某種回應的需要，朱偰在此時忽然調任江蘇省文化局。當時，"省委統戰部長葉胥朝當面向朱偰保證，要使黨外人士有職有權"。

結識朱氏後人，我尋找朱偰的目標更為明確。

2005年，書友間傳來消息，說南京舊書市場出現一部朱偰題贈本《汗漫集》。我便趕緊將此消息告知朱氏後人。定居南京的朱元智女士欣然探訪，見到書前題辭有文定之意，才知道是她母親的珍藏書物。"文革"中，朱偰宅所被封，孀婦群雛被掃地出門，這部書大概就是那時候散失的。這部書最終沒能回到朱家，留下了遺憾。2006年，我通過互聯網陸續搜得兩部《汗漫集》。最先得到的是再版本，不但盡刪附圖，連封面圖片也改去。這部書朱女士借去作為重印底本，後賜贈朱偰印拓二枚以為紀念；不久，我又從孔夫子舊書網買到初版本，開本較大，附有百餘張各地遊覽的照片。當時通過孔夫子舊書網所得的，還有《康昌考察記》。1941 年夏，朱偰隨康昌旅行團沿川中樂西公路考察沿途各地財政金融，寫成這部《康昌考察記》。這本書印製於 1942 年，屬於典型的抗戰時期的土紙本，流傳甚罕，書前有農本局圖書室、財政部圖書館等印。朱偰遊記文辭儒雅，且多選有照片，在民國時期可謂獨樹一幟。

詩詞遊記和文物考古，其實是朱偰的業餘之作。對於朱偰的本行——財政金融，最初我給予的關注不多，專藏中缺乏相關書籍。早前，藏書家 M 兄以《中國財政問題》持贈。從此，我才知道朱偰在財政經濟寫作方面有一個完整計劃，但受到抗戰影響，最終僅成書三部。這三部書分別是《中國財政問題》《中國租稅問題》和《中國貨幣問題》。《中國財政問題》是朱偰留學歸國後的第一部專著，出版後不到半年即再版，可見極受歡迎。當時他在創辦不久的中央大學任教授，對幣制、反洋貨傾銷、關稅自主問題等做專題講座，有論文發表，很快聲名鵲起，所在的經濟系也負時譽。自幼集藏錢幣的朱偰寫貨幣沿革如同講故事，行文流暢，娓娓道來，筆鋒常帶情感，毫無枯燥晦澀之病。所以三部書中，我最喜歡讀《中國貨幣問題》。

2008 年開始，海淘之風逐漸興起，舊書也搭車成為風尚。好友 D 兄和 E 老紛紛轉戰 ebay 和 abebooks，淘來不少國內罕見的珍貴善本，看得人眼饞，真是"撿漏"。我尾隨其後，也買到幾種零種短冊。這不，《中國財政改革的主要問題》就被我從德國舊書店撈回來了。這本書是朱偰的博士論文，由北京大學出版部印行而寄送朱偰留學的柏林大學。這種畢業論文的傳遞方式屬於典型的"民國範"。這本論文十分稀見，只知道國家圖書館有一冊，朱氏後人也沒有存本。朱元春女士便託我代購。書千里迢迢從德國飛回來，我翻開扉頁，看到上面有朱偰的簽贈字跡，真是書緣甚福。

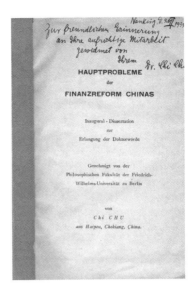

朱偰博士論文

回眸尋找朱偰的十年，從懵懂到求知，為我打開了一扇窗。

如今，朱偰專題成為我藏書的重要組成。

而書之外的記憶，則是我生命的一部分。

訪書散記

顧諍

多年訪求舊書，以負笈錢塘的數年中所獲最多。杭城的幾處古玩集市中，數文三路上的杭州收藏品市場人氣最旺。禮拜六一大早，半道紅橋邊第二百貨大樓的停車場上擺滿了地攤，其中售賣古舊書的不過五六家。攤上有正經線裝書出售的多是蘇、皖兩地來杭的賣家，也有以前就認識的來自餘姚的老顏。

交道打多了便知道週六當天很少出現好書，各家攤主若是手裏有了夠得上檔次的本子，通常會提前一天打電話告知熟客，約定時間到其入住的旅館中當面交易。宋元古刻不曾遇見，偶爾出現明中期的白棉紙精刊本也非重價不可得。那時限於銀袋，只有日常節儉積攢下來的一點存款，全靠了雙腿跑得勤快。

某年冬天，一個尋常週六的清晨，仗著年輕熬完通宵後五點不到就到了市場，幾個賣書的攤位才剛剛擺開。在一個邊角的書攤上堆著一摞清末民國前後的石印畫譜，匆匆捋過一遍，卻從中抽出一冊萬曆原刊初印本《六言唐詩畫譜》，白棉紙大開本。目錄、圖畫、詩文一葉不缺，是民國間武進陶蘭泉的舊藏。攤主當成常見的石印畫譜出售，要了一個在他看來很高的價格。經過冷靜的討價還價，快速地完成了交易。書到手後極興奮，自覺骨頭都輕了幾兩。這也是我多年訪書生涯中的唯一一次撿漏。買舊書的前輩們都說，從來好書須善價。幾年間的收穫大部分還是來自每週五與幾位舊書賣家的"內部交易"。

其中一位來自歙縣的老者，大家都叫他老程，據說在皖中一帶有著廣泛的渠道與眼線。來杭次數不多，兼售各類故紙藏品。起初兩年他帶的大旅行箱裏很有些少見流傳的舊籍，基本在週五的私下交易中就能售完。曾以不高的價格在他手上買過幾種未見著錄的明版俗書，也就是舊稱的"兔園冊子"。其中一部天啟癸亥（1623）潭陽余獻可刊本《鼎刻遊藝齋彙次翰墨碎金》四卷，上下兩截的版式，小字寫刻頗佳，是僅見的孤本。卷一中收錄了數通當時青樓女子與書生之間的來往情書，用詞肉麻露骨，晚明間風氣之開放可窺得一角，是別處看不到的有趣文字。類此日常用書當年多隨購隨棄，最不易保存，流傳至今者寥寥，多數成了孤本，卻是研究晚明人文、政治、民俗的第一手資料。解放前後西諦先生曾大力搜集，他的日記與書跋中多有記述。西諦歿後這批俗書與他的全部藏書掃數捐給了北京圖書館，想來不受重視，多年來未見整理出版。

還有一部萬曆六年（1578）建安楊氏歸仁齋刻《重修政和經史證類備用本草》黑口本，三十卷。放在一個半破的小紙箱內，老程看是藥書也沒要高價。舊說覆刻自蒙古定宗四年

（1249）平陽張存惠"晦明軒"刊本，實際上書內字體不一，多數已是明顯的嘉隆風格。偶見趙字寫刻，加上粗黑口，才有些明初的氣息。原書卷首廣為人知的螭首龜座《重修本草之記》書牌一併重刻，龜座部分已略去。首尾另鐫有萬曆初楊氏歸仁齋蓮花座型牌記。卷四中"解鹽"二圖為半葉連式整幅版畫，古樸生動，是明代中期版畫承前啟後的作品。歸仁齋一稱清白堂，嘉靖中刻過《事文類聚》與《大明一統志》，影響不小，《書林清話》中有記。此書善本書目著錄，國內公藏只四家。坊間未見第二部，因為是不好賣的大部頭，購得後一直留在手邊。

每次與老程包車同來的還有一位吳姓大漢，面團團而帶著微微笑容。說話時滿嘴跑火車，總是念念不忘早先賣漏的一尊明代犀角杯。有回聊得投機，塞給我一本不起眼的小冊子，是萬曆間刻本《新刻選註復古千家詩》，上下二卷。題"雲間陳眉公選註　書林王飛翼繡梓"，陳繼儒當係託名，內皆七言詩。上圖下文，有版畫八十八幅，刊印較同時期建安坊刻的插圖本工整得多。卷首刻西湖全圖一幅，頗有些"海內奇觀"的氣象。王飛翼不知誰何，或是武林的書坊主人。也是不見著錄的版本，僅美國哈佛燕京圖書館有兩部相似的刻本。得到時書衣已失，天頭又有藍筆畫痕，只收了我成本價。拿回居處，手自修補重裝後居然楚楚可觀，那真是十分愉快的買書經歷。

值得一提的是，在老程處買到四厚冊天都黃白山的《唐詩矩》清稿本，素紙無格，小楷精寫，不避"玄"字。老程說得自譚渡故家，原主人即黃氏後人，經三百多年秘藏至今，不知是否隨口編出的美麗故事。據書末落款知此稿成於康熙二十二年（1683）黃生六十一歲時。與民國師古堂叢刻本僅選唐人五絕不同，此稿按五言、七言絕律分，以初、中、盛、晚唐為篇。天頭欄間有密密麻麻深淺不同的小字朱批，可見書成後經作者反覆檢閱評註，卷尾有黃生白文小印。

黃氏所撰《一木堂集》曾遭禁毀，著輯各書亦多散佚，所存僅《字詁》《義府》《杜詩說》。黃山書社版《杜詩說》序言中提到，"則所著或尚有《詩矩》一書，但未見著錄"，說的應該就是此書。同得者還有康熙三十五年一木堂初刻本《杜詩說》半部，方字頗工，書中"胡"、"虜"已缺筆。《歡事閒談》中多記黃生事，其子黃呂幼時即受庭訓，印作遒勁蒼秀，有秦漢遺風，為汪啟淑刻印多方，被收入《飛鴻堂印譜》。乾隆時刻書家黃晟、近代名畫家黃賓虹皆白山後人。

民國時許承堯先生亦曾收得黃白山手稿一部，署"植芝堂今體詩選"。許氏跋云："乙亥初，苊自滬返歙，得杭州復初齋書肆書目一冊，見有是書，註舊寫本，而直甚廉。疑為白山先生遺著，急馳書購之；不日寄到，赫然白山先生手筆也，歡喜之至。且所選皆明清間人詩，中多鄉人佚篇，尤為可寶。白山論詩極精細，此卷中評論更語語愜心。藏書之黃葉千亦見集中。摩挲老眼，詫為奇遇。書以誌吾晚福也。承堯。""先生所刊《杜詩說》卷首有手書自序，乙亥夏借得校之，乃知朱墨筆皆出先生手書，皎然無疑。葉千為先生弟子，此殆手寫以授之者。昔人治學之勤，誨人之篤，於此亦可想見。承堯又記。"詩為黃生選錄、批評，是為課弟子黃葉千之教本。鈐"黃生之印"陰文小方印。前後相隔七十年，同在杭城購得清初學者黃生的手跡，實在是難得的書緣。

當然，也有不少好書由於種種原因擦身而過。如明刻《新刊便覽大學衍義補節要》四冊，白棉紙初印，過去各家書目未收。與書主來回商量多次，好話說盡，不肯稍減。終因索值過高，無力購藏，後輾轉流傳至京城的拍賣會。藏書家韋力先生的《中國古籍拍賣評述》中曾提及，或為他競得。也許入藏芷蘭齋，才是此書的最好歸宿。

又有來自吳下的年輕攤主，在市場內賣出過大批的丁刻《武林掌故叢編》零種。某次以平值收進一部萬曆白棉紙印本《女範編》，是真正古代版畫史上黃金時期的名作。想來是印得太好，書到其手後竟擔心是民國時期的影印精本，請文育山房的老前輩江澄波先生看過才敢確定是原刊本。插圖中人物長身玉立，線條曼妙，版畫技法已極成熟。解放前便是各家相爭的俊物。依例被居為奇貨，裝在一個舊製的紅木書盒裏，非有力者不許上手。不敢問價，似那般驚天秘籍，就不是我這樣的窮酸愛書者能染指的了。

得到黃生稿本的那年秋天，老程帶來一部剛從屯溪收得的《新編目連救母勸善戲文》，是萬曆壬午（1582）徽州鄭之珍高石山房的刻本。滿書的插圖，書前序言中題明係虯村黃鋌所刊。全書蟲蝕極重，且經劣工托裱，拆開重修無比麻煩。老程又說係幫書主代賣，一文不讓，只得放棄。

同樣因蟲蛀而錯失的還有兩冊明刻殘本，題為"新刻湯學士校正古本按鑒演義全像通俗三國志傳"，也是上圖下文的版式，索價千元。見書中插圖不美，就沒太過在意。未想隔了兩年出現在嘉德的大拍上，經過精心修復過的兩卷殘本拍出了近五萬元的巨價。後聽說拍得者將書捐給了國家圖書館，前年已由國圖出版社影印出版。

最可惜的是老程手裏的兩函崇禎刻本《廣百將圖說》。比巾箱本略大的開本，內有百多幅精美的木版畫，不輸新安諸黃的刀筆技藝，卻因去遲了一步，僅以五千五百元的價格為相熟的書友購得。後向得者倍價求購仍不可允，過了好久心情才得平復。

乙酉年初夏曾有北上訪書之行。時正值五一長假之尾，自杭州城站始發的火車車廂內幾無立錐之地，"站樁"近宿才得半座，訪書之苦可見一斑。第二天趕到書友家中，主人姓卓，退休後常跑京津的古籍拍場，存書頗多。此前與老卓有過多年的郵購往來，卻是頭回見面。郵購所得者如兩大冊別下齋白紙初刻本《陰騭文圖證》、半部《花甲閒談》桃花紙印本等皆一時之選，無奈困頓時易了米，略過不述。

主人的臥室中有一大案，上面擺滿了小山一般高的明清舊本。翻撿了半天，又與老卓議價良久，選定了兩部大書與幾種巾箱小冊。其一為乾隆緝香堂軟體字寫刻本《黃山谷全集》三大函，存別集、外集共四十五卷與附刻的《伐檀集》二卷。緝香堂本流傳較廣，同治間有翻刻，乾隆本全集並不難得，惟晚印版面模糊者居多。此本則榜紙早印，天地更較通行本闊大寸餘，紙幅大小與民國時董陶精刊本相當。《伐檀集》卷尾有"新建劉得宜、進賢龔廷光"二刻工名，乾隆時能治此種大部名著，當非無名之輩。

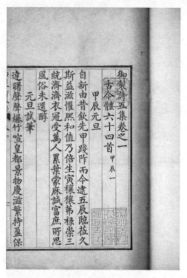

乾隆六十年內府刊《御製詩五集》

另一部為乾隆六十年（1795）內府刊《御製詩五集》。八十四卷，裝六夾五十冊。全書寫刻流暢，墨凝似漆，是太史連紙的最初印本。經揚州阮元琅嬛仙館、武昌柯逢時兩家遞藏，卷首藏印纍纍。惜缺末十六卷，然細審書前目錄，亦至八十四卷止，與內文銜接得天衣無縫，想是舊時書商手段，若不知百卷為全帙者必以此八十四卷為全本。間有阮氏收藏時景寫鈔配數冊，亦鈐文選樓印。妙楷精寫，幾可視作館閣體書帖，或出阮府鈔胥之手。竊以為此種鈔配不輸原刻。

還看到一卷南宋補刊思溪藏本《大般若經》零冊，黃麻紙印。經折裝，無封皮，前後空白護葉剪去四角，內葉品相頗好，索價尚不貴。老卓言自日本寺院回流天津，有數十冊之多，均無上下面板。他去得早，選了最厚的一冊。思溪鎮距故鄉菱湖不過十數里，年少時曾與夥伴騎腳踏車踏青時遊玩過。似此八百年前鄉刻文獻實叫人不忍釋手。無奈客囊羞澀，另選定的光緒天津刻本《醉茶志怪》、同治巾箱本《繡像西廂記》等幾種小書尚未割價付款，躊躇再三，只得放棄。而來前電話中老卓介紹的一部嘉慶間沈氏古倪園景宋刊《梅花喜神譜》桃花紙初印本，則在幾天前為京城孟憲鈞先生購去，叫人遺憾不已。

　　學業結束後在杭州又堅持了兩年，想到父母年事漸高，彼地的房價更是難以企及，還是決定返回湖州工作生活。離杭的那年盛夏，由藏友牽線，幫杭州市檔案局買得一部嘉靖廿六年（1547）初刻本《西湖遊覽志》，是包含"志餘"的五十卷全本，白棉紙早印，版心數十刻工名俱在，頗為難得。浙圖善本部亦只收藏了一部萬曆重修本。算是為杭州這個曾經揮灑過青春的城市做了些微薄的貢獻。

　　六載前返鄉後，偏居小城一隅，買書渠道日少。加之近年書價騰貴，已久不購書。閒暇時常憶起當年的訪書歲月，撰此小文遙祝遠方的老程、老卓等諸位老友身體安康。

買舊書的回憶

劉聰

　　我愛看舊書，也愛買舊書。愛看舊書，當然是因為舊書的內容有意思，很多你在新書裏讀不到的事情，在舊書裏反倒會有。而愛買舊書，則是因為買舊書的過程常常十分有趣。有時候，買舊書的故事比舊書本身還能引人興味。回憶這幾年中，我就有幾次買舊書的經歷很不尋常，直到今天都不會忘記。

　　其中一次，大概是五六年前，在地壇書市的一個冷攤上，我看到一本近代女詞人丁寧的《還軒詞》。書是線裝的，安徽圖書館八十年代油印本。當時，我正在收集近人詞集，這本書聞名已久，卻一直尋覓不到。所以乍見之下，不由大喜；可正欲伸手，卻突然被身邊的一個中年人搶先拿了起來。我心裏頓時一驚，忙轉頭去看。這個中年人原來是平時在網上販書的 B 君，我和他就在網上打過幾次交道。但在現實中，我認得他，他卻不認得我。站在 B 君的身旁，我不露聲色，假裝翻看著其他的書，但目光始終沒有離開過他手裏的那本《還軒詞》。我

安徽省圖書館贈茅于美的丁寧《還軒詞》油印本

心裏暗暗著急，期盼著他能將書放下……突然，B君翻開了書的封面，我看到扉頁上竟赫然還有一行墨筆題字："茅于美同志惠存"。原來，這還是另一位女詞人茅于美的藏書。一個難得的油印本，兩位著名的女詞人，這樣的書如果交臂失之，那真是太可惜了。

　　不一會兒，B君拿著挑好的四本書開始和賣家談價。B君是老江湖，四本書，幾番砍殺，輕輕鬆鬆地就以二百元成交。看到B君收起書準備離去，我情急之下，忙攔到他的面前，試探著問道："您買的這本《還軒詞》能加價讓給我嗎？"B君邊搖頭邊說："不賣，自己留的。加價也不賣。"口氣很堅決，說完轉身就走。望著他的背影，我後悔不已。回想剛才，我和B

君差不多是同時發現的《還軒詞》，只是我下手慢了一兩秒，就被他捷足先登了。

那天在地壇，我再也沒有心情去逛其他的書攤。早早回家，也一直悶悶不樂。晚飯後，百無聊賴中我打開電腦，登錄到平時買賣舊書的網站上。突然，網站上竟傳來一條 B 君剛剛發給我的消息："柏兄好，我手上有一部油印的《還軒詞》，82 年版，茅于美藏書，知道兄專門收藏近人詞集，這本有興趣嗎？"（我的網名是柏葉酒）看到這條消息，我欣喜若狂。B 君說的《還軒詞》不就是白天被他買走的那本嗎？他不是加價也不肯賣嗎？我稍一思索，心下已自了然。原來 B 君在地壇說不肯轉讓，是因為他早已打定了主意，準備賣給網上一直肯出高價收購近人詞集的 "柏葉酒"。此時，我知道自己絕不能捅破白天發生的事情，稍稍冷靜了一下，才若無其事地回覆他："興趣是有，關鍵價格多少？"很快，他答覆我："收來價很高，四百元讓兄如何？""好的，成交。"我毫不遲疑地答應了，生怕他會反悔。

兩天之後，一本茅于美舊藏的丁寧《還軒詞》就由快遞公司送到了我的手裏。一卷在握，真如故友重逢。想到它從地壇書市的冷攤上到我的手裏，這樣的奇遇，實在讓人感喟不已。其實，人與書的緣分有時就是這麼捉摸不定。當你以為得到它的時候，未必真能得到；但當你以為失去它的時候，也未必就會失去。當初在地壇，如果是我先把書拿到手裏，那後面就不會發生這樣的波折。但如果沒有後面的波折，我又怎能感受到這種失而復得的意外欣喜？

雖然買《還軒詞》的過程有點曲折，但總不過是兩三日內的事情。而另一次，為了得到一本近代詞人趙叔雍的《珍重閣詞集》，我卻足足等了兩年多。那次的經歷，給我留下的印象也很深刻。

《珍重閣詞集》是趙叔雍的門人八十年代初在新加坡印行的，當時印量就很少。因此，距今雖不過二三十年，在大陸上卻很難看到它的身影。有一天，一家網店上傳了一本《珍重閣詞集》，標價才二十幾元。發現後，我喜心翻倒，急點鼠標，系統卻顯示剛剛被人訂購了。上傳到網站才幾分鐘，是誰的手竟這麼快？不一會兒，友人 H 兄打來電話："小柏，你猜我訂到了什麼書？""珍重閣詞？"我不假思索，脫口而出。"不錯，哈哈，你也看到了？沒想到今天上網竟然能碰到珍重閣。哈哈哈……"電話那邊，H 兄已經笑得合不上嘴了。

趙叔雍《珍重閣詞集》

H 兄是和我一起收藏近人詞集的書友，因為愛好相同，大家常常在網上交流。平時，我只要買到好書，都會先和他顯擺一番，讓他羨慕不已。而這一次，真是報應不爽，輪到我羨慕他了。我知道，作為藏家的 H 兄和作為書販的 B 君不同。

書販再怎麼喜歡書，因為做的是賣書的生意，只要價格合適，終究容易出手。而作為藏家，即便有時也會以書養書，但不是萬不得已，他們心愛的書，是很少會再轉讓的。

為此，我雖也嘗試著跟 H 兄提出了幾種轉讓方案，比如：高價購買，以書換書……但統統被他拒絕了。H 兄說，他收藏近人詞集，這輩子也比不過我了。但只要想到手裏還有一本《珍重閣詞集》是我渴望而沒有的，心裏也就滿足了。

自此之後，我從來沒有放棄過勸他將書讓給我，可他從來沒有答應我。但在頻繁的聯繫中，我們兩人的關係卻越走越近。在網上，或電話裏，除了書之外，我們的話題也漸漸涉及彼此的工作和生活……不知不覺中，我們已經是無話不說的好朋友。有一天，H 兄告訴我，雖然《珍重閣詞集》他暫時不打算出手，但將來如果要賣，一定會留給我。

大概過了一年多，有一天早上，我在去上班的路上，突然接到了 H 兄的電話。電話裏他急切地說："我和我老婆吵架了，準備離家走幾天，身上錢不夠，你給我匯一千吧，我把《珍重閣詞集》讓給你。"我答應了他，但心裏的感受卻很複雜。能得到渴望已久的書，本來是一件歡喜的事；但想到朋友的境遇，卻又不能不為他擔心。那天，我本來計劃中午休息時去給他匯款，可誰知沒過兩個小時，他就又打來了電話："小柏，不用匯錢了，謝謝你，我和我老婆和好了。抱歉，這次又讓你失望了吧。哈哈……"聽完他的話，我知道這次得書的希望又破滅了，雖說不無遺憾，但心裏反倒踏實了些。

又過了一年多，H 兄辭了工作，開始在網上賣書。他把原來收藏的近人詞集都陸續拿出來賣掉了。當然，《珍重閣詞集》留給了我。然而，可能因為等待的時間太久了，收到書的那一刻，我竟然沒有原來預想中的激動。看到 H 兄將多年的藏書散掉，我倒有些替他感到可惜。

H 兄的這本《珍重閣詞集》，原來是新加坡美術評論家林肇剛贈送給徐邦達先生的，扉頁上有林肇剛的題贈簽名。這樣一冊小書，天南地北，幾經輾轉，最終才歸藏寒齋，也真屬不易。雖然《珍重閣詞集》很少見，但還算不上是什麼善本秘籍，只因為有了這段不尋常的故事，對我而言才顯得格外珍貴。

今天，即使買到再好的近人詞集，我也不會向 H 兄顯擺了，因為他已經不藏舊書了。

收藏小記

趙胥

文人學者墨跡的收藏自古就已形成風氣，現當代田家英、鄭逸梅、彭長卿三位先生當屬翹楚。我自小喜歡那些文人間寫寫畫畫的東西，漸漸地也就迷上了近現代文人學者的墨跡收藏。

最初的收集是從鄉賢手跡入手的，期間走過不少彎路，還好隨著周圍師友的幫助和自我認知的增長，我的收藏變得越來越"正統"了。但這樣的收集時間還不足五年，還處在一個小學生的水平。

隨著國學熱的風靡，好多被塵封的國學大師又重新被推到風口浪尖上。記得是 2003 年前後，我先後知道了王國維、陳寅恪、梁漱溟、熊十力等學術大家的名字。後來又被陳寅恪先生"獨立之精神，自由之思想"的治學精神深深地感動，我發願要為那些在國家危難的時刻仍奮力承傳祖國傳統文化的學人們證明。至此有關清華國學門師生手跡的收集，便成為我收藏的重中之重。

確立了收集目標後，首先就要對清華國學門的歷史有全面的瞭解。學術界對清華國學門有幾種稱呼，例如清華大學國學院、清華國學院、國學研究院之類。名不正則言不順，在正式收集之前就必須搞清楚準確的名字和詳細的師生名單，否則無法入手，只能越走越偏。

　　清華大學是用庚子賠款建立的留美預備學校，最初定名為清華學堂，1912 年更名為清華學校，1928 年更名為國立清華大學。1925 年創立研究院，最初僅設立國學門。在開設研究院以前清華分為中等科與高等科，學制分別為四年，相當於今天的初中與高中，開設英語、物理、化學等初級課程。而國學門存在不足四年，故我認為稱其為清華國學門應更為合適。

　　1925 年秋清華國學門成立之初，教職員工共有十一人。吳宓是主任，聘請了梁啟超、王國維、陳寅恪（陳先生晚一年到校）、趙元任四位導師，李濟因同為北大國學門教授故僅聘為講師，陸維釗、梁廷燦、章明煌三位為助教，衛士生為事務員，周光午為助理員。至國學門結束，先後任教的還有趙萬里、浦江清、楊逢時、蔣善國、梁思永五位助教，馬衡、林志鈞兩位講師。清華國學門曾擬聘梁漱溟為導師，梁先生未接受，但是1927 年曾在研究院開設專門講座，故研究院諸學生亦視梁漱溟為導師，這點已在《清華同學與學術薪傳》中影印的清華國學門師生通訊錄得到了證明。

　　清華國學門因其年代久遠，加之戰火、政權的變更等不可抗拒的原因，準確的學生人數難以統計。據筆者初步瞭解，在籍的學生總數應為七十四人。全部在籍的學生畢業後兩極分化很嚴重，一部分成為日後學術界的中堅力量，如：徐中舒、姜亮夫、王力、吳其昌、高亨、陸侃如、劉節、劉盼遂、謝國楨、羅根澤、周傳儒、蔣天樞等。另外一部分則徹底地消失了，以至連生卒年都查詢不到，如：王鏡第、謝星朗、王國忠、司秋沄、謝念灰等。

1927 年王國維先生投湖自盡使得清華國學門少了一位重要的支柱，之後梁啟超先生又因健康問題不能堅持到校上課，而趙元任先生則大部分時間與學生在外地組織田野考察，清華國學門中實際上課的只剩陳寅恪先生一人。後又由於招生、資金、戰亂等綜合原因，國學門於 1929 年決定停辦，從此消失在歷史的長河中，成了永久的回憶。

我擬定的收集標準是，不只是這些學人親筆的墨跡，還有當年的書籍、登記表、照片、護照等等，總之只要是與清華國學門中的任何一人有關係的物件均在收集之列。其中書籍是十分重要的一項，這裏所指的書籍可不是近些年新出版的學術著作，而是當年他們用過的或是出版發行的書籍，如果能遇到簽名本或是批校本則更加完美。

我收集的途徑和其他藏友別無二致，大多是請熟悉的朋友幫忙尋找，其次是穿梭在各種拍賣會，只要碰到可心的就直接傾囊買下，再者則是網上搜尋，一經發現立即購下。還好有些大家都不瞭解的名頭不會太耗費財力，若是碰到"大眾情人"則是一場硬拚了，以下僅選出一些略述因緣。

陳寅恪先生（1890—1969）所著《崔浩與寇謙之》簽名抽印本。這個本子對我來說意義非凡，因我個人極為景仰陳先生，也因此將我的書房改為"景寅書屋"，這本書是藏友結廬主人割讓的。1944年後陳先生幾乎是以全盲的狀態投入學術研究的，雖然無法親自提筆寫作，只能口述由他人代筆，但這並不影響陳先生對學術問題的思考與探索，反而大量的學術成就是在失明之後完成的。《崔浩與寇謙之》完成於1950年，主要討論北朝史中崔浩與寇謙之的關係。此冊右上角題字"擘黃兄教正 寅恪"，此七字出自陳先生的夫人唐簣之手，淡雅莊重。上款人即翻譯家、心理學家唐鉞（字擘黃），曾與胡適先生一起翻譯美國杜威的《哲學的改造》。雖然題字並非陳先生親筆，但也彌足珍貴了。

此七字出自陳先生的夫人唐簣之手，淡雅莊重

趙元任先生（1892—1982）可以說是國學門四大導師中最幸運的一位。他於 1938 年赴美教書，因此逃過了內戰、"文革"等等禍事。趙先生在海外持續他在語言學方面的研究，成就斐然，從世俗角度上來說也是四大導師中唯一一位得以善終的。我得到的趙先生的簽名本是其 1968 年出版的 Language and Symbolic Systems 一書。此書是用油筆簽贈的，上款人一時無法辨認，略顯得有些遺憾。

李濟先生（1896—1979）是我國現代考古學的開山人物。筆者收到的李先生簽名本是 1952 年台灣為紀念傅斯年先生所編論文集的抽印本《小屯陶器質料之化學分析》。小屯的考古發掘可謂現代中國考古學史上的一個典範，李濟先生正是這次發掘的領導者。這個本子十分有趣，原為李先生 1955 年送給楊聯陞先生的，楊先生又於 1984 年轉贈給了時任中國歷史博物館館長的俞偉超先生，俞先生在書的左下角鈐蓋了自己的印章。名家簽名本互相轉贈的不少，但如此都是大名家的卻不見得很多。

蔣善國先生（1898—1986）畢業於北京大學國學門，1926 年聘入清華國學門

李濟簽贈本《小屯陶器質料之化學分析》

任梁啟超先生助教，是我國卓有成就的文字學家，晚年任教於吉林大學。關於蔣先生的個人資料並不多，我曾致信吉林大學方面，想打聽關於蔣先生後人的消息，我的唐突沒有被拒絕，反而得到吉大諸位領導的熱情相助，真是感激不盡。但得到的消息卻是令人無奈的，蔣先生並無後人，他過世後一切事情都是由家中保姆處理的。得到回信後沒幾天，也許是老天可憐我，突然有位朋友告訴我網上正在出售一本《中國文字之原始及其構造》，應為蔣先生所著。我一聽，顧不上看圖，便立即請朋友幫忙買下。待書寄到後拆開一看，更是興奮，書內扉頁竟有蔣先生的毛筆簽名！這可真是意外收穫。

徐景賢先生（生平不詳）是清華國學門最後一屆的學生。此時的國學門僅剩陳寅恪先生與趙元任先生兩位導師，徐景賢先生就拜在陳先生的門下，主攻與《孝經》有關的文獻研究。有關徐先生的介紹幾乎查不到，就連生卒年都不清楚，這實在是那一代學人的悲哀。有一天我在孔夫子舊書網上隨便翻看，發現一家山東的書店裏有一本《孝經之研究》，是

蔣善國著《中國文字之原始及其構造》

徐景賢著《孝經之研究》

民國時的版本，正好作者也叫徐景賢。我就請求店主發一些書裏的圖片給我，以便確認。在作者像後面的一頁清晰地印著清華國學門的畢業證書，更可喜的是作者像旁還有徐先生的題字"問漁先生正之　敬贈"，這下可以確定為徐景賢先生的著作了。我連忙付款買下，生怕這樣的寶貝被人搶走。此書1931年由徐垂三堂平寓發行，封面簽條是林志鈞先生題寫的，扉頁題簽則出自章太炎先生手筆，後又有馬相伯先生作序，可謂一時豪傑齊聚，實在難得。

　　我收集的清華國學門簽名本中最難得的要屬與吳其昌先生（1904—1944）有關的這幾本。吳先生早年畢業於無錫國專，1925年考入清華國學門，成為國學門第一屆的研究生，師從王國維先生。可惜這樣一位大學者卻天不假年，僅四十歲便離世了，真是讓人遺憾不已。據吳先生之女吳令華老師回憶，1938年武漢大學為避戰火遷往四川樂山，時吳先生正執教於該校歷史系，也就加入了這搬遷的大軍之中。可惜吳先生的大部分藏書在這次搬遷中丟失了，直到先生逝世也未能找到。去年冬天

一位藏友打電話告訴我有幾本"子馨"上款的簽名書，問我要不要，子馨即吳其昌先生，這當然是我夢寐以求的藏品了。我即刻開車到通州與他見面，這些書中盡是大名頭的代表作，如董作賓先生的《殷商疑年》、李濟先生的《小屯與仰韶》、楊樹達先生的《古音對轉疏證》、王力先生的《南北朝詩人用韻考》，還有吳先生的自藏本，真是難得。價格

董作賓簽贈本《殷商疑年》

略高了一些，但珍品難覓只得留下。不知我得到的這幾本書會不會是吳先生當年丟失的那批書籍中的一部分呢？

筆者所得的這些簽名本並非是什麼重器，若論起經濟價值則更是不值一提，但它們對我卻十分珍貴。清華國學門作為特殊時期的歷史產物，是無法複製的，更是無法超越的。不知道哪一天才會集齊全部清華國學門師生的手跡，我只能祈盼這一天早日到來。

編後記

陳曉維

茨威格小說《看不見的珍藏》講的是一個年邁目盲收藏家的故事。在結尾處作者這樣寫道："樓上的窗口裏露出一張白髮老人的高高興興的笑臉，凌駕於大街上愁眉苦臉、熙熙攘攘、忙忙碌碌的人群之上，由一片善意幻覺的白雲托著，遠遠地脫離了我們這個嚴酷的現實世界。我不覺又想起了那句含有深意的老話 —— 我記得好像是歌德說的 —— '收藏家是幸福的人！'"

收藏家是幸福的。當我們攤開前輩藏家鄭振鐸、阿英、黃裳們的淘書地圖，加入他們的冒險之旅時，總是可以深切地感受到這一點。在他們幸福的風暴中心有著無法預知，因而充滿魅力的文獻珍寶，有浸透歷代賢哲智慧結晶的陳舊紙張，還有一隻看不見的帶我們掙脫強大世俗引力的求真之手。

然而物換星移，藏書的故事終究還是要寫下新的章節。多年以來，淘書生活，淘書的人一直都在隨著那令旗一揮，走馬

換將。今天再拿起這些步入藏書名人堂的風趣人物的訪書記來讀，興味自是依舊盎然，但已不免使我們生出隔世之感。

如果回溯一下，我們會發現，近三十年來的淘書方式與他們那個時代相比，已經面目全非了。在上世紀八十年代，中國的舊書市場基本還是由國營的古舊書店壟斷資源，一統天下。想看舊書所必須提供的蓋著大紅印章的機關介紹信、帶有等級制度色彩的機關首長接待室，都使普通的愛好者只能徒呼奈何，望書興歎。到了九十年代，北京中國書店開始市場化運作，各地也陸續出現了跳蚤市場、舊書攤、古玩市場，再加上拍賣行業的興起，舊書的來源變得多元化，普通人也逐漸可以參與其中了。進入新世紀，特別是非典以後，孔夫子舊書網踏浪而來，它毫不留情地顛覆了舊有格局，把全國各地海量的舊書資源整合在一個平台上，大有橫掃千軍的獨大氣勢。很多原來覺得難找的書在網站上一搜即得，方便極了。同時海外的 ebay、abebooks 等購書網站上也出現了一批來自中國的淘書人，藉助這些網站他們把觸角輕鬆地伸向世界各地。海外的中文舊書資源在短期內便掀起一股洶湧的回流潮。

有些令人遺憾的是，無論網上購書，還是拍賣會的蓬勃發展，都使買書人和賣書人失去了直接見面的機會，舊書買賣進入了"零接觸"時代。黃裳筆下的眼光好、有魄力的修文堂主人孫實君，愛賭咒發誓、言辭永遠虛虛實實的傳薪書店老闆徐紹樵那樣的好故事，以後不容易聽到了。可以想象，未來的愛書人再講起淘書故事，冷攤負手對殘書的悠然情調沒有了，利用信息不對稱撿漏的狂喜減少了，察言觀色、欲擒故縱的戲劇性場面也消失了，取而代之的是安坐電腦前的站樁式搜書。神奇的"網搜學"將成為每個淘書人的必修課。未來的淘書是實實在在的"信息技術產業"，是毫不含糊的針尖對麥芒的財力比拚。

並且，老一輩藏書家筆下動輒提及的宋刻元槧、精彩的明代版畫，除了在拍賣會上偶爾靈光一現，也已是杳如黃鶴，漸行漸遠了。如今常見的藏書主題是清三代精寫刻、民國紅藍印、新文學，甚至紅色文獻、老畫冊、簽名本。藏品價格的節節攀升和中產階級收藏隊伍的不斷壯大，使得藏書的子門類被不斷地拓寬。每個人都只能固守在一個極窄的領域裏苦心經營。如果鄭振鐸老先生今天有機會到琉璃廠、潘家園走一趟，他一定會歎口氣，搖搖頭說："再也不來了，白浪費時間。"

收藏的內容改變了，但是藏書給人帶來的樂趣是始終如一的。因為書除了文獻價值、經濟價值以外，更重要的是它存在於每個人內心的主觀價值。這主觀價值的判斷來自記憶，也來自對於未知世界的莫名渴望。這才是人和書之間最緊密的聯繫紐帶。正因為如此，淘書的故事才會這樣代代延續，永不枯竭。

在本書中，謝其章、柯衛東、趙國忠、胡桂林等幾位算是前輩了，他們從中國書店的"三門"時代起就開始淘書。十年前我第一次去逛潘家園，就見到謝、柯、趙三劍客結伴而行，一人揹一個雙肩背書包（以便騰出兩手來翻檢）。逛完攤就湊在一起互曬戰利品，海闊天空地神侃一氣，然後再連續作戰，一道去中國書店碰碰好運氣。那時有我熟悉的書友在一旁為我指點："那個最能說的，老謝，謝其章。帥帥的那個，是老柯，

他會修洋裝書。"

他們幾位的收藏重心是民國書，跟我重合，所以開始的時候大家也在孔夫子網上爭過書。2004年的時候，我第一次跟謝其章打交道。飯桌上他說："跟你在孔夫子上爭沈從文《記丁玲》的就是我，我讓別人代我出的價。"他還告訴我，不久前網上那本好品相的張愛玲《流言》，也是被他買去了。多年後我又看見他在微博上顯擺這本漂亮的《流言》初版本，說書後的版權章是張愛玲親手一枚一枚蓋上去的，所以這書六十八年前曾經過張愛玲之右手云云，我就又想起來當年我們在新開路胡同東口那家質次價不高的邊城餐廳吃過的第一頓飯。

有一次我在潘家園逛完攤，去布衣書局開在二樓的店面裏閒坐。當時那裏像個地下交通站，各色淘書人等進進出出，歇歇腳，或是會會友。我剛坐下，趙國忠進來了。頭一天他答應把自藏帶護封的查顯琳詩集《上元月》帶來給我看。我的那本沒護封，好幾百買的，他的品相好得多，卻只用掉五十元。我趕緊用掃描儀掃了，留作資料。過一會，柯衛東也來了，他說這書他也有，十年前天津古籍書店買的，二十五元。正說得高興，台灣的吳興文推門而入。他長駐北京，對此間的舊書市場了如指掌。他掃了一眼《上元月》便說："這書還有平裝本。九十年代初我在天津古籍書店看見的，書架上一大排。平裝精裝都有，精裝的都帶護封。我和秦賢次一起去的。他平裝精裝各買了一本。十塊錢。"後來吳興文還慷慨地把他收藏的平裝本《上元月》送給了我。這幾位老書蟲，追憶起似水年華來，就是這樣"把酒酹滔滔，心潮逐浪高"。

韓智冬出道也早。他家大宅離潘家園只有一箭之地，佔盡天時地利人和。當年逛攤，他是不計得失，風雨無阻。他曾有九字真言"許它沒有，不許你不去"。多少好書之徒持此大明咒唸誦修行，終成正果。

他們這撥人都趕上了好時候，是撿過大漏的。趙龍江寫的《拾到的知堂遺物》，說的就是他在中國書店書市，一塊錢買到有魯迅父親伯宜公題寫書名、周作人撰跋語的小書《異書四種》。這是天上掉餡餅的美事，但餡餅只會往那些終日在舊書世界裏戀戀風塵的腦袋上砸。趙龍江在標題裏用了一個輕描淡寫的"拾"字，緣來緣去緣如水，真是恰如其分。

我曾聽很多人描述過當年書市的盛況。開市之前如何像春運買火車票一樣擁塞在中國書店門口，開閘以後又如何人喊馬嘶，如潮水般爭先衝向一捆捆線裝書。親歷者都說，王洪剛跑得最快，買得最多。

王洪剛和艾俊川是對我幫助很大的兩位師長。他們都精通版本，聰明絕頂，口才也好。聽他們談書如聞老吏斷獄，片言解紛。台灣作家高陽說自己是"野翰林"，如果舊書圈裏也有野翰林，也有道在化外的少林掃地僧，那一定非他們兩位莫屬。

他們買書，常能從中發現旁人估量不到的價值，因此可以人棄我取，披沙揀金。像王洪剛文中所說的配齊方以智《藥地炮莊》和明版《四書金丹》，艾俊川能夠從海外買到插增甲本《水滸傳》殘葉，除了機緣，更要有著扎實的版本學、古代文獻知識作後盾。艾俊川才高，他的人卻是如《論語》所言"申申如也，夭夭如也"。那些《水滸傳》殘葉，他曾當面給我看過。當時我說，這書即便送到手中，我都不知道它好在哪裏。這就是所謂的貨賣識家吧。好書遇到伯樂，看似是人的幸運，實則也是書的幸運。

近年來線裝書價格高漲以後，一般的工薪階層已經很難涉足其中了。於是一些新的藏書專題被發掘出來，像龔晏邦的藏書票、菜單、雜項收藏，馬征的十七年文學收藏，葉尋的地下出版物收藏，都是很有特色的。從龔晏邦活潑歡快的文字裏，你能感受到，經濟上的小投入，一樣可以帶來樂趣上的大產出。而葉尋的收藏活動，既是興趣使然，其實也是在給自己的現實關懷尋找一個可以落腳的投射點。

舊書跟大多數行業一樣，重心在北、上、廣三個地區。上海的勵俊、散木，廣東的胡文輝，北京的高山杉都是令我敬佩的藏家。他們是典型的學者型藏家，重視書的實用價值、學術價值，若僅僅為了深鎖嬋娟則不為也。他們在故紙堆裏爬梳剔抉，抽絲剝繭，發人所未發，都做出了相當精彩的學術文章。

這樣說來，住在湖州的顧錚就顯得很特別。湖州的舊書資源極少，顧錚本人又暈車，難以外出旅行，買書基本上只能通過網購。我去他家參觀過他的古籍收藏，一件一件搬出來，他都如數家珍，把版刻特點、版本流變講得頭頭是道，鍾愛之情溢於言表。顧錚是本書裏最年輕的作者之一，但他的訪書記無論是格調還是關注的對象，倒是與黃裳那一代藏書家最為接近。

哈爾濱的臧偉強則是一個書癡。他買書有豪氣，為了心儀的珍本書不惜壯士斷腕，千金買馬骨。"先舉下來再說，錢可以慢慢想辦法。"有時候他在拍賣會上的"非理性行為"，常常使我們擔心這個人是不是真的瘋了。未見有人"好德如好色"，但他是"好書甚於好色"。為了研究一部書的版本，他可以大年夜把自己關在堆滿藏品的辦公室裏，餓了泡碗方便麵，睏了就往沙發裏一倒。我在他文章裏讀到"展對知堂遺墨，筆者不時稱絕，情難自抑，幾近大喊出口，數度為身旁的韓斗及白文俊兄以手勢制止"時，他那令人啼笑皆非的癡態就瞬時躍然如在目前。

有買書的，就得有賣書的。買書辛苦，賣書更是不易。我走上藏書道路算起來是從買胡同的書開始，他是我認識的第一個書友。我們還曾經朝夕相處，共同經營了兩年多的布衣書局。十幾年來他一直把做好布衣書局作為人生理想。即使舊書店生存環境越來越惡劣，店面不得不從二環內搬到三環邊上，再轉移到四環外，他還是一直在勉力堅持。他曾幻想把書店開成四五十年代上海三馬路上的來青閣，如同一座文藝沙龍，買書人沒事就來坐坐，喝上一杯閒茶，海闊天空地聊聊書林掌故。但現實生活哪有這樣輕鬆愜意，他的《六十噸》寫的就是一次艱苦的收購活動。正是很多次這樣耗盡心力的奔忙，造就了今天在書圈裏有口皆碑的布衣書局。

買書的，賣書的。賣書的，買書的。從清人徐子晉的《前塵夢影錄》到今天，藏書的故事講過了一代又一代。談的是書，書後面到底還是人。舊書如鏡，映照你我。而世事如棋，又總使得身在其中的凡人感到此身如寄。那麼，約編這樣的一本搜書文集，既是向未來拋出的一隻盛滿現世光華的漂流瓶，同時，也是如謝其章先生所說，"向舊時光投去最後的一瞥以示訣別"。

責任編輯	席若菲
書籍設計	a_kun
書籍排版	楊　錄

書　　名	買書記歷：三十八位愛書人的集體回憶
編　　者	陳曉維
出　　版	三聯書店（香港）有限公司 香港北角英皇道 499 號北角工業大廈 20 樓 Joint Publishing (H.K.) Co., Ltd. 20/F., North Point Industrial Building, 499 King's Road, North Point, Hong Kong
香港發行	香港聯合書刊物流有限公司 香港新界荃灣德士古道 220-248 號 16 樓
版　　次	2023 年 10 月香港第一版第一次印刷
規　　格	32 開（130 mm × 190 mm）336 面
國際書號	ISBN 978-962-04-5355-7（精裝版） ISBN 978-962-04-5356-4（平裝版）

本書中文繁體版由中華書局（北京）授權三聯書店（香港）有限公司出版發行